BRAVOURE

DU MÊME AUTEUR
CHEZ LE MÊME ÉDITEUR

Album de famille
La Fin de l'été
Il était une fois l'amour
Au nom du cœur
Secrets
Une autre vie
La Maison des jours heureux
La Ronde des souvenirs
Traversées
Les Promesses de la passion
La Vagabonde
Loving
La Belle Vie
Un parfait inconnu
Kaléidoscope
Star
Cher Daddy
Souvenirs du Vietnam
Coups de cœur
Un si grand amour
Joyaux
Naissances
Le Cadeau
Accident
Plein Ciel
L'Anneau de Cassandra
Cinq Jours à Paris
Palomino
La Foudre
Malveillance
Souvenirs d'amour
Honneur et Courage
Le Ranch
Renaissance
Le Fantôme
Un rayon de lumière
Un monde de rêve
Le Klone et moi
Un si long chemin
Une saison de passion
Double Reflet
Douce-Amère
Maintenant et pour toujours
Forces irrésistibles
Le Mariage
Mamie Dan
Voyage
Le Baiser
Rue de l'Espoir
L'Aigle solitaire
Le Cottage
Courage
Vœux secrets
Coucher de soleil à Saint-Tropez
Rendez-vous
À bon port
L'Ange gardien
Rançon
Les Échos du passé
Seconde Chance
Impossible
Éternels Célibataires
La Clé du bonheur
Miracle
Princesse
Sœurs et amies
Le Bal
Villa numéro 2
Une grâce infinie
Paris retrouvé
Irrésistible
Une femme libre
Au jour le jour
Offrir l'espoir
Affaire de cœur
Les Lueurs du Sud
Une grande fille
Liens familiaux
Colocataires
En héritage
Disparu
Joyeux Anniversaire
Hôtel Vendôme
Trahie
Zoya
Des amis si proches
Le Pardon
Jusqu'à la fin des temps
Un pur bonheur
Victoires
Coup de foudre
Ambitions
Une vie parfaite

Danielle Steel

BRAVOURE

Roman

Traduit de l'anglais (États-Unis)
par Sophie Pertus

Titre original : *Pegasus*
First published in 2014 by Delacorte Press, an imprint of Random House, New York.

ISBN 978-2-258-10808-0

Presses de la Cité | un département **place des éditeurs**

place des éditeurs

À mes enfants chéris,
Beatrix, Trevor, Todd, Nick, Sam,
Victoria, Vanessa, Maxx et Zara,
À l'histoire, à la magie, à la survie, aux vies nouvelles,
Au Pégase de notre vie à chacun, qu'il nous porte en avant,
Et au courage qu'il faut pour le chercher et faire corps avec lui.
Je vous aime si, si fort,
Maman/DS

1

La nuit tombait déjà quand les garçons d'écurie entendirent les chevaux. Ce fut d'abord comme un grondement de tonnerre dans le lointain ; à cette distance, seuls les initiés pouvaient reconnaître le martèlement des sabots. Quelques instants plus tard, des voix et des rires s'élevèrent. C'étaient bien les cavaliers qui rentraient de la chasse. Ils pénétrèrent dans la cour du château d'Altenberg, visiblement d'excellente humeur. La partie avait été bonne. L'un des premiers arrivés annonça que les chiens avaient pris le renard. Encore sous l'effet de l'excitation, les chevaux s'ébrouaient, dansaient sur place. Cette froide journée d'octobre leur avait été propice, ainsi qu'aux cavaliers. En veste rouge, culotte de cheval blanche et bottes noires à revers fauves, ceux-ci semblaient tout droit sortis d'une gravure du XIXe siècle. Après avoir confié leur cheval aux palefreniers, ils aidèrent les quelques amazones qui les accompagnaient à mettre pied à terre. Les membres du groupe sorti ce jour-là chassaient ensemble depuis leur plus jeune âge. Le cheval était leur passion.

Le maître d'équipage, Alex von Hemmerle, était connu pour être l'un des meilleurs cavaliers du pays. Il élevait des chevaux extraordinaires. Sa vie entière était façonnée par la tradition, tout comme celle de ses amis. Leur monde ne laissait guère de place aux nouveaux venus ni aux surprises. Les mêmes familles habitaient la région depuis des siècles, observaient des coutumes et des rites ancestraux, se mariaient entre elles et, très attachées à la terre, géraient d'immenses domaines. Alex avait été élevé au château d'Altenberg comme ses aïeux depuis le XIVe siècle. Fidèle à la tradition familiale, il y donnait chaque année à Noël un grand bal. C'était l'événement le plus élégant des environs, et le plus attendu. Sa fille, Marianne, avait joué pour la première fois le rôle de maîtresse de maison l'année précédente, celle de ses seize ans.

Elle était aussi belle que sa mère, dont elle avait hérité la finesse des traits, le teint de porcelaine et les cheveux d'un blond presque blanc. Grande et svelte comme son père, elle avait les yeux bleu vif. C'était également une cavalière accomplie. Alex l'avait mise sur un cheval avant même qu'elle sache marcher et, depuis qu'elle était suffisamment grande, elle le suivait dans ses chasses. Elle était furieuse de n'avoir pas pu l'accompagner aujourd'hui. Parce qu'elle était grippée et fiévreuse, il avait tenu à ce qu'elle reste au chaud. Comme cela arrivait encore souvent à cette époque, la mère de Marianne, de constitution fragile, était morte en couches. Profondément marqué par cette perte, Alex n'avait pas refait sa vie et se contentait de rares et discrètes aventures dans la région. Les choses étaient très claires pour lui comme pour les femmes qu'il retrouvait. Il se consacrait exclusivement à sa fille, ne souhaitait pas se remarier et ne le ferait jamais. Annaliese, son épouse, était une cousine éloignée. Bien qu'il fût de quelques années son aîné, ils s'étaient aimés dès l'enfance. Jamais il n'aurait imaginé se retrouver veuf à trente ans. Depuis sa mort, la compagnie de sa fille et de ses amis lui suffisait.

Du reste, la gestion de sa propriété et de ses chevaux l'occupait énormément. Il y élevait des lipizzans, qui faisaient sa fierté et emplissaient sa vie. Par bonheur, Marianne partageait sa passion. Toute petite, déjà, elle aimait jouer avec les poulains et regarder son père les dresser. Les chevaux d'Altenberg étaient très réputés pour la pureté de leurs origines ; leur tempérament était particulièrement agréable. Alex choisissait avec rigueur les étalons et les juments qu'il conservait pour la reproduction et s'efforçait de transmettre à sa fille cet art de la sélection et du croisement, marque des grands éleveurs.

Elle l'avait souvent accompagné à l'École espagnole de Vienne : pour elle, le mélange de précision et de grâce des mouvements que les écuyers exécutaient avec leurs lipizzans immaculés pouvait se comparer à de la danse classique. Elle retenait son souffle en les regardant bondir sur leurs membres postérieurs dans la « courbette » ou s'élever dans les airs pour la « croupade » et la « cabriole ». Elle ne s'en lassait pas – pas plus qu'Alex, d'ailleurs, qui enseignait ces figures à certains de ses chevaux. Marianne aurait rêvé de devenir écuyère à l'École espagnole de Vienne et elle en avait le talent. Hélas, l'institution n'acceptait pas les femmes – et, selon Alex, ne les accepterait jamais. Elle se contentait donc de regarder faire son père. Il était très rare qu'il lui permette de monter les lipizzans. En revanche, il lui confiait volontiers ses pur-sang arabes. Elle montait admirablement, alliant la technique enseignée par son père et l'instinct acquis au contact de ces chevaux qui comptaient parmi les meilleurs d'Allemagne. Comme lui, elle avait les chevaux dans le sang.

— Bonne chasse, hein, Nick ? fit Alex, heureux et détendu, tandis que son ami et lui circulaient entre les autres cavaliers qui bavardaient avec animation dans la cour.

Nicolas von Bingen avait monté un étalon arabe qui lui avait énormément plu.

— Oui, très bonne. Je t'achèterais volontiers ce cheval, alla-t-il jusqu'à dire.

Alex rit.

— Il n'est pas à vendre. Je l'ai promis à Marianne. Mais il faut que je le dresse encore un peu avant de le lui laisser.

— Moi, il me convient tel qu'il est, assura Nicolas en souriant à son ami d'enfance. De toute façon, il a trop de sang pour elle.

Il aimait les chevaux avec beaucoup d'influx, même si cela les rendait plus difficiles à contrôler.

— Ne va surtout pas lui dire cela ! s'exclama Alex en riant.

Marianne aurait pris la remarque pour une insulte, et son père lui-même n'était pas certain qu'elle fût fondée. En son for intérieur, il la jugeait plus fine cavalière, avec une meilleure main que Nick.

— Pourquoi n'était-elle pas avec nous, aujourd'hui, au fait ? Il me semble que c'est la première fois que je la vois manquer une chasse.

— Elle est malade. Mais c'est tout juste s'il n'a pas fallu que je l'attache à son lit pour qu'elle reste à la maison.

Nick se laissa gagner par la visible inquiétude de son ami.

— Rien de grave, j'espère ?

— Elle a pris froid. Le médecin est venu hier soir parce qu'elle avait de la fièvre et que je craignais que le mal ne gagne les poumons. Il lui a ordonné de

— Si tu le dis… Je vais dîner avec Marianne dans sa chambre, mais que penserais-tu d'un tour à cheval, demain, jusqu'à la limite nord du domaine ? J'ai des coupes à faire et je voudrais aller voir l'état des bois. Nous partirions de bonne heure afin d'être revenus à midi, et tu pourrais rester déjeuner.

— Ce serait avec plaisir ; hélas, je suis pris, répondit Nick à regret en s'arrêtant devant la Duesenberg qu'il avait garée sous un arbre.

Il préférait de loin sa Bugatti, mais avait opté pour une automobile plus convenable pour venir chasser avec Alex.

— J'ai rendez-vous avec mon père, expliqua-t-il. Il a quelque chose à me dire – je me demande bien quoi : il y a des semaines que je n'ai rien fait qui puisse le contrarier.

Ils rirent de bon cœur. Les relations entre Nick et son père étaient excellentes, même s'il arrivait à ce dernier de lui reprocher ses aventures féminines, ses folles galopades ou la vitesse à laquelle il conduisait, lorsque la rumeur les lui rapportait. Surtout, Paul von Bingen s'efforçait d'intéresser son fils aux affaires du domaine.

— Je crois qu'il veut que je commence à m'occuper de l'administration des fermes, confia Nick. Quelle barbe !

— Il faudra bien t'y mettre un jour. Pourquoi pas maintenant ? fit valoir Alex.

Les anciens baux à métayage avaient été convertis en baux à fermage. Toutefois, les traditions séculaires perduraient. Nick n'appartenait pas réellement au monde moderne, sans doute, mais cette vie paisible, à la campagne, loin des grandes villes, avait ses avantages. Depuis plusieurs années, avec la crise économique consécutive à la guerre et à la Grande

Dépression, l'Allemagne était en proie à des troubles. Certes, Hitler avait amélioré la situation économique du pays, mais tous les problèmes n'étaient pas résolus pour autant. Le Führer s'efforçait de rendre aux Allemands leur fierté. Néanmoins, ses discours et ses rassemblements enfiévrés ne séduisaient guère Alex et Nick. Alex voyait en lui un perturbateur, et la plupart de ses idées lui déplaisaient souverainement. Du reste, son annexion de l'Autriche en mars apparaissait comme un signe inquiétant de ses ambitions. Néanmoins, tout cela leur semblait bien lointain. Rien ne pouvait les atteindre, dans leur paisible Bavière. Rien ne changeait, ne changerait jamais. Leurs familles étaient là depuis des siècles et y seraient encore dans deux cents ans et plus, vivant de la même manière, faisant les mêmes choses, isolées du reste du monde.

L'éducation qu'avaient reçue Alex et Nick les avait préparés à la vie d'aristocrate, et c'était à peu près tout. Ils avaient l'un et l'autre la chance de jouir d'une fortune considérable, un sujet dont ils ne parlaient jamais et auquel ils ne songeaient que rarement. Des fermiers et des domestiques effectuaient le travail requis par leurs immenses domaines. Un jour, ils transmettraient à leurs enfants leurs biens et cette existence protégée de tout qui allait avec.

— Je ne vois pas pourquoi, répondit Nick en glissant ses longues jambes dans la Duesenberg et en regardant son ami avec un sourire narquois. Mon père va vivre encore au moins trente ans et il gère les fermes bien mieux que je ne le ferai jamais. J'aurais vraiment préféré monter à cheval avec toi demain matin, mais il se froissera si je ne fais pas au moins semblant de l'écouter.

Nick connaissait tous les sermons de son père par cœur.

— Tu n'as pas honte ! le morigéna gentiment Alex.

Mais il savait son ami plus responsable qu'il ne le paraissait. Il avait ainsi considérablement amélioré les conditions de vie de ses fermiers en finançant sur ses propres deniers des travaux d'aménagement de leurs logements. Il se préoccupait de leur sort sur le plan humain. En revanche, il trouvait assommante la gestion quotidienne des terres et des fermes – laquelle, à l'inverse, semblait passionner son père.

— Désolé pour demain, conclut-il à regret. Je passerai après le déjeuner pour voir les progrès de ton cheval.

Cela faisait plusieurs mois qu'il suivait le dressage d'un jeune lipizzan.

— Je suis encore loin du but, avec lui, remarqua son ami. Je l'ai promis à l'École pour janvier prochain. Il aura l'âge, mais pas forcément les qualifications.

À quatre ans, l'étalon faisait preuve de beaucoup de tempérament. Nick ne se lassait pas de regarder Alex lui enseigner les mouvements du dressage. Le jeune animal aurait déjà impressionné n'importe qui, mais son éleveur était un perfectionniste rarement satisfait de ses résultats.

— Passe quand tu veux, conclut Alex.

Nick démarra en agitant gaiement la main, tandis qu'Alex se dirigeait déjà vers le château, impatient de voir comment allait sa fille.

Il la trouva au lit avec un livre, l'air de passablement s'ennuyer. Elle semblait moins fiévreuse que la veille au soir. En lui posant la main sur le front, il fut rassuré de la trouver plus fraîche, même si elle n'avait pas encore très bonne mine.

— Comment vous sentez-vous, Marianne ? s'enquit-il en s'asseyant sur son lit.

— Idiote d'être obligée de rester là. Vous avez fait une bonne chasse ? demanda-t-elle en s'animant. Vous avez pris le renard ?

— Oui. Vous m'avez manqué, vous savez, mais je suis content que vous soyez restée à la maison. Il faisait un froid de loup. L'hiver va être rude.

— Tant mieux ; j'aime la neige. Toby est passé me voir, aujourd'hui, ajouta-t-elle.

Le fils de Nick lui rendait de très fréquentes visites. Elle l'aimait comme un petit frère alors que, fou d'elle, il attendait avec impatience le jour où il aurait l'âge de lui faire la cour et où elle le prendrait au sérieux. Sauf que ce jour ne viendrait sans doute jamais…

— Ne dites surtout pas à son père qu'il est venu. Vous savez combien Nick redoute la contagion.

Depuis la perte de sa femme et de sa fille, il était devenu extrêmement protecteur vis-à-vis de ses fils.

— Nous avons joué aux échecs, raconta Marianne, et je l'ai battu.

Son père lui sourit.

— Vous devriez être plus gentille avec lui, remarqua-t-il. Il est en adoration devant vous.

— C'est parce qu'il ne connaît pas d'autre jeune fille, assura-t-elle.

Elle n'avait aucune conscience de sa beauté ni de son effet sur les hommes. Depuis quelques années, les garçons de leur entourage – et certains de leurs pères… – la couvaient d'un regard plein de convoitise. Heureusement, pour l'instant, leur admiration ne lui tournait pas la tête. Elle s'intéressait davantage aux chevaux qu'aux hommes. Il y avait chez elle une innocence enfantine qui touchait beaucoup Alex. Il souffrait par avance à l'idée d'être séparé d'elle lorsqu'elle se marierait et quitterait la maison. Si elle le faisait… Par chance, elle n'irait pas loin, il le savait.

Elle fréquentait le même collège des environs que les enfants des autres familles nobles et ne souhaitait pas poursuivre ses études en ville.

Le père d'Alex, quant à lui, avait tenu à ce qu'il aille à l'université, à Heidelberg. Mais c'est avec une joie sans mélange qu'il était rentré chez lui, dans ce qu'il tenait pour le plus bel endroit au monde.

Marianne avait la même opinion que lui à ce sujet, et il s'en réjouissait. Il lui arrivait de s'en vouloir de ne pas lui offrir une vie plus éblouissante. Toutefois, en ces temps troublés, elle lui semblait plus en sécurité auprès de lui, à la campagne.

— Puis-je descendre dîner avec vous, papa ? demanda-t-elle, prête à se lever malgré sa pâleur.

Alex secoua la tête.

— Non, vous n'êtes pas suffisamment remise. Et il y a des courants d'air, en bas. J'ai demandé que l'on nous porte des plateaux ici. Marta ne va pas tarder. Il faut vite vous remettre pour pouvoir venir voir le poulain qui vient de naître. Il est magnifique. Encore plus beau que son père, je crois. Je l'ai montré à Nick, tout à l'heure.

Il se mit en devoir de lui donner toutes les nouvelles des chevaux, et notamment des progrès de Pluto. Marianne se laissa aller contre les oreillers en soupirant, sans doute plus faible qu'elle ne voulait bien le laisser paraître.

Marta apparut quelques instants plus tard, accompagnée d'un valet de chambre qui l'aidait à porter le repas. Alex autorisa Marianne à quitter son lit pour dîner au coin du feu, enveloppée dans une couverture, pendant qu'il lui racontait la chasse. En se recouchant, elle semblait fatiguée. Toutefois, elle avait la joue fraîche quand il l'embrassa.

— Bonne nuit, mon ange, dit-il en souriant.

— J'ai tellement de chance d'avoir un père comme vous…, répondit-elle avec douceur.

Il se sentit fondre de tendresse. Lui aussi, il avait bien de la chance d'avoir une fille comme elle.

— Oh, ajouta-t-elle, j'allais oublier de vous dire… J'ai écouté la radio, aujourd'hui. Il y a eu une espèce de rassemblement, à Berlin. À entendre le claquement rythmé des bottes des soldats et les chants militaires, on aurait pu se croire en guerre. Le Führer a prononcé un discours pour demander à tous de lui faire allégeance. Cela m'a fait peur… Vous croyez qu'il va y avoir la guerre, papa ?

Hitler avait convaincu l'opinion publique que l'annexion de l'Autriche suffirait à éviter la guerre. Que l'espace vital ainsi obtenu, le « Lebensraum », serait suffisant.

— Non, je ne crois pas, affirma-t-il pour la rassurer.

Elle était si jeune, si innocente… Il savait bien, néanmoins, qu'Hitler avait mobilisé l'armée deux mois plus tôt.

— Je ne pense pas que la situation soit aussi dangereuse qu'elle le paraît, poursuivit-il. De toute façon, ici, rien ne nous atteindra. Dormez bien, ma chérie. Faites de beaux rêves. J'espère que vous irez mieux demain matin.

Elle lui sourit, rassurée par ses paroles. En entendant le discours du Führer à la radio, elle avait été prise d'un frisson glacé. Elle craignait de voir le monde bouleversé, comme il l'avait annoncé. Mais son père avait sûrement raison. Ce devait être de la propagande destinée à emporter l'adhésion du peuple. Eux, cela ne les concernait nullement. Puis elle songea au bal de Noël tout proche. Comme ils allaient s'amuser ! Il fallait commencer les préparatifs : il ne restait que deux mois. Cette année, Toby y assisterait, pour la première fois. Quand il lui avait dit avec fierté qu'il allait avoir son premier habit et son premier haut-de-forme, elle avait éclaté de rire. Il était joli garçon, certes, mais c'était encore un enfant. Du reste, elle ne se sentait guère plus adulte. Elle s'endormit en pensant au petit poulain qui venait de naître, aux chevaux de son père, ces créatures magiques qui peuplaient leur monde parfait. Un monde dans lequel, comme l'affirmait son père, rien de mauvais ne pourrait l'atteindre. Elle n'avait rien à craindre.

2

Le lendemain matin, Nick monta dans sa Bugatti bleu vif pour se rendre chez son père, qui habitait une vaste gentilhommière sur le domaine. Il avait laissé le château à Nick et son épouse quand ils s'étaient mariés. À la même époque, il avait commencé à insister, en vain, pour que Nick reprenne la gestion des terres. Aujourd'hui encore, à quarante-trois ans, Nick restait persuadé qu'il avait bien le temps d'apprendre ce qu'il avait encore à savoir sur le sujet. Il se sentait jeune homme. D'ailleurs, à soixante-cinq ans, son père semblait plus vert que jamais, portant beau, plein de vie.

En entrant dans la bibliothèque, cependant, il ne lui trouva pas bonne mine. Pâle, il avait l'air fatigué, préoccupé. Nick le salua et s'assit en face de lui, à son bureau.

— Vous sentez-vous bien, père ? lui demanda-t-il avec sollicitude.

— Oui, assura Paul d'un air sombre avant de se lever pour aller refermer la porte.

La discussion allait être sérieuse, cela n'allait pas être une partie de plaisir. Nick aurait mieux aimé monter à cheval avec Alex, tiens. Toutefois, il était contraint de se soumettre périodiquement au rappel des responsabilités, des obligations et des devoirs liés à leur héritage. Il se prépara donc à entendre un sermon dont il devinait les grandes lignes.

Son père se rassit et parut chercher ses mots, ce qui ne lui ressemblait pas. D'ordinaire, il commençait par dérouler la liste des tâches qui incombaient à Nick et dont il ne s'acquittait pas.

— Je veux vous parler de choses que je n'ai jamais évoquées avec vous jusqu'à présent, annonça Paul d'un ton mesuré.

Nick leva les yeux, surpris.

— J'étais très semblable à vous, dans mon jeune temps. J'étais même bien moins sage que vous. Vous semblez avoir le goût des jolies femmes et des autos rapides : il n'y a aucun mal à cela. Vous êtes par ailleurs un excellent père et un fils dévoué.

— Vous êtes vous-même le meilleur des pères, l'interrompit Nick avec affection. Et vous tolérez avec beaucoup de patience mon refus de prendre en main le domaine. Le fait est que j'estime que vous le gérez mieux que je ne le ferai jamais et qu'il serait préjudiciable que je vous succède maintenant.

Son père eut un sourire lugubre qu'il ne lui avait jamais vu et qui l'inquiéta. Il resta coi de longs instants.

— Qu'est-ce qui ne va pas ? finit par demander Nick, n'y tenant plus.

Son père ne répondit pas tout de suite, garda les yeux baissés sur ses mains, puis :

— L'année de mes vingt et un ans, j'ai rencontré votre mère. Elle était très jeune et très belle, avec des cheveux et des yeux noirs, comme vous, même si, hormis cela, vous ne lui ressemblez pas du tout.

Nick le savait : il était le portrait de son grand-père paternel en brun.

— Je la trouvais merveilleusement exotique et je pensais que nous avions le même âge, poursuivit son père. Pendant l'été, nous avons eu une liaison aussi brève que passionnée, et elle est tombée enceinte presque aussitôt. Par la suite, j'ai appris qu'elle n'avait que quinze ans. Lorsque vous êtes né, elle en avait seize, et moi vingt-deux. Autant vous dire que cela n'a pas été du goût de mes parents, surtout quand ils ont découvert qui étaient les siens. Son père était l'un de nos fermiers – ou plus exactement le cousin d'un de nos fermiers. Il était venu de la ville avec femme et enfants pour travailler à la ferme, c'est pourquoi je n'avais jamais vu votre mère auparavant. Je me suis entiché d'elle au premier regard. Sauf que leurs cousins, nos fermiers, étaient d'anciens serfs. Imaginez la colère de mon père... J'ai soutenu que j'étais amoureux d'elle, et peut-être l'étais-je réellement. J'ignore si l'on peut savoir ce qu'est l'amour à cet âge. Et puis, comment savoir ce qui peut mal tourner ? Toujours est-il que, lorsqu'elle m'a appris qu'elle était enceinte, j'ai cru bien agir en l'épousant lors d'une petite cérémonie dans la chapelle du château. Avec l'aide d'un avocat de Munich, mon père a conclu un accord avec le sien : personne ne devait savoir que nous étions mariés et, aussitôt après la naissance du bébé, nous devions divorcer. Elle acceptait également d'abandonner l'enfant à la naissance.

« Après ça, j'ai passé un an à l'étranger, en Espagne et en Italie. Je me suis bien amusé, même si j'avais quelques remords vis-à-vis d'elle. Comme convenu, nous avons divorcé après votre naissance, et sa famille et elle ont quitté la ferme pour retourner en ville. Mon père a racheté le fermage de ses cousins un très bon prix, car, se sentant déshonorés par ce qui s'était passé, ils préféraient partir. Je suis rentré de voyage ayant prétendument épousé une comtesse italienne qui était morte en couches. Personne n'a mis mon histoire en doute quand je suis apparu avec vous ; tout le monde me plaignait d'être veuf aussi jeune avec un enfant à charge. Votre grand-mère m'a aidé à vous élever, et personne n'a jamais su la vérité. Mes parents, votre mère et sa famille, le prêtre qui nous avait mariés et l'infirmière qui s'était occupée de vous, tous ont gardé le secret. Je n'ai jamais revu votre mère, ce dont je ne suis pas fier.

« Au fond, mon unique attachement a été pour vous. Je vous ai aimé dès que je vous ai vu et je n'ai jamais, jamais regretté votre venue au monde. De fait, je pense que votre naissance m'a donné de bonne heure le sens des responsabilités, ce qui était un bien car mes parents sont morts alors que j'étais encore assez jeune et qu'il a fallu que j'apprenne tout seul ce que vous rechignez à apprendre depuis toujours. Je n'avais pas le choix. J'avais un enfant et un grand domaine à gérer. Je l'ai fait de mon mieux, pour pouvoir vous le transmettre en bon ordre un jour. »

À son air sombre, Nick se rendait compte que cette confession pesait à son père. Mais pourquoi décidait-il de lui raconter tout cela aujourd'hui ? Il s'efforça d'en jauger les implications. Ce qui lui causait le plus grand choc, c'était d'apprendre que sa mère n'était pas morte en couches, contrairement à ce qu'il avait toujours cru. Que ce fût une jeune fille de ferme et non une aristocrate italienne avait moins d'importance, à ses yeux.

— Vous voulez dire que ma mère est toujours en vie ? Mais pourquoi me l'annoncez-vous maintenant, père ?

— Il fallait que vous le sachiez. Je ne pouvais pas faire autrement que de vous le révéler. J'ignore si elle est vivante, même si c'est probable puisqu'elle aurait cinquante-neuf ans aujourd'hui, ce qui est relativement jeune. Il lui a été ordonné de ne jamais chercher à reprendre contact avec nous, et elle s'y est tenue. Je ne sais pas ce que sa famille et elle sont devenues. Nous pourrions le découvrir, sans doute. Je suis navré de devoir vous révéler tout cela.

Paul avait toujours dit à Nick que la famille de sa prétendue épouse le jugeait responsable de sa mort et refusait de les revoir, lui et l'enfant. Cela lui avait permis de justifier l'absence de grands-parents maternels dans la vie de Nick. Ce dernier n'avait d'ailleurs jamais posé de questions à ce sujet. Bien que la présence d'une mère lui ait manqué, il avait eu une enfance très heureuse, entre ses grands-parents paternels et son père, qui faisait tout pour son fils unique. Paul von Bingen ne s'était jamais remarié. Nick s'en étonna maintenant qu'il savait qu'il n'était pas inconsolable de la perte d'une jeune épouse tendrement aimée. Il avait bien eu quelques liaisons, parfois longues, mais il affirmait ne pas souhaiter d'autre famille que son fils.

— Maintenant que j'y pense, ajouta-t-il, je me rappelle vaguement avoir entendu dire qu'elle s'était mariée, un peu plus tard. Je crois que mon père l'a su par son avocat et en a dit un mot en passant. J'ai été soulagé pour elle, mais je n'ai pas relevé. Je vous avais : c'était tout ce qui comptait.

Ils se regardèrent avec sérieux et restèrent un moment sans rien dire.

Nick était sidéré, malgré tout. Comment croire que son père, qui lui semblait tellement intègre, n'avait fait que lui mentir sur les circonstances de sa naissance ? Et quel choc d'imaginer que sa mère avait pu le vendre... Son père n'avait pas parlé d'argent, mais, à l'évidence, il avait bien fallu une contrepartie pour que son père et elle acceptent le divorce et la renonciation à l'enfant.

— Comment s'appelait-elle ? demanda Nick d'une voix basse.

Il aurait aussi voulu savoir à quoi elle ressemblait. Il n'y avait ni portrait ni photographie d'elle nulle part. Son père avait toujours prétendu que ce serait « trop douloureux ». Nick l'avait accepté, plein de compassion pour le deuil de son père.

— Hedwig Schmidt.

Nick hocha la tête tandis que ce nom se gravait dans son esprit. Puis son père inspira profondément avant de reprendre :

— Si je vous raconte tout cela maintenant, c'est parce que, il y a deux jours, j'ai reçu la visite d'un homme que je n'avais pas vu depuis des années. Un ami de jeunesse qui était parti vivre en Indonésie. Aujourd'hui, c'est un général de la Wehrmacht. Il est venu me voir pour une raison bien précise. J'ignore comment, mais il a eu entre les mains des documents relatifs à mon mariage et mon divorce ; il connaît donc les circonstances de votre naissance. Un vent mauvais qui souffle de Berlin fait courir de vilains bruits dans toute l'Allemagne. Les gens se mettent à divulguer des informations que, jusque-là, ils taisaient.

« Mon ami, Heinrich von Messing, m'a appris avant-hier que votre mère était à moitié juive. Je l'ignorais, et, de toute manière, cela ne m'aurait pas importé. C'est son milieu qui a fait de notre mariage une mésalliance. Néanmoins, selon Heinrich, elle était à moitié juive par sa mère, ce qui signifie que vous l'êtes un quart et vos fils un huitième. Or, toujours selon lui, être juif, même en partie, est très dangereux par les temps qui courent. Du reste, nous en avons tous conscience depuis plusieurs années. Depuis les lois de Nuremberg, très exactement. »

Ces lois définissaient les Juifs comme une race à part et les privaient de la citoyenneté allemande. Depuis, cent vingt autres lois avaient été promulguées pour leur ôter d'autres droits, et il devenait dangereux d'avoir du sang « non aryen ». Jamais les deux hommes n'auraient pu se douter ni l'un ni l'autre qu'ils étaient concernés par les persécutions contre les Juifs d'Allemagne, mais voilà que Nick se retrouvait en première ligne.

Son père poursuivit son récit les larmes aux yeux.

— Heinrich est venu m'alerter afin que je puisse vous prévenir. Il m'a précisé que quelqu'un avait constitué un dossier à votre nom et que vos origines maternelles étaient connues. Cela pourrait être terrible pour vous et pour vos fils. Aujourd'hui, il suffit d'un rien pour faire pencher la balance. Vos enfants et vous risquez d'être arrêtés et déplacés, de ne pas avoir le droit de rester ici, chez vous. Heinrich estime que, pour votre sécurité, il faut que vous quittiez tous les trois l'Allemagne au plus vite. Autrement, sous peu, vous serez envoyés dans un camp pour « indésirables », comme celui de Dachau, près de Munich. Être juif est un crime, dans l'Allemagne d'aujourd'hui : vos fils et vous êtes donc désormais considérés comme des criminels.

Des larmes coulaient sur les joues de Paul von Bingen.

— D'après Heinrich, cela ne va faire qu'empirer. Je lui ai demandé si je pouvais répondre de vous, si nous avions une chance de pouvoir obtenir une forme de dispense, mais il m'a répondu sans ambages que quiconque avait une goutte de sang juif était en danger dans ce pays.

Il toussa, comme pour étouffer un sanglot. Il semblait désespéré.

— Mon fils bien-aimé, vous devez partir, avec vos enfants. Tout de suite. Au plus vite. Avant qu'il vous arrive quelque chose. Il n'y a pas de temps à perdre.

Un long silence s'abattit sur la pièce. Abasourdi, Nick regardait fixement son père, qui pleurait toujours. Ni l'un ni l'autre ne bougeait.

— Vous plaisantez ? s'exclama-t-il enfin. Il faudrait que je parte ? Mais c'est absurde ! Je ne suis pas juif. Ma mère l'était, peut-être, mais pas vous. Ni moi. Je ne le savais même pas. Et les garçons encore moins.

Leur mère était catholique et comptait un évêque dans sa famille.

— À leurs yeux, aux yeux du gouvernement d'Hitler, si. Quiconque a une goutte de sang juif est juif, quelle que soit sa religion, expliqua Paul avec amertume. Ce n'est pas une question de religion, mais de race. Vous n'êtes pas considéré comme un pur Aryen allemand.

— C'est grotesque, lâcha Nick en se levant pour arpenter la pièce. Je n'ai rien contre les Juifs, mais je ne suis pas des leurs.

— Selon les autorités, si, je vous le répète. Qui que vous soyez, de quelque façon que vous viviez, si vous avez des origines juives, il faut partir ou risquer d'en subir les conséquences. Or je refuse de vous voir déporté dans un camp de travail. Mon ami soutient que l'on pourrait venir vous chercher ici, qu'on le fera très certainement. Pour faire de vous un exemple. Et qui sait ce qui arrivera ensuite ? Pour l'instant, les Juifs sont envoyés dans les camps de travail, au même titre que les Tsiganes, ou les homosexuels et tous ceux dont Hitler ne veut pas en Allemagne. Les professeurs juifs ne peuvent plus enseigner. Ceux qui ont des entreprises sont spoliés, ceux qui ont des emplois sont licenciés. Les Juifs n'ont plus accès aux jardins publics ni aux piscines. À votre avis, jusqu'où cela ira-t-il ? Aujourd'hui, Nick, vous pouvez encore obtenir un passeport et quitter l'Allemagne avec une autorisation spéciale. Il faut le faire pendant qu'il en est encore temps. Car, j'en suis convaincu, la situation va empirer.

— Jusqu'à quel point, selon vous ?

Nick restait sceptique.

— Nous sommes des gens respectables, père. Vous possédez l'un des plus grands domaines d'Allemagne. Nous appartenons à l'une des plus vieilles familles du pays.

Il argumentait avec l'énergie du désespoir, mais son père insista, avec une profonde tristesse.

— À leurs yeux, une mère à demi juive l'emporte sur tout le reste. Quelle que soit l'honorabilité de notre famille, vous êtes d'ascendance juive, même si vous ne le revendiquez pas. Or les Juifs sont devenus indésirables, ici. Ce sont les mots mêmes du général. Il a pris un grand risque en venant ici nous mettre en garde. Il m'a prévenu que quelqu'un, à Berlin, avait votre dossier entre les mains. Ils contrôlent toutes les plus vieilles familles, épluchent les registres d'état civil. Selon lui, il faut agir au plus vite. Ce pourrait n'être qu'une question de semaines.

— Agir ? Mais que voulez-vous que je fasse ?

Nick s'emportait presque contre son père, faute d'autre cible.

— Faut-il vraiment que je m'enfuie ?

— Hélas, oui, Nicolas. Selon Heinrich, ceux qui le peuvent partent en Amérique, s'ils trouvent un emploi et un parrain qui se porte caution pour eux. J'ai dressé la liste de mes relations là-bas, mais j'ignore si quelqu'un acceptera de nous aider. Je compte également écrire au directeur de votre pensionnat en Angleterre. Il nous faut faire appel à toutes nos connaissances pour vous sortir d'ici. Cependant, avant toute chose, il vous faut un emploi.

— Mais lequel, père ? Chauffeur ? Je ne connais aucun métier.

Il n'avait même pas appris à gérer son propre domaine…

— Peut-être pourriez-vous travailler dans une banque ? avança son père. Vous n'aurez le droit d'emporter qu'une somme limitée. Ils ne veulent pas que les grosses fortunes quittent l'Allemagne. Je vous donnerai tout ce qui sera possible, bien sûr. Il vous faudra de quoi subvenir aux besoins des garçons.

— Je ne sais pas quoi dire… Rien ne m'a préparé à cela… Je n'ai appris qu'à monter à cheval, à conduire des automobiles, à bien me tenir à table et à danser : quel métier cette bonne éducation pourrait-elle me donner ?

— Nous allons devoir trouver sans tarder. Il n'y a pas de temps à perdre. Vous pourriez enseigner l'allemand. Vous parlez bien anglais, c'est pour cela que je vais écrire au principal de votre collège. Il vous trouvera peut-être un poste dans une école en Angleterre ou en Amérique. C'est une profession respectable qui vous ferait gagner de quoi vivre.

— Que vais-je dire aux enfants ?

Tout cela était tellement absurde. À quinze ans, Toby ne comprendrait certainement pas. Et Lucas, qui n'avait pas six ans… De toute façon, lui-même n'y comprenait rien.

— Que nous devons quitter l'Allemagne parce que nous y sommes considérés comme des criminels ? Mes fils ne savent même pas ce qu'est un Juif. Et il va falloir que je leur explique que, simplement parce qu'un fou est à la tête de l'Allemagne, nous allons être forcés de partir de chez nous pour aller dans un endroit où nous ne connaissons rien ni personne. Père, c'est insensé.

— Oui, convint ce dernier. Lorsque le calme sera revenu – car je ne doute pas qu'il revienne un jour –, vous pourrez rentrer à la maison. Néanmoins, pour l'instant, il faut vous en aller. Heinrich a été on ne peut plus clair, et je le crois. Vous n'avez pas le choix. Je vais écrire à mes relations. De votre côté, voyez qui serait susceptible de vous aider, soit en vous parrainant, soit en vous offrant un emploi.

Nick se tut, complètement abasourdi par ces nouvelles.

— Mes camarades d'école en Angleterre mènent la même vie que nous, murmura-t-il au bout d'un moment. Ils chassent à courre, montent à cheval, administrent leurs propriétés. Ils ne travaillent pas, eux non plus…

Il allait pourtant falloir trouver quelque chose, Nick en prenait conscience. Sa vie et celle des garçons – ou en tout cas leur bien-être – en dépendaient. L'idée de se retrouver, avec eux, dans un camp de travail le glaçait. Et si, comme l'avait laissé entendre l'ami de son père, ce n'était qu'une première étape ? Et si le pire était à venir ? Quelle chance ils avaient eue d'être avertis…

— Pourrons-nous reparler de tout cela plus tard ? demanda Nick qui suffoquait. J'ai besoin de prendre l'air.

— Où allez-vous ? voulut savoir son père, visiblement inquiet.

— À Altenberg, voir Alex.

Dans les moments de peine comme de joie, c'était toujours vers son ami qu'il se tournait.

— Allez-vous le mettre au courant ?

— Je ne sais pas. J'ai simplement envie de passer un moment avec lui. Bien entendu, je l'avertirai au moment de mon départ. J'ai besoin de réfléchir. Qui solliciter ? Par où commencer ? Je ne connais personne en Amérique.

Pour lui, cette terre lointaine était une autre planète. Et il ne se voyait vraiment pas enseignant en Angleterre. À la vérité, il ne se voyait pas quitter l'Allemagne.

— Moi, si, répondit son père. Et je vais tout faire pour vous trouver un parrain et un emploi.

— Avez-vous pensé à garçon d'écurie ou professeur de danse ? fit Nick d'un ton narquois.

Mais il ne plaisantait qu'à moitié. Les chevaux faisaient partie de ses rares compétences. Même s'il ne s'en occupait plus lui-même depuis l'adolescence, il s'en savait capable.

— Je vais tâcher de vous trouver un peu mieux, promit son père tristement.

Quelques minutes plus tard, Nick repartait au volant de sa Bugatti, perdu dans ses pensées. La vie telle qu'il l'avait toujours connue allait prendre fin, pour des années si ce n'est pour toujours.

Paul, quant à lui, songeait qu'il allait perdre sa famille, se retrouver séparé de tous ceux qu'il aimait... Partir avec eux ? Ce n'était pas possible. Il ne pouvait pas abandonner le domaine. Il était tenu par sa responsabilité vis-à-vis de leurs fermiers et de son héritage, de tout ce qu'il avait appris à respecter. Et puis... il se sentait trop vieux pour entreprendre un tel voyage. Nick n'avait pas besoin d'un vieillard pour ajouter à ses soucis. Il aurait bien assez à faire avec ses fils. Non, Paul le savait, il devait rester.

À Altenberg, Nick se gara et se rendit à pied aux écuries, où il trouva Alex déjà au travail avec Pluto. Il était en train de lui apprendre à rester en équilibre sur ses membres postérieurs, une figure dans laquelle les lipizzans excellaient naturellement et qui s'appelait la « levade ». Nick constata que Pluto avait fait des progrès considérables ces dernières semaines. Le résultat des heures qu'Alex lui consacrait était excellent. Le cheval était promis à une magnifique carrière à Vienne, où il partirait sans doute dans les mois à venir.

— Cela n'a pas été trop pénible, avec ton père ? lança Alex à Nick quand il le vit arriver.

Nick haussa les épaules en guise de réponse. Il ne voulait pas mentir à son ami, mais il ne se sentait pas encore prêt à lui dire la vérité. Il en était encore à digérer les révélations faites par son père. C'était tellement horrible qu'il ne parvenait pas à y croire. C'était une blague. Ou un cauchemar. Et il allait se réveiller…

Pluto se mit à sauter sur place en conservant sa position debout : c'était la courbette. Nick connaissait bien tous ces mouvements, les « airs relevés ». Ses préférés étaient la croupade et la cabriole, lorsque les chevaux semblaient s'envoler en un ballet parfaitement chorégraphié. Alex travaillait également ses pur-sang arabes en haute école, mais aussi en liberté, à plusieurs, pour réaliser des numéros. Regarder son ami dresser le cheval apaisa un peu Nick. Il faisait déjà sombre quand la séance prit fin. Alex récompensa Pluto avec des caresses amicales et des mots chuchotés à voix basse avant de le confier à un palefrenier. Il paraissait satisfait quand Nick vint le rejoindre dans le manège.

— Je ne sais pas comment tu fais pour leur apprendre tout cela, lui dit-il, admiratif. J'ai beau t'avoir observé des centaines, peut-être des milliers de fois, cela me semble toujours de la magie. De la télépathie.

— C'est naturel pour les chevaux, assura modestement Alex. Ils ont *envie* de le faire. Je me contente de leur donner le courage d'essayer. Une fois qu'ils savent qu'ils en sont capables, tout devient facile et agréable, pour eux comme pour moi. Comment s'est passé ton entretien avec ton père ? enchaîna-t-il. Je me suis inquiété. Il n'est pas malade, au moins ?

— Non, il va bien, répondit Nick évasivement.

Il sentit qu'Alex le scrutait avec attention. Ils étaient amis depuis trop longtemps pour qu'il ne perçoive pas sa détresse.

— Rien ne t'oblige à me parler, fit ce dernier d'un ton plein d'égards. Tu ne me dois rien. Mais j'ai l'impression que tu me caches quelque chose. En tout cas, si je peux t'aider de quelque manière que ce soit, dis-le-moi.

Nick secoua la tête. Malgré lui, devant tant de bonté, il ne put empêcher les larmes de lui monter aux yeux. Il se tourna vers cet ami qui était pour lui comme un frère. C'était Alex qui l'avait consolé quand il avait perdu sa femme et sa fille. C'était lui qui s'était tenu à ses côtés dans les moments importants de sa vie, bons comme mauvais. Ils avaient partagé joies et peines, rires et larmes. Oui, vraiment, comme deux frères.

— Ma mère est toujours en vie, révéla-t-il. Mon père m'avait menti sur son identité. Surtout, il vient d'apprendre, par un ami membre de la Wehrmacht, qu'elle était à demi juive. Il l'ignorait. Cela signifie que les garçons et moi devons quitter l'Allemagne au plus vite, car nous sommes désormais considérés comme juifs et nous risquons le pire. Il faut que je trouve du travail et un parrain en Amérique ou en Angleterre, ou là où je pourrai aller. Alex, je ne sais pas comment je vais m'en sortir... Va-t-il falloir que je prenne une place de palefrenier ou de chauffeur ? C'est tout ce dont je suis capable.

Il ne pouvait dissimuler sa détresse, son angoisse. Alex s'arrêta de marcher, stupéfait.

— Tu plaisantes ?

De toute évidence, il n'en croyait pas ses oreilles.

— J'ai l'air de plaisanter ? Si seulement…

Alex réfléchit. Qui aurait pu se douter que ce qui se passait en Allemagne depuis les lois de Nuremberg concernerait un jour Nick et ses fils ?

— Non, reprit son ami, il faut vraiment que je trouve un emploi. La question, c'est lequel ? Toi, au moins, tu sais dresser les chevaux. Moi, même pas. Je suis tout juste bon à les monter une fois que quelqu'un a fait le boulot.

— Mais ne serait-il pas possible que tu trouves un arrangement financier ou que tu fasses jouer tes relations pour te tirer de ce mauvais pas ?

— D'après mon père, non, ce n'est pas possible. Apparemment, nous avons à peine quelques semaines pour fuir. Je me demande ce que nous allons devenir…

— Nous trouverons une solution, promit Alex, sous le choc.

Son ami allait quitter l'Allemagne pour très longtemps, si ce n'est pour toujours.

— Les garçons sont au courant ? s'enquit-il.

— Pas encore. Moi-même, je n'ai appris la nouvelle que ce matin. Je ne vais rien leur dire tant que je n'en saurai pas un peu plus sur nos plans. Imagine que je ne trouve rien ? Que l'on nous déporte ?

— Si cela arrivait, vous survivriez, affirma Alex avec plus d'assurance qu'il n'en éprouvait. Mais nous allons faire en sorte que cela ne se produise pas.

L'idée même lui était insupportable. Il allait tout mettre en œuvre pour les aider. Il s'imagina, avec Marianne, dans la situation de Nick et ses fils. C'était terrifiant. Jamais il n'avait eu aussi peur pour quelqu'un, songea-t-il en raccompagnant son ami.

— Nous allons trouver quelque chose, lui assura-t-il au moment où il remontait dans sa Bugatti.

Le regard empli de chagrin et de désespoir qu'Alex jeta à Nick le bouleversa. Qui aurait pu deviner que leur pays bien-aimé connaîtrait une telle évolution ? Ils s'étaient crus à l'abri pour toujours, eux et les générations à venir. Et voilà qu'il était contraint de partir. Non seulement c'était ahurissant, mais il allait falloir pas moins d'un miracle pour qu'il y parvienne.

— Et s'il n'y avait pas de solution ? murmura-t-il.

— Il y a forcément une solution, affirma à nouveau Alex le plus calmement possible. Forcément. Mais tout cela n'aurait pas dû se produire. Jamais. Pas dans un pays civilisé comme l'Allemagne. Quelle importance, que ta mère soit à moitié juive ?

— J'aimerais la rencontrer, avoua Nick piteusement. Si la situation n'était pas aussi tragique, j'en voudrais à mon père de m'avoir caché la vérité. Mais le pauvre est déjà bien assez terrifié pour nous et consterné de nous voir partir. Néanmoins, j'aimerais savoir qui elle est. Même si nous n'avons rien en commun, cela reste ma mère.

Alex hocha la tête. Il comprenait. Toutefois il y avait pour l'heure problème plus urgent.

— Ne pense plus à cela pour le moment. L'important est d'organiser ton départ. Je vais y réfléchir de mon côté dès ce soir, promit Alex.

— Merci, fit Nick en lui posant la main sur le bras par la vitre ouverte. Merci pour tout… pour ton amitié toutes ces années…

Alex hocha la tête, la gorge trop nouée pour parler. Les mots lui manquaient pour exprimer ce qu'il ressentait, pour dire ce que Nick et ses enfants représentaient pour lui. Les nazis lui faisaient horreur, aujourd'hui plus que jamais. Le pays était devenu fou, à vouloir suivre ce monstre qui chassait les gens respectables de chez eux, les déportait avec leurs enfants. Nick von Bingen et sa famille constituaient pourtant la colonne vertébrale de l'Allemagne, son passé et son avenir, son essence. Les traiter comme des criminels laisserait une plaie béante dans l'âme de cette nation à laquelle il était jusque-là si fier d'appartenir. Le pire, c'était de songer combien Nick et les garçons allaient lui manquer. L'idée même lui en était insupportable. En rentrant au château, il pleurait. Il pleurait sur le sort de son ami, de ses fils, de son père à qui cette séparation briserait le cœur. Sur son sort à lui, sur celui de son pays tant aimé qu'il haïrait désormais pour avoir banni ses proches. Cette perte incommensurable pour eux tous était aussi un inquiétant signe des temps. Leur vie paisible et protégée volait en éclats. Alex en était convaincu : rien ne serait plus jamais comme avant.

3

Les jours qui suivirent semblèrent se bousculer, habités par le choc et une peur permanente. Nick avait peine à croire à ce qui arrivait. Paul passait ses journées à écrire des lettres, à chercher des relations en Amérique dans l'espoir de lui trouver un parrain et un emploi, à faire part de leur situation critique à qui voulait l'entendre.

Lucas n'avait pas conscience de la tension qui régnait dans la maison. Tobias, en revanche, ne fut pas long à comprendre qu'il se passait quelque chose et à interroger son père. Expliquer à son fils aîné pourquoi ils devaient fuir leur pays fut l'un des moments les plus douloureux de la vie de Nick. Cela n'avait pas de sens.

Après avoir éclaté en sanglots et déclaré qu'il ne partirait pas, Tobias sauta sur sa bicyclette pour aller trouver Marianne. Elle sortait des écuries quand il arriva. Remise de sa grippe même si elle toussait encore un peu, elle venait d'assister à la séance de travail de son père avec Pluto, une écharpe rouge nouée autour du cou. Dès qu'elle vit la mine défaite de Tobias, elle comprit qu'il avait pleuré. Quelque chose de grave semblait avoir secoué le garçon.

— On va partir ! s'écria-t-il en jetant son vélo par terre pour courir vers elle.

— Comment ça, partir ? Partir où ?

Son air bouleversé l'inquiétait. Il avait encore les yeux pleins de larmes.

— On ne sait pas encore. Mais c'est pour très bientôt. En Amérique, peut-être, ou en Angleterre. Mon père et mon grand-père s'en occupent. La mère de mon père était à moitié juive. En fait, elle n'est pas morte. Elle est partie, et ils ont *divorcé*, fit-il d'un ton de conspirateur. Et maintenant il faut qu'on s'en aille parce qu'ils croient que nous sommes juifs aussi.

— C'est absurde ! répliqua Marianne.

Tobias tremblait, sous l'effet du choc et de la peur, sans doute, autant que du vent glacé qui faisait voler ses cheveux blonds en travers de son visage.

— Vous n'êtes pas juifs, ajouta-t-elle. Qui a dit que vous deviez partir, et pour aller où ?

— C'est le Reich qui a décrété que nous étions juifs. Alors que mon père n'a jamais vu sa mère. Elle est partie à sa naissance en le laissant à mon grand-père. Mon père vient de me raconter tout ça. Je ne veux pas partir. Je veux rester ici. C'est ici, chez nous.

Il éclata en sanglots, et elle le prit dans ses bras pour le serrer contre lui en se mettant à pleurer à son tour.

— Mon père dit que, si nous ne fuyons pas, ils vont nous emmener quelque part. Dans un camp de travail, peut-être. Je ne veux pas de cela non plus.

— Et Lucas, il sait ?

Les deux garçons étaient pour elle comme des frères.

— Il est trop petit. On ne peut pas lui dire. Pour le moment, l'urgence, c'est que papa trouve un parrain et un emploi.

— Un emploi ? mais de quel genre ?

Cette idée lui fit un choc presque aussi grand que tout ce que Tobias venait de lui révéler.

— Aucune idée.

— Que sait-il faire ? demanda-t-elle, perplexe, en l'emmenant au chaud, à la maison.

— Aucune idée, répéta Tobias.

Il la suivit dans la grande entrée où étaient exposés les portraits des ancêtres d'Alex et de Marianne.

Ils se rendirent à la cuisine, où elle pria qu'on leur prépare du chocolat, puis montèrent dans le bureau de son père qui était encore dehors. C'était une pièce confortable et accueillante, aux murs garnis de rayonnages couverts de livres, bien chauffée par le feu de cheminée. Dans cette grande demeure pleine de courants d'air et si difficile à chauffer en hiver, c'était là qu'elle se sentait le mieux – surtout quand son père s'y trouvait, car elle adorait s'y installer et deviser tranquillement avec lui de choses et d'autres. Tobias aussi aimait cette pièce.

— Tout cela paraît complètement fou, fit valoir Marianne.

Elle avait le plus grand mal à croire à toute cette histoire, et, plus encore, à s'en représenter les conséquences dramatiques.

— Tu es bien certain qu'il faille que vous partiez ? Pourquoi voudraient-ils vous chasser ? Ton père n'est pourtant pas un repris de justice. Encore moins un criminel !

— Non, bien sûr, mais ils le croient juif, expliqua Tobias d'un air désespéré.

— Et ils envoient les Juifs dans des camps de travail ?

Marianne était horrifiée.

— Un général, qui est un ami de mon grand-père, est venu le prévenir. C'est lui qui lui a raconté tout cela.

Marta leur monta leur chocolat et, voyant leur air grave, s'éclipsa discrètement.

— C'est invraisemblable, lâcha Marianne.

Elle ne voulait pas le croire. Hélas, songea-t-elle tandis qu'ils buvaient à petites gorgées, la terreur qu'elle lisait dans les yeux de Tobias lui confirmait que c'était la vérité. À moins qu'il ait mal compris la situation et qu'il exagère les faits. Elle l'espérait sincèrement.

— Mon père est au courant ? demanda-t-elle soudain.

— Je ne sais pas. Papa ne m'a rien dit.

À cet instant, comme si l'évoquer avait suffi à le faire apparaître, Alex entra. Il avait dû voir Marta qui lui avait dit où ils se trouvaient car elle remonta bientôt avec un plateau pour lui. Il s'assit et se servit une tasse de thé avant de se tourner vers Marianne et Tobias d'un air sérieux.

— Qu'est-ce qu'il y a, vous deux ?

— On va partir, répondit Toby avant de lui répéter ce qu'il avait dit à Marianne.

À la façon dont il hocha la tête, elle comprit qu'il savait déjà tout.

— Votre père m'a prévenu il y a quelques jours, dit-il calmement. C'est une très, très mauvaise nouvelle pour nous tous.

Marianne prit conscience de la gravité des événements. Elle sentit les larmes lui monter aux yeux.

— Mais comment est-ce possible, papa ? demanda-t-elle d'une voix étranglée. Pourquoi envoient-ils les Juifs dans des camps de travail ? De toute façon, les von Bingen ne sont même pas juifs.

— Il semblerait que Nick et les garçons le soient en partie. Et il semblerait que, pour le Reich, cela suffise. Depuis cinq ans, les têtes pensantes et dirigeantes de notre pays les bannissent petit à petit de la société. Comme s'ils voulaient les isoler du reste de la population, les chasser d'Allemagne, ou, si possible, les confiner dans des camps. Toby a raison : il faut absolument qu'ils partent. Et au plus vite. Son père et son grand-père cherchent très activement une solution, et moi aussi. Je suis vraiment navré, Toby. Je suis convaincu que votre père va trouver quelque chose. Le plus dur, pour l'instant, c'est de ne pas savoir où.

— Pourrons-nous aller les voir ? demanda Marianne à voix basse.

C'était de loin la pire nouvelle qu'elle ait apprise depuis le jour où, cinq ans plus tôt, son père lui avait dit que la mère et la petite sœur de Toby étaient mortes. Elle s'en souvenait comme si c'était hier. Elle leur était très attachée, à toutes les deux ; leur décès l'avait bouleversée.

— Tout dépendra de là où ils seront installés, répondit-il honnêtement. En tout cas, nous ferons notre possible.

Dans le regard qu'ils échangèrent, Marianne vit toute la détresse de Toby : il allait perdre non seulement ses plus chers amis, mais aussi sa maison, son grand-père, qui était forcé de rester pour veiller sur le domaine familial.

Ils parlèrent encore longtemps. Marta leur rapporta du chocolat, du thé et des biscuits tout juste sortis du four. Marianne se rendit compte qu'ils allaient également se trouver privés de ce mode de vie privilégié qu'ils avaient toujours connu.

Au bout d'un moment, Alex proposa à Tobias de le raccompagner. Mais il assura qu'il pouvait très bien rentrer à bicyclette et prit congé.

— Quelle histoire épouvantable, papa..., dit-elle après son départ.

Elle était sous le choc. Tout cela était inconcevable.

— Oui, reconnut-il. Je ne sais pas ce qu'ils vont faire. Il n'est pas facile de sortir comme cela d'un chapeau un emploi et une nouvelle vie, en quelques semaines. Il faut du temps pour s'organiser. Or, le temps, c'est précisément ce qui leur fait défaut.

— Mais s'ils sont envoyés dans un camp ?

— Il leur faudra beaucoup de courage et de force pour survivre.

Ils continuèrent à parler de leurs amis en dînant, et Marianne crut bien détecter un rictus réprobateur sur le visage de Marta quand elle entendit que Nick et ses fils étaient en partie juifs. Mais elle repartit bientôt en cuisine.

Cette nuit-là, Marianne dormit mal, réveillée par des cauchemars, inquiète pour ses amis, pour leur avenir à tous.

Alex, quant à lui, n'avait pas fermé l'œil lorsque les oiseaux se mirent à chanter le lendemain matin. Il faisait encore sombre, mais il s'assit tout droit dans son lit. Il avait une idée. Il se leva, s'habilla en vitesse, descendit, prit son manteau et les clés de son Hispano-Suiza au volant de laquelle il se rendit sans attendre chez les von Bingen. Il frappa à la porte du château à l'aide du gros heurtoir de cuivre. La gouvernante vint lui ouvrir quelques instants plus tard, visiblement surprise par une visite aussi matinale. Comme Alex demandait à voir Nick, elle lui répondit qu'il n'était pas encore réveillé. Non sans s'être fait prier, elle accepta d'aller vérifier. Nick ne tarda pas à descendre, en robe de chambre. Lui aussi s'étonna de trouver Alex de si bonne heure, en train de faire les cent pas dans l'entrée.

— J'ai eu une idée, lança ce dernier, tout excité. Je crois que ça pourrait marcher.

— Mais pourquoi aussi tôt ? fit Nick d'un air chagrin.

— Je vais te donner deux lipizzans et des pur-sang arabes. Il ne nous reste plus qu'à prendre contact avec un cirque et à convaincre le directeur de t'engager. Avec huit chevaux, dont deux lipizzans, cela ne devrait pas être difficile.

Nick le considéra d'un air incrédule avant d'éclater de rire. Il riait si fort qu'il en pleurait presque et qu'il dut s'asseoir. Il demanda qu'on leur apporte du café puis s'exclama :

— Tu es le meilleur des amis, Alex, mais tu es fou ! Je ne peux pas entrer dans un cirque, enfin, même avec des chevaux aussi extraordinaires que les tiens. Je ne sais faire aucun numéro. C'est toi qui sais dresser les chevaux, je te rappelle. Pas moi ! Et puis je ne peux pas te prendre tes chevaux. Pas les lipizzans, en tout cas. De toute façon, aucun cirque ne voudra de moi. Je n'ai pas les compétences nécessaires.

— Balivernes que tout ça ! Je vais t'apprendre. En plus, les lipizzans connaissent la musique. Il n'y a qu'à leur faire réciter leur numéro, à la voix. Et tu pourras monter un des arabes, faire des tours de piste au grand galop. Nick, tu es l'un des meilleurs cavaliers que je connaisse et un homme de cheval accompli. Tu es tout à fait capable de faire cela, surtout si ta vie et celle de tes fils en dépendent.

— Je ne peux pas entrer dans un cirque, répéta son ami avec entêtement. Tu me vois, sur une piste ?

Il avait l'air horrifié, mais Alex ne lâcha pas prise.

— Je vois surtout que c'est une manière pour toi et tes enfants d'échapper au sort qui t'attend ici. Tu n'as pas le choix.

Nick réfléchit un long moment, puis hocha la tête.

— Je ne peux pas accepter tes chevaux, Alex. Huit, c'est beaucoup trop. Si ça marche, je te les achèterai.

— Je ne veux pas de ton argent. Tu es pour moi comme un frère. Si un cirque vous engage, ce sera mon cadeau.

— Non, je ne peux pas, affirma Nick avec insistance. De toute façon, comment trouver un cirque, d'ici ? ajouta-t-il au bout d'un moment.

— Il y en a un qui s'appelle les Ringling Brothers. En Floride. J'ai lu quelque chose à son sujet. Je crois qu'il a fusionné avec un autre… Nous ne perdons rien à nous renseigner auprès de l'ambassade américaine à Berlin.

— Si ce n'est qu'on va nous prendre pour des fous…, fit remarquer Nick en souriant.

Il avait beau se répéter que c'était une idée farfelue qui avait peu de chances d'aboutir, il sentit malgré lui une petite lueur d'espoir le gagner.

À l'ambassade américaine, ils obtinrent l'adresse du Ringling Brothers Barnum & Bailey Circus à Sarasota, en Floride. Le cirque passait l'hiver dans cette ville avant de partir en tournée aux beaux jours. L'employée de l'ambassade savait manifestement tout sur le sujet, mais Nick se garda bien de lui révéler le motif de sa requête.

Nick et Alex rédigèrent une demande de parrainage et d'engagement, décrivant en détail les chevaux et leurs compétences, précisant également de quels documents ils avaient besoin. Ils expédièrent la lettre, et, ensuite seulement ils rendirent visite au père de Nick pour lui exposer le projet. Paul jugea l'idée intéressante et insista à son tour pour défrayer Alex si cela marchait, d'autant que ce dernier voulait donner certains de ses meilleurs chevaux, ainsi qu'un vieux fourgon qui permettrait de les transporter. À mesure qu'ils parlaient, Nick commençait à se laisser convaincre et à se détendre un peu.

— Si on allait faire un tour à cheval, proposa-t-il à son ami au bout d'un moment.

— On ne peut pas, on a du travail.

— Du travail ? répéta Nick. Tu veux retourner voir tes bois ?

Il n'était pas contre. Cela lui changerait les idées.

— Non, c'est toi qui as un numéro de cirque à apprendre, mon vieux, répondit Alex avec le plus grand sérieux. Et, une fois que je t'aurai inculqué tout ce que tu dois savoir, nous nous occuperons des garçons.

Cette fois, Nick ne rit pas. Il savait que son ami ne plaisantait pas. Et, en effet, Alex ne lui laissa pas une minute de répit de l'après-midi. Il lui enseigna comment faire travailler les lipizzans à la voix. Il lui fit monter Pluto et exécuter avec lui toutes sortes de mouvements, puis Nina, une jument lipizzan. Ils terminèrent par une séance avec un étalon arabe.

— Tes chevaux sont bien meilleurs que moi, commenta Nick à la fin. Je n'arrête pas d'oublier ce que j'ai à faire ; eux, non.

Ils étaient dressés à la perfection.

— Oui, ne t'inquiète pas, ils savent ce qu'ils ont à faire, assura Alex. Ils sont souvent bien meilleurs que moi aussi.

Alex était un excellent professeur, patient et ferme à la fois, comme avec ses chevaux. Il enseigna à Nick sa façon de faire, son style, les ordres auxquels étaient habitués ses chevaux ; il lui fit répéter les exercices encore et encore, jusqu'à ce que Nick les maîtrise parfaitement.

Ils travaillèrent intensément toute la semaine, parfois tous les deux, parfois avec Tobias et Lucas. Pendant ce temps, les réponses aux sollicitations de Paul arrivaient, toutes négatives. Personne n'avait d'emploi à proposer à Nick. Personne ne pouvait les parrainer, ses fils et lui.

Paul assista plusieurs fois à leur entraînement et fut très impressionné. Marianne venait les voir tous les soirs en sortant de classe. C'était fou ce que les von Bingen avaient appris en si peu de temps. Ils faisaient déjà très professionnels. Toby était encore un peu timide, mais Lucas, très doué, était irrésistible. Il montait les lipizzans à cru, sautait de l'un à l'autre avec aisance, les chevaux se prêtant à l'exercice avec une bonne grâce étonnante. Si le cirque acceptait leur candidature, Alex leur donnerait Pluto et la jument Nina. À dix ans, elle était parfaitement dressée et très calme. Il avait également sélectionné six de ses meilleurs pur-sang arabes, affirmant que lui-même se passerait fort bien d'eux : il avait tant de chevaux qu'il remarquerait à peine leur absence. Nick savait pourtant que Pluto était promis depuis longtemps à l'École espagnole de Vienne et qu'Alex aurait bien du mal à le remplacer. Qui plus est, son ami continuait à refuser obstinément d'être payé.

Deux bonnes semaines après l'envoi du courrier en Floride, la réponse du cirque arriva. Les mains tremblantes, Nick ouvrit l'enveloppe en présence d'Alex et de son père et lut la lettre dans un silence religieux. Le cirque des Ringling Brothers était leur dernier espoir. Nick acheva sa lecture et regarda Alex, les larmes aux yeux. Son ami lui posa la main sur le bras.

— Bon sang, murmura Nick, ils nous prennent ! Tout est là. Tous les documents qu'il nous faut. Ils vont même m'envoyer un contrat. Nous pouvons partir !

Il laissa libre cours à ses larmes, et Alex l'étreignit en poussant un cri de triomphe.

Paul pleurait également, de joie et de tristesse à la fois. Il se ressaisit rapidement, félicita son fils et annonça qu'il allait réserver les billets pour leur traversée au plus vite. Il revint une demi-heure plus tard : il avait retenu deux cabines de première classe pour Nick et ses fils à bord du *Bremen*. Le luxueux navire appareillait dans quatre jours à destination de New York et acceptait de prendre le fourgon avec les chevaux. Toutefois, Nick et les garçons devraient s'en occuper eux-mêmes. Ce serait la dernière fois avant très longtemps qu'ils voyageraient dans des conditions aussi confortables. Qui sait s'ils reviendraient même un jour en Allemagne ? L'atmosphère dans la pièce était à la jubilation et au chagrin, à l'excitation et au désespoir tout à la fois. Lorsque Nick annonça à ses fils leur prochain départ, les larmes coulèrent à nouveau.

Les deux familles ne se quittèrent pour ainsi dire pas au cours des quatre jours qui suivirent. Alex faisait répéter sans relâche leurs numéros à Nick et aux garçons, de sorte que, la veille de leur départ, ils avaient vraiment l'air d'une troupe de cirque expérimentée. Le lendemain, Paul, Alex et Marianne les accompagneraient jusqu'au bateau. Ils devaient se rendre en train, *via* Nuremberg et Hanovre, à Bremerhaven, où ils embarqueraient.

Ce soir-là, Alex et Marianne invitèrent les von Bingen à dîner à Altenberg. Malgré le somptueux repas et les fréquents toasts qui furent portés, la soirée fut marquée par une profonde émotion, de nombreux silences, des larmes que l'on ne pouvait retenir. Seul Lucas était tout excité, ne se rendant pas compte probablement qu'ils ne reviendraient sans doute jamais chez eux.

Leurs papiers étaient en règle. Paul s'était acquitté des taxes d'émigration et, grâce au général, le Reich avait donné son accord. L'objectif des dirigeants, pour l'heure, était de réduire le nombre de Juifs en Allemagne.

À bord du train qui les emmenait à Bremerhaven, ils ne furent guère bavards. Ils s'étaient tout dit la veille au soir : leurs espoirs, leurs rêves, leurs regrets, leurs craintes les uns pour les autres, le chagrin qu'ils éprouvaient. Ils regardèrent défiler le paysage. Marianne et Toby se tenaient par la main, les larmes aux yeux. Nick avait une grosse boule dans la gorge.

À Bremerhaven, Alex et lui supervisèrent le chargement du fourgon des chevaux à bord du bateau : l'opération devait se faire à l'aide d'une grue. Tandis qu'ils assistaient à l'inquiétante manœuvre, Nick prit la mesure de ce que son ami avait fait pour lui, du plan qu'il avait échafaudé, de son cadeau extraordinaire. Il lui avait tout bonnement offert une nouvelle vie, la sécurité et la liberté. Il aurait tant aimé lui rendre la pareille, mais il ne voyait pas comment. Alex l'avait sauvé du pire des sorts. Grâce à lui, ses fils auraient un avenir.

Le fourgon se posa en douceur sur le pont, et Nick poussa un soupir de soulagement. Alex lui passa un bras autour des épaules.

Se reverraient-ils un jour ?

4

Ils restèrent tous les six sur le quai à se regarder sans rien dire. Les autres passagers montaient à bord pour se promener sur le pont et visiter les cabines, mais Nick retardait le moment de quitter le quai. Il voulait prolonger ses derniers instants sur le sol allemand. Une fois sur le bateau, il aurait perdu tout ce qu'il aimait, tout ce qu'il connaissait. L'idée de laisser son père seul lui était intolérable. Il se tourna vers lui pour lui dire quelques mots à voix basse.

— Venez avec nous, père. Je ne veux pas que vous restiez ici. Je suis convaincu que vous obtiendriez sans difficulté un parrainage.

Il pouvait très bien prendre un bateau un peu plus tard. Il ne courait pas le même danger que Nick et les garçons ; son départ n'était pas aussi urgent. Paul, cependant, secoua lentement la tête. Toute la souffrance que lui causait cette séparation se lisait dans ses yeux.

— C'est impossible, répondit-il. Je ne peux pas abandonner nos biens. Il faut que je m'en occupe pour vous, pour les garçons. Je n'ai aucune confiance dans ces gens du Reich. S'ils le peuvent, ils détruiront complètement le pays. Je tiens au moins à en sauvegarder notre petit morceau pour vous.

Paul était déchiré entre son sens du devoir et des responsabilités qui le retenait, et son cœur, qui aurait voulu partir avec Nick, Tobias et Lucas. Mais il ne voulait rien abandonner au Reich. L'année précédente, déjà, Nick et lui avaient manœuvré pour que Toby n'intègre pas les Jeunesses hitlériennes. Le médecin de famille leur avait fourni un certificat médical attestant qu'il souffrait d'asthme et ne pouvait assister aux réunions. À l'époque, il ne portait pas les nazis dans son cœur ; aujourd'hui il les détestait franchement.

— Vous allez me manquer, père.

Incapable de parler, Paul acquiesça d'un signe de tête et baissa les yeux.

Ils restèrent là un moment sans rien dire, puis le petit Lucas attrapa la veste de son père. Il lui tardait d'explorer le bateau. Il était le seul, en réalité, à se réjouir à l'idée d'embarquer.

— J'aimerais jeter un dernier coup d'œil aux chevaux, dit alors Alex. M'assurer que l'embarquement s'est bien passé.

Les bêtes étaient un peu nerveuses, mais en bonne santé. Elles allaient se détendre, assura Alex, pourvu que la traversée fût calme. Il avait donné à Nick et aux garçons toutes les indications nécessaires. Il leur avait même offert des brides de présentation pour le cirque. Jamais Nick ne pourrait le remercier pour ce qu'il avait fait. Les deux amis échangèrent un regard sombre.

Pendant ce temps, Lucas était resté avec son grand-père, et Toby passait ses derniers instants avec Marianne.

— Si tu savais comme tu vas me manquer…, fit-elle en essuyant ses yeux avec un mouchoir en dentelle. Écris-moi tous les jours pour me raconter le cirque. Je veux tout savoir.

Il le lui promit.

— Et toi, tu iras voir Opa ? demanda-t-il.

Ils regardèrent tous les deux son grand-père, que Lucas parvenait – et ce n'était pas un mince exploit – à faire sourire à force de bavardages et de pitreries.

Ils visitèrent la cabine de Nick puis celle des garçons. Elles étaient confortables et élégantes. Sans doute ne retrouveraient-ils pas un tel luxe avant longtemps. Nick avait eu le droit de prendre dix Reichsmarks, et son père lui avait discrètement donné une liasse de billets qu'il avait cachée sous ses vêtements une fois dans la cabine. Ils n'avaient rien d'autre, si ce n'est le contrat du cirque et le salaire qu'il toucherait là-bas. Nick avait du mal à se faire à l'idée qu'il allait devoir gagner sa vie, mais il n'avait pas le choix. Il avait laissé sa Bugatti à Alex en lui recommandant de s'en servir. Leurs bagages se composaient de plusieurs malles, dont une contenait des habits de soirée – queues-de-pie et hauts-de-forme – que Toby et lui porteraient pour les représentations.

Bientôt, la sirène qui signalait aux visiteurs qu'il était temps de débarquer retentit. Un sentiment de panique les gagna tous. Toby étreignit Marianne comme s'il se noyait, et ils fondirent en larmes. Nick serra dans ses bras son père, puis Alex. Les deux amis prolongèrent l'accolade, les yeux fermés : on eût dit deux frères que le destin séparait pour toujours. Puis Nick embrassa Marianne qui, à son tour, se pencha pour déposer un baiser sur la joue de Lucas.

— Sois bien sage et n'épouse pas une grosse dame du cirque avant d'être revenu me voir, lui recommanda-t-elle.

Il éclata de rire et s'y engagea solennellement.

Paul enveloppa ses petits-fils et son fils d'un dernier regard, comme pour conserver leurs traits gravés dans sa mémoire. Nick et les garçons les raccompagnèrent jusqu'à la passerelle, et Paul, Alex et Marianne débarquèrent.

Nick et Toby restèrent appuyés au bastingage pour les regarder encore. Lucas, excité par la perspective de la traversée et de leur nouvelle vie au cirque, courait partout tel un chiot, parlait aux autres passagers, aux marins, avant de revenir auprès d'eux. À six ans, il n'avait pas conscience de tout ce que ce départ avait de douloureux. Nick et Alex se regardèrent longuement dans les yeux. Marianne fit un dernier signe à Toby. La poitrine de Paul se souleva de sanglots. Puis les marins rentrèrent la passerelle, et les remorqueurs éloignèrent lentement le navire du quai. La sirène retentit encore. Nick leva la main vers les siens. Entendant Toby étouffer un sanglot à côté de lui, il lui passa un bras autour des épaules et le tint serré contre lui.

Paul, Alex et Marianne ne quittèrent pas le port tant qu'il leur fut possible d'apercevoir les silhouettes de Nick et des garçons à bord du bateau. Quand ils eurent disparu à l'horizon, ils se résolurent à partir, lentement, tournant le dos au *Bremen* qui emmenait ceux qui leur étaient le plus chers. Ils restèrent silencieux pendant le voyage du retour. Marianne se mouchait discrètement, de temps en temps. Épuisée par les émotions de la journée, elle posa la tête sur l'épaule de son père et s'endormit, son mouchoir à la main.

Nick voulut retourner voir les chevaux après qu'ils eurent appareillé. Il tenta de convaincre Lucas de l'accompagner, sans succès. Son cadet était trop pressé d'explorer le bateau, et il l'y autorisa. Quant à Toby, il était resté dans sa cabine, prostré, les yeux rougis par le chagrin.

« Nous reviendrons », lui avait promis son père doucement.

Toby avait hoché la tête, conciliant, mais guère convaincu. Ils avaient été chassés d'Allemagne, leur passeport marqué du tampon « Déporté » – alors qu'ils étaient partis de leur plein gré – et du J rouge de *Jude*, Juif. Ils étaient maintenant des réfugiés politiques, ils avaient perdu la citoyenneté allemande.

Lorsque Nick revint à la cabine, Toby n'était plus là. Quant à Lucas, il devait être en train de visiter la piscine ou le chenil, comme il en avait manifesté l'envie. Il y avait également à bord du *Bremen* un fumoir, un salon et, bien entendu, la fameuse salle de bal. Nick sortit se promener sur le pont et contempla la mer. Il remarqua plusieurs jolies femmes, mais il n'avait nulle envie de se lancer dans une conquête féminine. Il ne pouvait songer qu'au monde qu'ils venaient de perdre et dont ce luxueux navire était le dernier vestige. Toby en avait conscience dans une certaine mesure. Nick, lui, savait parfaitement quel changement les attendait et combien il serait douloureux. Pourtant, il ne parvenait pas à se représenter leur vie future, dans un cirque, à l'étranger. Il préféra ne pas essayer. Pour l'instant, son cœur était trop lourd d'avoir été séparé de son père et d'Alex. Il n'avait pas éprouvé autant de peine depuis la perte de sa femme et de sa fille. Il resta appuyé au bastingage jusqu'à ce que le froid le saisisse, puis regagna sa cabine et s'étendit dans l'espoir de trouver le sommeil. Faute d'y parvenir, il se releva et descendit voir les chevaux. Il prit une des brosses et se mit à panser Pluto. L'animal tourna la tête vers lui d'un air content.

— C'est bien, mon vieux, murmura Nick en flattant son encolure immaculée avant de continuer à le brosser.

Les chevaux étaient attachés assez court pour éviter qu'ils ne se blessent ; ils allaient devoir rester immobiles pendant plusieurs jours. Nick espérait que la traversée serait calme. Il ne voulait surtout pas perdre un cheval avant l'arrivée. Sur le conseil d'Alex, il avait pris un pistolet chargé au cas où il serait contraint d'en abattre un...

Il passa un long moment avec les bêtes puis remonta sur le pont, où il trouva ses fils en train de jouer aux palets avec deux petites jeunes filles. Toby semblait moins désespéré qu'au moment du départ, nota-t-il avec un sourire. Quant à Lucas, il était aux anges. Il cherchait visiblement à impressionner les demoiselles, plus proches de lui en âge que de Toby. Celles-ci gloussaient de ses pitreries. Quand elles s'en allèrent, il se désintéressa du jeu et vint vers son père, qui s'était installé sur une chaise longue avec une couverture. Le garçon lui raconta ses exploits. Il avait visité tout le bateau – le pont de première classe tout du moins, car les ponts inférieurs ne lui étaient pas accessibles.

— On pourra aller se baigner, plus tard, papa ? demanda-t-il tout excité.

Nick le lui promit. La présence de ses fils le consolait. Et puis il tenait à ce qu'ils profitent au maximum de la traversée avant d'affronter l'inconnu.

Dans l'après-midi, les garçons allèrent voir un film dans la salle de cinéma, tandis que Nick partageait son temps entre le pont et les chevaux. Il remonta dans la salle à manger pour le thé. Le buffet de première classe était chargé de victuailles sucrées et salées. Le navire était réputé pour l'excellence de sa cuisine, mais Nick ne put rien avaler. Il ne prit qu'une tasse de thé – suivie d'un scotch bien tassé.

C'est alors qu'un passager l'aborda.

— Est-il vrai, cher monsieur, que vous voyagez avec un fourgon de pur-sang arabes ? demanda-t-il.

C'était un Américain, du Kentucky, propriétaire de chevaux. Il revenait d'Allemagne, où il avait acheté des chevaux de chasse et deux chevaux de course. Les animaux seraient expédiés aux États-Unis sur un autre bateau, accompagnés par ses palefreniers. Il se présenta. Il s'appelait Beauregard Thompson.

— Où les emmenez-vous ? s'enquit-il avec un fort accent du Sud que Nick, habitué aux inflexions anglaises, avait le plus grand mal à comprendre.

— En Floride, répondit-il simplement.

L'homme hocha la tête, impressionné. Transporter si loin huit pur-sang arabes était signe de grande richesse.

— C'est une bonne idée de les avoir pris sur le même bateau que vous. Vous pouvez avoir un œil sur eux, comme ça. J'aimerais beaucoup les voir, à l'occasion, ajouta-t-il poliment.

Nick hocha la tête avant de boire une longue gorgée de whisky.

— Bien volontiers, répondit-il aimablement. En réalité, il n'y a que six pur-sang arabes. Les deux autres sont des lipizzans, précisa-t-il sans se préoccuper de savoir si son interlocuteur connaissait cette race.

— Oh, bon sang ! fit ce dernier, ébahi. Alors là, j'aimerais *vraiment* les voir. Vous les emmenez en Amérique pour les présenter en spectacle ?

Nick acquiesça avec un léger sourire. Thompson ne pouvait se douter qu'il allait intégrer une troupe de cirque avec ses deux fils... Ce n'était certes pas la place d'un gentleman.

— Je me ferai un plaisir de vous les montrer, monsieur, répéta-t-il.

Sur ce, Thompson s'éloigna pour aller rejoindre son épouse qui faisait des emplettes dans les boutiques du navire.

Toby et Lucas retrouvèrent leur père dans sa cabine après le film. Ils allèrent se baigner tous les trois, puis Nick et Toby descendirent curer les box des chevaux. Cela faisait des années que Nick n'avait pas joué les palefreniers. Cela lui sembla moins dur que dans son souvenir, et pas totalement déplaisant. C'était l'occasion pour lui de passer du temps au contact de ses chevaux, de faire mieux connaissance avec eux. Pluto était le plus sensible, le plus réceptif à ses caresses. L'animal lui donnait un petit coup de nez à chaque fois qu'il passait, comme pour lui dire bonjour. Nina, la jument lipizzan, était la plus agitée. Les pur-sang arabes ne manifestaient qu'une légère nervosité. Nick eut soin de s'assurer que les huit chevaux mangeaient et buvaient normalement.

Une fois les box nettoyés et le fumier porté là où on le leur avait indiqué, Nick et Toby remontèrent se laver et s'habiller. Ce soir-là, on dînait en habit sur le navire. Toby avait l'âge d'être de la partie, mais Lucas, lui, resterait dans la cabine, où un repas lui serait servi. De toute façon, un dîner de gala dans la grande salle à manger lui paraissait le comble de l'ennui. En outre, un jeune steward avait promis de l'accompagner dans les chenils : cette perspective l'excitait bien davantage. Lucas avait déjà raconté à son père que le bateau était plein de chiens – leurs chevaux, en revanche, étaient les seuls à bord.

Nick et Toby prirent place à la table du commandant. Parmi les convives, il y avait un couple de Berlinois très chic, issu d'une famille de banquiers, qui rendait visite à des cousins à New York ; une actrice allemande assez connue qui passa la soirée à regarder

Nick avec une convoitise assumée mais non réciproque (elle avait une bonne vingtaine d'années de plus que lui et but beaucoup trop tout au long de la soirée) ; des Italiens ; un auteur anglais que Nick connaissait de nom mais dont il n'avait rien lu ; une très jolie Française prénommée Monique, qui précisa en passant qu'elle était veuve. Son mari était allemand, et ils possédaient un château dans le Tyrol. Il y avait encore d'autres Allemands sans grand intérêt, qui n'avaient pour eux que d'être très riches.

Le dîner achevé, on monta au bar du pont supérieur pour le café, les cigares et les liqueurs. Un orchestre jouait, et l'on dansa. Toby demanda à son père la permission de s'éclipser. Après son départ, Nick invita la jeune Française, Monique. Il dansait encore avec elle quand le commandant et les premiers passagers prirent congé. Nick se laissait gagner par l'atmosphère joyeuse, d'autant que sa ravissante cavalière était aussi une excellente danseuse. Il y avait quelque chose d'irréel dans ce voyage, comme un moment suspendu entre deux mondes. Pendant quelques jours encore, dans cette ambiance paisible et luxueuse, il pouvait faire comme si de rien n'était. Monique, cependant, sembla se rendre compte que tout n'allait pas parfaitement, même si elle eut le tact de ne pas l'interroger directement.

— Vous rendez visite à des amis, en Amérique ? s'enquit-elle discrètement.

Il hocha la tête. Il n'avait aucune intention de lui en dire davantage.

— Moi aussi, lui apprit-elle. L'Allemagne est devenue tellement ennuyeuse, avec tous ces rassemblements, ces marches, ces discours... Mon mari est mort il y a six mois, il avait quarante ans de plus que moi... J'avais besoin de changer d'air. Je vais à Boston voir ma sœur. Elle y est installée avec son époux et semble s'y plaire. Ils se sont mariés l'année dernière. Comme ils attendent leur premier enfant, j'ai saisi l'occasion de leur rendre visite.

Elle lui raconta encore qu'elle habitait près de Munich et n'avait pas d'enfant. Nick lui donnait la trentaine. Elle portait des bijoux magnifiques, qui le laissèrent penser que son mari lui avait légué une belle fortune.

Monique était charmante. Ils dansèrent des valses, des fox-trot. Dans le tango, elle se révéla éblouissante ; des couples s'arrêtèrent pour les regarder. Quand ce fut fini, ils riaient tant ils s'étaient bien amusés. À l'évidence, elle le trouvait attirant, et c'était réciproque. Toutefois, il n'était pas d'humeur à entamer une liaison, dût-elle ne durer que le temps de la croisière. Sa situation ne le lui permettait pas. Ils se rassirent et bavardèrent jusqu'à 2 heures du matin. Après quoi il la raccompagna à sa cabine. Elle lui assura qu'elle avait passé une excellente soirée.

— Tout le plaisir était pour moi, madame.

Il ne s'attendait certes pas à passer un aussi bon moment. Monique lui avait remonté le moral. D'autant qu'il avait toujours aimé danser.

— Vous savez, j'ai fait la connaissance de votre petit garçon, aujourd'hui. Il est adorable.

— Merci. Oui, je crois qu'il a parlé à tout le monde à bord, y compris aux marins. Il s'est bien amusé.

— Moi aussi, je me suis bien amusée, répondit-elle en le regardant avec un brin de mélancolie. Cela faisait des mois que je n'avais pas dansé.

— Il n'y paraît pas, rétorqua-t-il avec sincérité.

— Merci. Quel flatteur vous faites... Peut-être pourrions-nous réitérer cette expérience demain ? Il me semble que c'est la soirée casino. Et, après-demain, il y aura un bal masqué.

De bonne compagnie, élégante, pleine de charme, Monique ne manquait pas d'atouts et ferait sans nul doute très bientôt le bonheur d'un homme. Mais pas le sien. Plus maintenant. Vu les circonstances, son bon sens autant que son éducation lui interdisaient d'entamer une relation. C'était comme si cette partie-là de sa vie était également perdue. Il n'avait rien à offrir à une femme : ni stabilité, ni même une vie agréable. Il eut bien du mal à résister à la tentation de la nostalgie.

— Je me ferai une joie de vous accompagner au casino, madame, lâcha-t-il en s'inclinant.

Néanmoins, il n'avait nullement l'intention de jouer le peu d'argent dont il disposait. Il en avait besoin pour élever ses fils. Du jour au lendemain, lui, autrefois si insouciant, était devenu la responsabilité même. Il avait grandi. Mûri. Il ne se permettrait pas de passer la nuit aux tables de jeu et risquer de perdre quelques centaines de Reichsmarks. Pour elle, en revanche, ce ne serait que de la menue monnaie, il le sentait. Compte tenu de leur différence de situation, même un léger flirt lui semblait malhonnête. Elle ne pouvait le savoir, mais il n'appartenait plus au même monde qu'elle.

— Bonne nuit, fit-elle avec un regard appuyé avant de disparaître dans sa cabine. À demain.

Nick se dirigea lentement vers ses appartements, pensif. Il passa voir ses fils, qu'il trouva tous deux endormis. Il remonta les couvertures sur Lucas. Le petit garçon serrait contre lui son ours en peluche, celui avec lequel il dormait depuis sa naissance. Dans le sommeil, Toby avait l'air confiant et paisible de l'enfant qu'il était encore un peu.

Dans sa cabine, Nick se servit un cognac, se carra dans un fauteuil confortable et alluma un cigare. Éclairé seulement par la lune qui entrait par le hublot, il resta assis à regarder la fumée de son cigare et son bout rougeoyant, se demandant ce que lui réservait l'avenir.

5

La soirée au casino avec Monique fut tout aussi délicieuse que celle de la veille. Ils ne tardèrent pas à quitter les tables pour danser. Il n'avait joué que deux fois à la roulette, de très petites sommes, qu'il avait perdues. Monique, en revanche, avait gagné cinq cents Reichsmarks.

Jusque-là, tout se passait pour le mieux. Les garçons se plaisaient sur le bateau, il faisait beau, et les chevaux allaient bien. Le soir du bal masqué, en revanche, ils rencontrèrent du gros temps. Le navire se mit à tanguer et rouler. Nick s'excusa auprès de Monique et descendit voir ses chevaux. Très agités par l'orage, ils roulaient des yeux affolés. Nick resta avec eux pour essayer de les calmer. Il ne pouvait pas faire grand-chose, hélas, hormis leur parler et les caresser. C'était sans grand effet, mais il ne voulait pas les laisser seuls de crainte qu'ils ne se blessent. Tard dans la nuit, alors que la tempête semblait redoubler de violence, le pire se produisit. Pluto le regarda tristement et se coucha – un signe que tous les propriétaires de chevaux redoutaient. S'il ne se relevait pas dans les heures qui venaient, il mourrait. Or Nick ne pouvait pas arriver en Floride sans Pluto. Nina était merveilleuse, mais, de par ses origines, son physique athlétique et sa taille, Pluto la surclassait nettement.

Nick passa la nuit auprès de ses chevaux. Le matin, la situation ne s'était pas améliorée. La météo était toujours aussi mauvaise. La peur au ventre, il remonta voir ses fils, se changer et manger un morceau. Les garçons ne se sentaient pas très bien ni l'un ni l'autre et décidèrent de rester dans leur cabine. Il s'abstint de leur dire que Pluto allait mal ; il serait temps de leur annoncer la mauvaise nouvelle s'il ne se relevait pas. Et Nick gardait encore un peu d'espoir.

Dans la salle à manger, il tomba sur Beauregard Thompson. Ils n'étaient pas nombreux, au buffet. La plupart des passagers – dont l'épouse de ce dernier – étaient dans leur cabine, certains couchés à cause du mal de mer. Mais Thompson était d'une nature coriace, et Nick avait toujours eu le pied marin. Il lui expliqua qu'il avait un problème avec un cheval et lui demanda conseil.

— Vous ne pouvez pas faire grand-chose, si ce n'est attendre, répondit Thompson. S'il reste couché trop longtemps, c'est la mort assurée. Depuis combien de temps est-il comme cela ?

— Depuis hier soir, dans la nuit.

Thompson hocha la tête.

— J'ai perdu une jument de cette manière, l'an dernier. Nous n'avons rien pu faire pour la sauver. Si la tempête voulait bien se calmer, vous auriez une chance. Mais, par un tel chahut, je doute que vous parveniez à le relever. Ce doit être le mal de mer. Je descendrai le voir après le petit déjeuner, si vous voulez.

En sortant de la salle à manger, Nick l'emmena donc avec lui. Les pur-sang arabes, bien qu'effrayés, tenaient bon. Nina aussi restait debout, malgré son air abattu. Pluto, en revanche, était tel que Nick l'avait laissé, couché. Il n'avait pas bougé. Il posa sur son maître un regard qui semblait chargé de détresse, avant de reposer sa magnifique tête blanche sur le sol du box.

— Mon Dieu, quelle créature exceptionnelle, fit Beauregard Thompson, émerveillé. Combien toise-t-il au garrot ?

— Un peu plus d'un mètre soixante-cinq.

Pour un lipizzan, c'était plutôt grand.

— Il est vraiment sublime, assura-t-il avec une admiration visible. Il faut le sauver. Ce serait trop dommage.

— Oui, lâcha Nick, mais comment ?

Il sentait Pluto lui filer entre les doigts. Et s'il fallait annoncer à Alex que l'étalon était mort avant même d'avoir posé le sabot sur le sol américain… quel cauchemar.

— Hélas, répondit Thompson, il n'y a rien à faire que prier. Mais gardez espoir : il est suffisamment jeune pour s'en sortir s'il en a la volonté.

Nick ne quitta pas ses chevaux de la journée. Les stewards lui avaient promis de veiller sur les garçons. Du reste, Toby était capable de s'occuper de Lucas.

Dans l'après-midi, la tempête sembla se calmer un peu. Mais Pluto ne bougeait toujours pas. C'était tout juste s'il réagissait quand Nick le caressait ou lui parlait. Il s'affaiblissait d'heure en heure.

À la fin de la journée, Nick était au désespoir. La partie était perdue, c'était certain. Ce n'était plus qu'une question de temps. D'heures, sans doute. Il était impossible de nourrir ou d'abreuver l'étalon tant qu'il ne se levait pas. Nick connaissait suffisamment les chevaux pour savoir que Pluto vivait là ses derniers moments. À un moment donné, il songea même à abréger ses souffrances en faisant usage de son pistolet, mais il n'en eut pas le courage. Il se contenta de s'asseoir auprès de l'animal et continua de lui flatter l'encolure. Il lui murmurait des paroles apaisantes, les yeux pleins de larmes. Cette lente agonie était déchirante.

Il finit par poser la tête sur la large épaule de Pluto et, certain que personne ne pouvait l'entendre, il le supplia de rester en vie.

— Je sais que tout cela doit te paraître absurde et que tu mérites bien mieux que de vivre dans un cirque, mais j'ai besoin de toi pour mes garçons. Sans toi, on ne voudra probablement pas de nous en Floride. Sans toi, je ne sais pas comment nous pourrons nous en sortir, je ne sais pas ce que nous deviendrons. Pluto, si tu restes en vie, si tu fais cela pour moi, je jure de prendre soin de toi pour toujours. Je te devrai la vie. L'avenir de mes enfants et le mien dépendent de toi. Je t'en supplie, ne meurs pas, Pluto... s'il te plaît... nous avons tant besoin de toi... j'ai besoin de toi... je ferai tout pour toi, je te le promets...

Nick avait le visage baigné de larmes.

C'est alors qu'il prit conscience que le vent était complètement retombé. Le tangage et le roulis avaient cessé. Comme s'il s'en était rendu compte lui aussi, Pluto se tourna vers Nick toujours étendu contre lui et encensa comme pour faire oui de la tête. Puis il fut pris d'un grand frisson. Terrifié, Nick crut que c'était la fin mais, au prix d'un énorme effort, le cheval se releva sur ses jambes vacillantes et s'ébroua bruyamment. Nick ne pouvait en croire ses yeux. Pluto était debout ! Il avait fait ce suprême effort pour lui, pour son nouveau propriétaire. S'il acceptait de boire et de manger, il allait s'en sortir !

Nick lui étreignit l'encolure et se mit à sangloter. Jamais il n'avait éprouvé pareil sentiment de reconnaissance. Il porta un seau d'eau aux pieds de Pluto. L'animal prit quelques gorgées prudentes avant de le regarder avec gratitude puis de se tourner vers les autres chevaux. Nina hennit doucement. Nick resta encore une heure pour s'assurer qu'il ne se recouchait pas. Quand il partit, l'étalon mangeait et semblait déjà bien mieux.

Nick se mit en quête de Beauregard Thompson. Ne le trouvant pas sur le pont, il alla frapper à la porte de sa cabine. L'Américain sembla surpris de le voir.

— Comment va votre cheval ? demanda-t-il d'un air sombre comme s'il s'attendait que Nick soit venu lui annoncer une mauvaise nouvelle.

— Il s'est relevé ! répondit ce dernier avec un grand sourire.

Thompson le fixa d'un air stupéfait.

— Ça alors ! Je n'en crois pas mes oreilles. Lorsque je l'ai vu, il semblait déjà presque parti. Comment avez-vous fait ?

— Je lui ai parlé. À vrai dire, je l'ai même supplié de se relever, et il l'a fait. Si vous saviez combien je suis heureux et soulagé…

— Bravo à vous. Je n'ai pas réussi à sauver ma jument, l'année dernière. Pourtant, j'ai tout tenté ; le vétérinaire est venu trois fois. Mais j'avoue que je n'ai pas pensé à lui parler comme vous avez dû le faire. Je me réjouis pour vous, dit-il en lui donnant une bourrade amicale à l'épaule. Nous fêterons cela au dîner.

— Merci. Je voulais simplement vous informer.

Nick espérait passer la soirée avec Monique. Bien qu'il ait été trop occupé par Pluto pour lui faire signe, elle avait continué à lui témoigner de l'intérêt. Elle lui avait même fait porter dans sa cabine une bouteille de champagne accompagnée d'un mot disant qu'il lui manquait.

Nick regagna sa cabine, le sourire aux lèvres. Pluto était vivant, leur avenir moins incertain. Son cheval lui avait sauvé la mise.

6

Nick veilla attentivement sur les bêtes jusqu'à la fin du voyage. Pluto avait repris des forces ; il s'abreuvait et s'alimentait normalement. Le seul changement, c'était ce lien très fort qui s'était tissé entre eux deux depuis sa maladie. Désormais, le cheval hennissait de joie à chaque fois que Nick approchait du box.

Nick passait le plus clair de ses journées avec ses fils, à jouer aux palets, à se baigner, à s'exercer au ball-trap avec Toby, à se promener sur le pont. Il réservait en revanche ses soirées à Monique. Ils dansaient jusqu'au petit matin, sous le regard admiratif des autres passagers. Tout le bateau ne parlait que de leurs tangos et du beau couple qu'ils formaient. Il faut dire que Monique avait le sens de la mise en scène ; il ne lui déplaisait pas d'être au centre de l'attention.

Finalement, le dernier soir, en la raccompagnant à sa cabine, Nick l'embrassa. Était-ce l'effet de la lune de novembre ? de l'arrivée le lendemain à New York ? du champagne ? En tout cas, il ne put résister à son charme.

— Quand rentrez-vous en Allemagne ? lui demanda-t-elle dans un souffle après leur second baiser.

— Je ne rentre pas, répondit-il d'un ton égal.

Elle lui jeta un regard surpris.

— Je croyais que vous ne faisiez qu'un séjour pour présenter vos chevaux…

— Non, je reste.

Il ne tenait pas à lui en révéler davantage. Il était gêné ; il n'assumait pas vraiment ce que serait sa vie future, parmi les gens du cirque qu'il se représentait comme des saltimbanques. Dire qu'il allait devenir l'un des leurs… Il ne parvenait pas à se faire à cette idée et sans doute n'y parviendrait-il jamais.

— Avez-vous une raison précise de ne pas rentrer ? s'enquit-elle, mi-étonnée, mi-inquiète.

Probablement connaissait-elle des gens qui avaient dû quitter l'Allemagne ces dernières années, effarés par ce qui s'y passait ou craignant pour leur vie.

— Oui, confirma-t-il en s'adossant à la cloison de la coursive.

Il ne voulait pas lui mentir et aurait préféré ne pas avoir à se justifier non plus. Toutefois, il lui devait un début d'explication.

— Êtes-vous juif ? demanda-t-elle à tout hasard.

C'était peu vraisemblable : son allure, son nom, son titre : tout indiquait un aristocrate.

— Oui et non, répondit-il avec franchise. Dans le monde tel que nous l'avons connu jusqu'à présent, non. En revanche, dans l'Allemagne d'Hitler, il semble que je le sois. Je n'ai pas connu ma mère. Mes parents ont divorcé à ma naissance. Néanmoins, mon père et moi avons appris il y a peu qu'elle était à moitié juive. Selon les nazis, mes fils et moi sommes donc juifs. Nous avons dû fuir, de crainte d'être envoyés dans un camp de travail.

Monique parut sous le choc, mais il était difficile de dire si elle était davantage alarmée par le sort auquel ils avaient échappé ou par le fait que sa mère fût juive.

— Mais c'est épouvantable ! s'exclama-t-elle finalement avec sympathie. Et tellement absurde… Qu'allez-vous faire ?

Sa sincère sollicitude confirma à Nick que c'était une bonne personne.

— Je n'ai guère eu le choix, répondit-il avec un petit rire. N'ayant pas de métier, je ne savais de quel côté me tourner. J'aurais pu être professeur de danse, sans doute, fit-il en lui adressant un sourire complice, ou chauffeur, ou palefrenier. Je dois avouer que rien de cela ne me tentait vraiment, vous l'imaginez, et j'avais à peine quelques semaines pour trouver une solution. Un ami m'a donné les chevaux que j'emmène. Deux d'entre eux sont des lipizzans, dressés pour le spectacle. Je vais donc intégrer un cirque et y présenter un numéro équestre. Mon fils de six ans est ravi, ajouta-t-il avec un sourire empreint d'ironie. Je ne suis pas certain de pouvoir en dire autant, mais je suis heureux d'avoir trouvé une solution, au moins temporaire. Ma chère, vous avez donc passé vos soirées à danser avec un artiste de cirque. Vos amis ne manqueraient pas d'être choqués s'ils l'apprenaient – et les miens aussi, je dois dire.

Cet aveu lui procura un sentiment mitigé : à énoncer la réalité tout haut, elle en prenait plus de consistance, mais surtout elle apparaissait tellement absurde qu'il valait mieux en rire qu'en pleurer. C'est d'ailleurs ce que fit Monique, passé le choc de la révélation.

— Vous plaisantez ? dit-elle.

— Pas le moins du monde. À notre arrivée à New York, j'emmènerai mes fils et mes chevaux en Floride pour rejoindre le Plus Grand Spectacle du monde. Ce cirque, en m'offrant un emploi, nous a permis de quitter l'Allemagne, ce dont je lui suis infiniment reconnaissant. Chère madame, nous nous rencontrons donc un peu tard, hélas. Il y a un mois, je vous aurais fait la cour, je serais venu vous voir à votre retour. Maintenant, je vais vivre parmi les saltimbanques et les clowns, dans les roulottes même, en tournée neuf ou dix mois sur douze. Je pourrai vous envoyer des cartes postales de tous les États-Unis.

Elle ne riait plus du tout.

— Je suis vraiment désolée. Je ne peux même pas concevoir ce que vous me dites…

— Moi non plus… Je sais juste que cela vaut mieux qu'un camp de travail à la frontière tchécoslovaque. Que de voir mes enfants mourir de malnutrition, de maladie. Nous n'avions pas le choix.

— Vous êtes bien courageux, Nicolas. Je vous admire.

— Non, j'ai été chassé de mon pays par un fou qui veut purifier la race supérieure et diriger le monde. Du jour au lendemain, j'ai dégringolé du haut au bas de l'échelle. C'est assez humiliant, pour dire le moins.

— Pensez-vous vraiment qu'Hitler soit aussi mauvais que cela ? demanda-t-elle, pensive.

Monique avait peine à croire que l'homme soit réellement dangereux. Pour l'instant, rien de ce qu'il avait entrepris ne l'avait touchée, si ce n'est que sa couturière préférée avait déménagé et que son médecin, à Munich, avait été contraint de fermer son cabinet. Mais il était sur le point de prendre sa retraite, de toute façon.

— Je le crois même pire que nous ne l'imaginons, affirma Nick d'un ton amer. Je pense qu'il va instaurer des changements effroyables et qui nous affecteront tous. Mes fils et moi en sommes un excellent exemple. Et, si mon père était toujours marié avec ma mère, il serait lui aussi considéré comme un criminel. Il est désormais illégal pour un chrétien d'être marié à une juive, et réciproquement. C'est une chance que mes parents aient divorcé. Mon père n'aurait jamais survécu à ce déracinement. Devoir quitter tout ce qu'il avait construit pour filer comme un voleur dans la nuit, ç'aurait été trop pour lui.

— Il ne va donc pas vous rejoindre en Amérique ?

— Non. Il reste en Allemagne pour veiller sur nos terres. C'est un homme d'honneur, de devoir et de tradition. Il tient à s'occuper du domaine jusqu'à mon retour. Dieu seul sait quand je rentrerai, pourtant. Pas tant qu'Hitler sera au pouvoir, c'est certain. De toute façon, même si je revenais, je ne pourrais pas hériter de nos biens, avec les lois actuelles sur les Juifs. Ni mes enfants ni moi n'avons plus le droit de rien posséder.

— Vous croyez qu'il va y avoir une guerre, Nicolas ?

— Je ne sais pas. Les gens disent que non, mais, selon moi, tout semble l'indiquer. Les rassemblements organisés par Hitler sont des appels aux armes. Je ne crois pas qu'il s'arrêtera avant d'avoir étendu son pouvoir à toute l'Europe. L'Allemagne ne lui suffira jamais. L'annexion de l'Autriche n'était qu'un début.

Désormais, Nick en était convaincu.

— C'est vrai qu'il ne manque pas d'ambition, convint Monique. Et il y a des soldats partout, ces temps-ci. C'est fou ce qu'ils étaient nombreux la dernière fois que je suis allée à Munich. En particulier les SS, le corps d'élite.

— Oui, cela m'a frappé, moi aussi. Je suis parvenu à faire en sorte que Tobias ne soit pas enrôlé dans les Jeunesses hitlériennes parce qu'il a eu de l'asthme étant petit et que notre médecin est bienveillant. Je n'avais pas envie de le voir défiler en uniforme, répétant comme un perroquet les textes officiels du parti. Quand je pense qu'au lieu de cela il va travailler dans un cirque et jouer avec les clowns… Le sort nous réserve parfois de sacrés imprévus.

— Je suis certaine que vous pourrez revenir en Allemagne. Peut-être même très bientôt, fit-elle d'un ton encourageant.

— J'en doute. En attendant, ma chère, celui que je vais devenir en Floride ne sera pas digne de vous fréquenter, hélas.

— Ne soyez pas ridicule, le morigéna-t-elle.

Puis, d'un ton de conspiratrice, elle ajouta :

— Si je vous disais que, quand j'ai rencontré mon mari, j'étais manucure. Il m'a épousée et a changé ma vie. Certes, ce n'était pas le cirque, mais voyez : je n'appartiens pas à la bonne société depuis ma naissance. J'y suis entrée grâce à Klaus. Et il était très contrarié si jamais quelqu'un y faisait allusion. Il a engagé un professeur pour m'apprendre à parler et à me conduire comme il sied à une dame de son milieu.

C'était un aveu des plus étonnants. Nick le trouva à la fois sidérant et touchant de franchise. À bien y réfléchir, seule sa façon de danser la trahissait peut-être. Trop libre, trop séductrice, pour une femme de son rang. Aucune aristocrate n'aurait osé danser le tango comme elle. Cela ne l'avait nullement choqué : elle était charmante… De toute façon, quelle importance, maintenant ?

— Si jamais on vous chasse d'Allemagne pour une raison ou une autre, fit-il avec une pointe d'ironie, vous pourriez me rejoindre au cirque. Nous monterions un numéro de danse… Mais je ne pense pas que cela arrive, puisque vous n'êtes pas juive.

— Non, confirma-t-elle. Mais vous non plus.

— À leurs yeux, et *stricto sensu*, si. J'appartiens à ce qu'ils considèrent comme une race de criminels et de bâtards, une race qu'ils veulent anéantir.

mun. À son retour en Allemagne, elle retrouverait sa vie et son château dans le Tyrol… Au fond, elle avait hérité de la vie qui était celle de Nick à sa naissance et qu'il avait perdue. Ils étaient un peu comme deux navires qui s'étaient croisés dans la nuit. Il l'embrassa doucement sur la joue, à travers sa voilette, avant de s'éclipser.

Il prit encore un instant pour remercier Beauregard Thompson de son soutien quand Pluto avait failli mourir. Ils se serrèrent la main, et l'Américain lui souhaita bonne chance.

Nick surveilla attentivement la grue qui soulevait le fourgon des chevaux et le posait sur le camion à plateau. Puis il rejoignit ses fils dans la voiture qu'il avait louée pour se rendre à la gare de Penn Station. De là, commencerait la deuxième partie de leur voyage, direction Sarasota.

Lucas regardait par la fenêtre, fasciné par tout ce qu'il voyait, disant tout haut ses impressions. Toby, lui, restait pensif et silencieux. Nick gardait un œil sur le fourgon qui les suivait, ainsi que sur le véhicule qui transportait leurs bagages. Jamais il n'avait eu autant de choses à gérer, autant de détails à régler. Jusqu'à présent, il avait toujours eu des domestiques pour se charger de ce dont il devait désormais s'occuper lui-même. Rétrospectivement, il admirait leur compétence et leur dévouement.

Avant d'aller prendre le train, il s'arrêta dans un bureau de la Western Union pour envoyer à son père et à Alex un télégramme leur annonçant qu'ils étaient arrivés sains et saufs à New York. Lucas aurait voulu visiter la ville, voir le Chrysler Building et l'Empire State Building – le gratte-ciel le plus haut de New York –, mais ils n'avaient pas le temps.

Transférer le fourgon sur le train de la Seaboard Air Line Railway fut une opération extrêmement délicate. Qui se déroula néanmoins pour le mieux. Une demi-heure plus tard, Nick et ses fils étaient installés dans leur compartiment, leurs bagages autour d'eux. Il éprouva un certain soulagement quand le train partit. Tant pis s'ils n'avaient rien vu de New York.

Il se prit à songer à Monique... La jeune femme était en route pour Boston. Sa vie à elle était simple. Elle pouvait rentrer en Allemagne à sa guise. Son sort à lui était plus cruel. Ainsi allait le monde aujourd'hui. Un peu plus tard, ce fut sa mère qui prit place dans ses pensées. Curieusement, pour la première fois, il lui en voulut de l'avoir abandonné. Mais elle était jeune. Sans doute n'avait-elle pas eu le choix. Il doutait de pouvoir la retrouver un jour, la rencontrer. Ce ne serait pas avant très longtemps, en tout cas. Tant qu'Hitler serait au pouvoir, il lui serait impossible de retourner en Allemagne. Il était un apatride. Peut-être pour le restant de ses jours.

— Nous ne rentrerons jamais, n'est-ce pas ? demanda à cet instant Toby, comme s'il avait lu dans les pensées de son père.

Nick ne voulait pas lui donner de faux espoirs. Il jeta un œil sur Lucas. Le garçon s'était endormi, bercé par le roulement du train.

— Je n'en sais rien, Toby, répondit-il franchement. Tout dépendra de l'évolution politique en Allemagne. Pour l'instant, nous allons nous établir ici.

— Dans ce cirque ? Pour toujours ?

— Pour un temps.

— Opa me manque.

— À moi aussi. Et je suis certain que nous lui manquons également.

Tard dans la soirée, le télégramme de Nick arriva à la gentilhommière. Paul avait décidé de ne pas déménager. Il se serait senti trop seul au château. Et puis c'était une façon comme une autre de se convaincre que son fils et ses petits-fils allaient revenir. Ce château, c'était le leur.

Les bonnes nouvelles de leur arrivée à New York le soulagèrent. Il lut et relut le message, les larmes aux yeux. La vie avait été bien morne, ces derniers jours, sans eux. Il ne s'imaginait pas passer le restant de ses jours dans cette solitude. Il lui semblait avoir vieilli de dix ans depuis leur départ.

Alex reçut le télégramme à peu près au même moment. Il le montra aussitôt à Marianne, qui était avec lui dans la bibliothèque. À eux aussi, l'absence de Nick et des garçons pesait. Alex se réjouit néanmoins d'apprendre que les chevaux avaient fait la traversée sans encombre. Grâce à cela, l'avenir immédiat de ses amis était assuré.

À chaque arrêt du train, Nick descendait pour s'assurer que les chevaux allaient bien et leur donner à boire. Le dîner au wagon-restaurant procura une bonne distraction aux garçons. Ensuite, un employé vint déplier les lits et installer le compartiment pour la nuit. Ils n'arriveraient à Sarasota que le lendemain matin. Lucas s'émerveillait de tout, jusqu'à la petite lumière bleue au-dessus de sa couchette. Quant à Toby, il allait un peu mieux depuis le dîner. Tous trois regardèrent défiler le paysage pendant un long moment. Nick était épuisé par la tension nerveuse du voyage et le souci constant de ses fils et ses chevaux. Il avait tant de responsabilités, désormais... Il était loin de se douter à quel point il était difficile d'organiser soi-même sa vie, et il n'y prenait aucun plaisir. Il lui tardait de voir le bout de cet interminable voyage et d'arriver en Floride, quoi qu'il les y attendît. Par chance, ils ne reprendraient pas la route avant plusieurs mois, puisque le cirque avait pris ses quartiers d'hiver jusqu'en mars. Mais, ensuite, ils iraient de ville en ville pendant neuf mois. Dans l'intervalle, ils auraient le temps de s'habituer à leur nouvelle vie. Le programme hivernal était allégé et ne comportait qu'une représentation de temps à autre à Sarasota. Avant tout, il leur faudrait peaufiner leur numéro. Si seulement Alex avait été là pour lui donner des conseils, l'aider à s'améliorer ! Il s'efforça de se remémorer tout ce qu'il lui avait appris sur le dressage des lipizzans.

Nick, qui n'avait pour ainsi dire pas dormi la nuit précédente sur le bateau, ne tarda pas à sombrer dans un profond sommeil. Le soleil brillait, le lendemain matin, quand il ouvrit les yeux. Il réveilla les garçons, afin qu'ils aient le temps de s'habiller et de prendre leur petit déjeuner au wagon-restaurant. Lucas, qui voulait goûter à peu près tout ce qu'il y avait au menu, s'apprêtait à commander en allemand. Mais Nick l'incita à utiliser son anglais, encore bien hésitant. Toby se débrouillait un peu mieux. Les gens se montraient très patients et compréhensifs quand il cherchait ses mots. Ce fut Lucas qui commanda pour eux trois, et il s'en sortit très bien si ce n'est qu'il employa le mot français « crêpes » pour demander des pancakes, ce qui troubla le serveur. Les garçons avaient appris le français avec une ancienne gouvernante, et il leur en restait quelques souvenirs.

Quand ils posèrent le pied sur le quai, en gare de Sarasota, Nick et ses fils avaient l'impression qu'ils venaient de voyager pendant des mois. Et pourtant ils n'avaient passé que six jours en mer et vingt-quatre heures dans le train. Ils aperçurent des hommes du cirque au loin. Ils étaient déjà en train de descendre le fourgon. Nick se demanda soudain où aller, et que faire, quand un homme vêtu d'un costume bleu brillant, d'une chemise lavande et d'une cravate rouge et coiffé d'un feutre penché en arrière sur son crâne s'approcha d'eux en brandissant son cigare tel un sabre magique.

— Monsieur von Bingen ? demanda-t-il.

Les garçons le fixèrent, bouche bée. Jamais ils n'avaient vu personnage semblable. Dès que Nick eut confirmé que c'était bien lui, l'homme leur adressa un large sourire. À l'évidence, ce devait être un membre du cirque venu les accueillir.

— Bienvenue en Floride, lança-t-il en effet d'un ton grandiloquent. Bienvenue au Plus Grand Spectacle du monde.

Assailli par la fumée de cigare, Lucas fronça le nez et détourna la tête.

— Merci de venir à notre rencontre et de nous aider, dit Nick avec une reconnaissance sincère.

— C'est tout naturel. Je m'appelle Joe Herlihy.

Sa poignée de main était si énergique que Nick crut bien qu'il allait lui démettre le bras.

Joe demanda ensuite à ses hommes de charger le fourgon sur un camion à plateau. Il conduisait quant à lui une camionnette, où apparaissait en couleurs vives le logo du cirque.

— Les chevaux ont-ils supporté le voyage ? s'enquit-il.

— Étonnamment bien, répondit Nick.

Il avait presque de la peine à comprendre son interlocuteur, tant son accent traînant du Sud était différent de celui de la bonne société anglaise auquel ses études dans un pensionnat chic l'avaient habitué.

— Vos fils parlent anglais ? demanda Joe en leur jetant un regard bienveillant par-dessus son épaule.

— Un peu. Ils sont en train d'apprendre. Mais nous avons fait le voyage à bord d'un navire allemand, de sorte qu'ils n'ont pas encore eu beaucoup l'occasion de parler.

— Que cela ne vous inquiète pas, assura Joe en souriant. Nous avons trente-deux nationalités, au cirque. Il faut dire que nous sommes treize cents artistes et ouvriers. C'est un vrai village. Une petite ville, même, dit-il avec une fierté manifeste. Cela fait douze ans que j'en fais partie. Je suis dénicheur de talents. Pour les États-Unis, en tout cas. Pour l'Europe, c'est M. North lui-même qui s'occupe du recrutement. Vous verrez, nous avons beaucoup d'Allemands, ainsi que des Tchécoslovaques, des Polonais, des Hongrois – qui parlent aussi allemand. Vous allez tout de suite vous sentir chez vous.

Nick ne répondit rien. Il le savait, il lui faudrait bien davantage qu'une langue commune pour qu'il s'habitue à ses collègues et à son nouvel environnement. Cependant, les garçons, et surtout Lucas, seraient heureux d'avoir autour d'eux d'autres germanophones. Très sociable, son cadet cherchait toujours à se faire des amis partout. Toby, lui, souhaitait faire des progrès en anglais. Et lui-même avait besoin de se familiariser avec les particularités de la langue américaine. Nombre d'expressions lui échappaient.

— Il y a également des Français, des Italiens, des Espagnols, mais aussi une troupe d'acrobates japonais, une famille chinoise de gymnastes et de jongleurs. Eux, ils parlent anglais, mais je les comprends à peine. Presque tous les dompteurs sont allemands ; ce doit être une spécialité très appréciée, dans votre pays.

Nick sourit. Si tel était le cas, il n'en avait jamais entendu parler. Il faut dire qu'il ne connaissait ni dompteurs, ni acrobates, ni jongleurs. Il n'en avait même jamais vu. Mais cela n'allait plus tarder.

Les garçons ne perdirent pas une miette de la traversée de Sarasota. Joe leur indiqua les monuments et les principaux sites de la charmante petite ville. Le trajet jusqu'au champ de foire ne fut pas long. Ils découvrirent un terrain de plusieurs hectares grouillant d'activité, au centre duquel trônait un gigantesque chapiteau. Il était entouré de ménageries, de tentes, de pistes d'entraînement, d'ateliers, de dépôts et d'un flot de caravanes réparties sur plusieurs grands parkings. Il y en avait des centaines. Ils longèrent les grilles d'une espèce d'immense palais vénitien bâti au bord de la baie. Joe leur apprit qu'il s'agissait de Ca' d'Zan, la demeure des Ringling.

Autrement dit, les propriétaires du cirque. John Ringling North en était devenu le président l'année précédente, à la mort de son oncle John Ringling. C'était une entreprise familiale, actuellement dirigée par six des frères Ringling. Bien des années auparavant, en 1907, ils avaient acheté le Barnum & Bailey Circus. Aujourd'hui, ils contrôlaient entièrement le Plus Grand Spectacle du monde, ce produit de la fusion de deux très grands cirques : un ensemble stupéfiant de treize cents employés, plus de huit cents animaux, cent cinquante-deux camions et un train de cinquante-neuf voitures.

— Waouh, c'est énorme, fit Toby dans un murmure admiratif.

On aurait cru, en effet, que dix ou douze cirques s'étaient réunis au même endroit. Jamais Nick et les garçons n'auraient pu imaginer cela. Où que leur regard se portât, ils voyaient des gens habillés fort étrangement, des femmes et des jeunes filles en tutu et justaucorps, des hommes et des femmes en tenue de gymnaste. Les clowns sortaient justement d'une répétition. Lucas les regarda passer, médusé. Ils bavardaient avec animation, suivis par des chiens de toutes sortes et de toutes tailles, déguisés pour certains.

— Les chevaux sont les animaux les plus nombreux de notre ménagerie, souligna Joe. Mais vos lipizzans seront les seuls de tout le pays.

Nick ne pouvait s'empêcher de regarder partout autour de lui. C'était si grand… Il y avait vraiment de quoi se perdre facilement, songea-t-il, tandis que Lucas bondissait d'impatience à l'idée de rencontrer les clowns.

— Bientôt, vous connaîtrez tout le monde, affirma Joe aux garçons d'un ton rassurant. Et il y a des tas d'enfants avec qui vous pourrez vous amuser. Lorsque nous prendrons la route, vous suivrez la classe tous ensemble. Mais, tant que nous sommes à Sarasota, les enfants des artistes fréquentent les écoles de la ville. Et vous en ferez autant, les garçons.

À l'entendre, le cirque était une vraie communauté, avec des familles, et pas seulement une collection de saltimbanques.

— Cette année, nous avons pris nos quartiers d'hiver de bonne heure, à cause d'une grève des acteurs qui nous a obligés à fermer presque jusqu'en juillet. Du coup, nous sommes rentrés ici plus tôt que d'habitude, même si nous avons donné quelques représentations dans le Midwest.

Pour Nick et les garçons, cela tombait fort à propos.

— Et je pense que nous repartirons un peu plus tard, ajouta Joe, ce qui vous laissera le temps de répéter et de bien vous adapter. La tournée débute généralement en février ou en mars, mais nous prévoyons plutôt un départ début avril. Nous commencerons par New York.

Joe sortit un papier de sa poche et vérifia le numéro de leur caravane, puis chercha son emplacement sur le plan. Elle se trouvait dans le troisième grand parking. Quand la camionnette s'arrêta à côté, Nick nota qu'elle était très longue, mais assez peu large.

Il la visita en retenant son souffle. L'intérieur était semblable à une chambre d'hôtel bon marché, avec tout le nécessaire. Désormais, c'était ici chez eux. Deux toutes petites chambres et une cuisine miniature. Le garage de sa Duesenberg était plus spacieux, songea-t-il tout en s'efforçant de ne pas montrer ce qu'il ressentait. Les garçons visitèrent aussi. Lucas paraissait satisfait ; il était surtout pressé d'aller retrouver les enfants qu'il avait vus jouer dans les parages. Toby, quant à lui, s'écroula sur l'unique banquette de la caravane, l'air à la fois épuisé et hébété. L'aménagement était simple et très propre, mais force lui était d'admettre qu'il ne se doutait même pas que l'on pût vivre ainsi. Néanmoins, cela valait toujours mieux qu'un camp de travail.

— Une tente a été dressée sur le champ de foire pour accueillir vos chevaux, expliqua Joe. Nous l'avons installée le plus près possible de votre caravane. Ils y seront bien : il fait suffisamment doux. En tournée, ils voyageront dans une remorque. Nous pouvons ranger votre fourgon ici, ou dans un de nos trains.

Nick hocha la tête, dépassé par toutes ces informations et la perspective de vivre dans cet espace réduit – même si, selon les critères du cirque, sa caravane était de proportions plutôt généreuses. Tout de même, les chambres étaient à peine plus grandes que les lits qu'elles contenaient. Ils n'étaient pas habitués à cela. Son regard se porta sur Toby.

Son aîné semblait sur le point de fondre en larmes. Pourvu qu'il parvienne à se retenir... Sa détresse n'aurait pas manqué de perturber son petit frère. Nick s'efforça donc de faire bonne figure. Il écarta les bras avec enthousiasme et demanda à Joe de lui montrer la tente des chevaux. Puis il fit signe à ses fils de l'accompagner.

— M. North veut vous voir à 16 heures aujourd'hui, leur dit Joe en chemin. Je passerai vous prendre. Et vous avez une répétition à 10 heures demain matin. Il y assistera également. Votre numéro est très important, pour le cirque. De toute façon, M. North aime voir tous les artistes à leur arrivée. Surtout les chevaux. Je suis certain que votre numéro lui plaira. C'est lui-même un homme de cheval accompli. Il lui tarde de découvrir vos lipizzans.

— J'espère qu'il sera satisfait, fit Nick évasivement.

Comment allait-il se repérer, dans ce dédale de caravanes, de tentes, d'ouvriers et d'artistes, ce site démesuré et fourmillant d'activité ? Jamais il n'avait vu autant de gens rassemblés en un même endroit. Les garçons eux aussi étaient fascinés. Toby regardait justement un groupe de jeunes filles en tutu pailleté. Peut-être son fils retrouverait-il le moral grâce à elles... Soudain, Monique lui manqua. Au moins, elle connaissait son milieu d'autrefois. Là, sur ce vaste terrain peuplé d'individus étranges, il se sentait perdu. Il avait l'impression d'être sur une autre planète. Rien ne ressemblait à ce qu'il connaissait. Même le paysage était différent. Et il faisait chaud.

Joe leur indiqua la cantine abritée sous une grande tente. Ils y prendraient sans doute leurs repas. Ils avaient certes la possibilité de faire la cuisine dans leur caravane, sauf que Nick ne savait même pas faire cuire un œuf. Il faudrait qu'il apprenne... Il ne s'imaginait pas déjeuner et dîner tous les jours avec des centaines de personnes. Cela l'épuisait d'avance. Au fond, comprit-il, ce qui allait le plus lui manquer, ici, c'était la possibilité de s'isoler. Non seulement il y avait un monde fou, mais on vivait les uns sur les autres. De sa caravane, il pouvait, en tendant le bras, toucher la caravane voisine. Comment trouver ici un peu d'intimité, de tranquillité ? Comment conserver une vie de famille sur laquelle les autres n'empiéteraient pas en permanence ?

Ils atteignirent la tente dans laquelle les chevaux avaient été mis en stalles. Les bêtes tournèrent la tête vers eux. Dès qu'il vit Nick, Pluto encensa fièrement comme pour le saluer. Nick sourit. Enfin, un être vivant qui lui était familier... Il s'approcha du grand étalon et le caressa, éprouvant sans doute plus de bien-être encore à ce contact qu'il n'en donnait. La présence de Pluto, de Nina et des autres chevaux le réconfortait. Ils représentaient le dernier lien avec sa vie d'avant, avec Alex, avec ce monde qui avait disparu de l'autre côté de l'océan, avec le pays qui ne voulait plus d'eux. Oui, voilà tout ce qui lui restait de là-bas. Huit chevaux. Et ses deux enfants.

Ils passèrent un long moment dans la tente. Leur matériel et la nourriture des bêtes avaient été déchargés et rangés dans une sellerie de fortune, installée dans un coin.

Nick sella Pluto, le brida et se mit à cheval. Aussitôt, la vie lui sembla de nouveau réelle. Quoi qu'il arrive, où qu'ils aillent, il leur restait cela. Les chevaux que leur avait donnés Alex. Pluto, qui était revenu à la vie pour lui. Il se pencha sur son encolure pour lui murmurer des mots doux à l'oreille, des mots de remerciement. Dans ce monde inconnu et inquiétant, le lipizzan était, pour l'instant en tout cas, son seul ami. Il allait les aider à s'en sortir. Il l'avait prouvé en se relevant. Nick lui en était profondément reconnaissant, tout comme il était reconnaissant à cette chance qui lui était offerte.

8

Bien qu'il fît son possible pour le dissimuler, Nick n'en menait pas large avant son rendez-vous avec John Ringling North. « Mr. John », comme l'appelait Joe.

Ce dernier vint le chercher à la tente des chevaux dans l'après-midi, comme convenu. Il ne manqua pas d'admirer le bel étalon blanc.

— Vos deux lipizzans sont vraiment exceptionnels…

Toby était en train de brosser Pluto, lequel dressa fièrement la tête comme s'il avait compris le compliment.

— Ils font un numéro en liberté, n'est-ce pas ?

Cela signifiait qu'ils obéissaient aux ordres vocaux, aux gestes du dresseur, qui se tenait à pied au centre de la piste.

— Oui, confirma Nick, mais je les monte aussi.

Nina, plus expérimentée, plus calme et mieux dressée, était plus facile. Mais Pluto était tellement passionnant…

— Il me tarde de voir cela. Et votre grand garçon ? Il monte aussi ?

Nick acquiesça. Alex avait donné des cours à Toby avant leur départ. Du reste, il montait depuis l'enfance, même s'il n'avait jamais pratiqué l'équitation de spectacle. Alex avait même appris quelques tours simples à Lucas pour qu'il puisse participer au numéro si le cirque le souhaitait.

— Les pur-sang arabes travaillent également en liberté tous les six, précisa Nick en souriant à Joe.

Le « dénicheur de talents » portait une tenue encore plus voyante que celle du matin : un complet gris argenté associé à une cravate bleu électrique et une chemise rose bonbon ! Pourtant, il passait presque inaperçu dans la foule baroque et chamarrée des gens du cirque. Nick, quant à lui, avait revêtu un costume impeccable confectionné sur mesure par son tailleur de Berlin en vue de sa rencontre avec le président.

Avant de partir, il demanda à Toby de surveiller Lucas. Surexcité depuis leur arrivée, ce dernier voulait faire la connaissance des clowns. Quelle différence entre ses deux garçons, songea Nick, entre l'enthousiasme du cadet et le silence perplexe de l'aîné, qui avait à peine ouvert la bouche depuis leur arrivée – comme s'il se trouvait sous le coup d'une surcharge émotionnelle après les adieux, le voyage et l'arrivée dans ce lieu si étrange.

Nick monta dans la camionnette de Joe. Quelques minutes plus tard, ils arrivaient devant un bâtiment sur le champ de foire. Joe le fit entrer dans les bureaux, où ils furent accueillis par deux secrétaires aussi sérieuses que celles d'un cabinet d'avocats. Presque immédiatement, John Ringling North apparut, vêtu d'un costume sombre à fines rayures semblable à celui de Nick (si ce n'est qu'il était moins bien coupé), d'une chemise blanche et d'une cravate bleu nuit. Ses souliers étaient impeccablement cirés et ses cheveux noirs bien coiffés. Il fit un large sourire à Nick en lui serrant la main et l'invita à le suivre. D'emblée, Nick se sentit un peu plus en pays de connaissance. John Ringling North était un homme sérieux, qui s'exprimait bien et semblait intelligent. Il fit asseoir Nick en face de lui. Joe s'était éclipsé.

— Bienvenue en Floride, chez les Ringling Brothers, dit aimablement le président du cirque. J'espère que vous avez fait bon voyage, et vos chevaux aussi.

— Excellent, assura Nick, qui ne jugea pas utile d'évoquer la tempête pendant laquelle Pluto avait failli mourir. Permettez-moi avant tout de vous remercier de nous avoir engagés, mes fils et moi. Vous nous avez littéralement sauvé la vie. Il y avait urgence.

— C'est ce que j'ai compris en lisant votre lettre. J'avoue que cela m'a troublé. Les gens qui portent un nom de famille tel que le vôtre, avec un « von », ne sont généralement pas soumis à des persécutions religieuses. Que se passe-t-il, en Allemagne, au juste ? Y a-t-il des problèmes politiques dont nous n'entendons pas parler de ce côté-ci de l'Atlantique ? Êtes-vous un opposant affiché du gouvernement en place ?

Nick lui expliqua sa situation personnelle. Quand il eut achevé son récit, John Ringling North paraissait plus effaré qu'étonné. Il avait entendu plusieurs histoires de ce genre dernièrement, et le cirque avait déjà engagé d'autres artistes juifs qui avaient fui l'Allemagne depuis 1935.

— Vos chevaux et vous allez beaucoup apporter à notre spectacle, assura-t-il peu après. C'est la première fois que l'on va présenter des lipizzans en Amérique. Nos spectateurs vont se régaler. Ce sont des animaux magnifiques... Il me tarde de voir les vôtres.

Le directeur lui sourit.

— Vous passerez avant l'entracte. Après, ce sont les numéros de corde raide et d'acrobatie. Le spectacle ouvre généralement avec les fauves sur la piste centrale. J'aimerais vous mettre juste après, également sur la piste centrale.

Nick ne le savait pas encore, mais c'était un grand honneur.

— Cela nous amène à la question de votre nom, enchaîna le président. Nous voyageons à travers tout le pays, dans des villes de toute taille. Les Américains ont du mal avec les noms étrangers. Il vous en faut un qu'ils retiennent facilement. Accepteriez-vous tout simplement de raccourcir le vôtre pour vous faire appeler Nick Bing ?

Le directeur leva un sourcil interrogateur.

— Comme nom de scène uniquement, s'empressa-t-il d'ajouter, cela va de soi. Je me demandais également si vous aviez un titre.

Nick était un peu gêné et pris de court par cette histoire de changement de nom. Toutefois, Nick Bing sonnait indéniablement américain et serait plus facile à retenir.

— Mon père a un titre, dont il ne se sert pas. C'est un homme très moderne, et il juge cela dépassé. Mais il est comte.

— Nous pourrions utiliser cela, fit North, pensif. Le comte Nick Bing. Le comte... À moins que vous préfériez « le duc » ?

— Hum, non.

Ce serait de l'usurpation.

— Il me faut vraiment un titre, vous êtes certain ?

Il aurait préféré s'en passer.

— Cela a un côté théâtral et exotique qui plaît beaucoup aux Américains. Ils adorent tout ce qui a trait aux familles royales et à la noblesse. Va pour « comte », alors. Le comte Nick Bing. Oui, je crois que c'est bien. Et vos chevaux, les deux lipizzans, comment s'appellent-ils ?

North était avant tout responsable des questions financières du cirque, mais il suivait également de près les artistes ; il savait ce que chacun faisait. Il connaissait tout du cirque, assistait souvent aux représentations et accompagnait les tournées dans son somptueux Pullman surmonté d'un dôme argenté. Il n'avait accédé à la présidence qu'un an auparavant mais gérait déjà admirablement cette structure si complexe. Nul doute, donc, qu'il assisterait à la répétition de Nick le lendemain matin sous le chapiteau principal, d'autant qu'il s'agissait d'un numéro de commande.

— L'étalon s'appelle Pluto Petra et la jument Nina. Selon la tradition, les étalons portent les noms de leurs père et mère, alors que les juments n'ont qu'un seul nom, qui représente leur lignée. On s'y retrouve plus facilement ainsi. Pour les puristes, il existe six noms : ceux des premiers étalons, au XVIIIe siècle. Les éleveurs de lipizzans sont très fiers des origines de leurs chevaux et ne plaisantent pas avec les noms.

— Je n'en doute pas, assura North avec respect. Toutefois, je ne crois pas souhaitable que votre cheval porte le nom d'un personnage de dessin animé. Pour les gens ici, aux États-Unis, Pluto, c'est le chien de Disney. Il nous faut quelque chose de plus majestueux. Y compris pour Nina. Nous souhaitons commencer à faire de la publicité et à parler de votre étalon le plus tôt possible. Peut-être faire paraître des photos et des interviews de vous dans la presse avant notre départ en tournée. Certes, nous avons cinq mois devant nous, mais je préfère m'y prendre à l'avance. Voyez ce que vous pouvez trouver. Et les pur-sang arabes ?

— Ils ont des noms bien sûr, également en rapport avec leurs origines.

— Bon, très bien. Je suppose que cela fera l'affaire.

Ils parlèrent ensuite salaire. Ce que John Ringling North lui proposa était on ne peut plus correct. De toute façon, Nick ne s'était pas attendu à un pont d'or.

Il aurait de quoi vivre avec ses fils, d'autant qu'ils bénéficieraient d'un certain nombre d'avantages en nature tels que la caravane dans laquelle ils vivaient, la cantine où ils pouvaient se restaurer gratuitement et la prise en charge des soins médicaux si nécessaire. Certes, ce ne serait pas le grand luxe, mais avoir un emploi, et, surtout, vivre en sécurité, cela tenait déjà du miracle.

— Merci beaucoup, monsieur North, dit-il avec émotion.

— Je fais préparer votre contrat, monsieur von Bingen. Je vous le donnerai après la répétition de demain, à laquelle j'ai hâte d'assister.

Sur ce, le président le raccompagna.

Nick avait bien conscience d'être à l'essai. Il ne serait réellement engagé que si sa prestation convainquait M. North. Il allait faire exécuter à Pluto tous les mouvements que lui avait appris Alex, en espérant que l'étalon voudrait bien donner le meilleur de lui-même dans ce nouvel environnement. Il jouait gros. S'il échouait, que deviendraient-ils ? Il préféra ne pas y songer…

Il n'avait donc pas le choix : il devrait présenter un numéro exceptionnel.

Nick retrouva Joe sur le parking. Ce dernier était appuyé à sa camionnette, en train de fumer le cigare, son feutre gris assorti à son costume repoussé en arrière sur son crâne. Un style qui correspondait parfaitement au personnage.

— Ça s'est bien passé ? s'enquit-il en souriant.

— Je crois, oui. M. North va assister à notre répétition. Et il m'a fait changer de nom. Désormais, je m'appelle Nick Bing.

— Ça vous va bien. Ça fait un peu british, comme votre accent.

Ils rirent tous les deux de cette remarque.

— J'espère qu'il appréciera notre travail, avoua Nick en montant dans la camionnette.

— Ne vous en faites pas. Je suis sûr que oui.

Joe, qui avait à peu près son âge, était un homme plein de délicatesse : il les avait d'ailleurs accueillis, les garçons et lui, avec beaucoup de chaleur.

— Il m'a aussi demandé de changer le nom des lipizzans. Leur éleveur me tuerait s'il l'apprenait, mais je n'ai pas tellement le choix, si ?

Joe répondit volontiers à sa question de néophyte. Il était rare de voir arriver au cirque des artistes qui n'étaient pas des enfants de la balle.

— Ici, vous savez, tout est une question de mise en scène et de battage publicitaire. Il faut faire monter l'excitation du public. On joue soit sur le plus grand, le plus formidable, le plus dramatique – soit sur le plus petit, le plus exotique. Cela ne m'étonne pas qu'il vous ait demandé de changer Pluto de nom, conclut-il en démarrant. Pluto, c'est le nom d'un chien !

— Bon, je vais essayer de trouver quelque chose.

En revanche, il n'en dirait rien à Alex. Son ami ne comprendrait pas les exigences de ce monde si différent du leur ; il considérerait l'affaire comme un sacrilège.

Sur le trajet du retour à la caravane, ils virent encore des jeunes femmes en justaucorps. Nick commençait à se faire à ces étranges tenues. Joe lui apprit qu'il s'agissait de trapézistes, mais, pour lui, elles étaient semblables aux gymnastes et aux danseuses. De toute façon, elles n'étaient pas son genre. Il n'avait jamais fréquenté que des femmes de son milieu. Celles-ci, très jeunes, bavardaient dans une langue qu'il ne comprenait pas, en gloussant comme des gamines. Joe les reluqua avec tant d'intérêt qu'il faillit heurter un garçon qui s'exerçait aux échasses.

Le champ de foire était un défilé permanent. On y croisait des êtres minuscules – ou immenses. Nick ne put se retenir d'observer une femme énorme, très connue d'après Joe, qui bavardait le plus sérieusement du monde avec un homme couvert de tatouages. Ce mélange de personnages hétéroclites créait décidément une atmosphère des plus étranges.

Devant la caravane, ils aperçurent Lucas, qui riait aux éclats avec un nain et un homme au maquillage de clown vêtu, comme un mime, d'un béret, d'un pantalon trop court, de chaussons de danse et d'un collant blanc. Nick vint se joindre à leur trio. Lucas sourit, le regard brillant d'excitation, et lui présenta ses nouveaux amis.

— Papa, voilà Pierre. Il est clown. Et Thomas. Il est clown aussi, mais il n'a pas de répèt' aujourd'hui, expliqua-t-il comme si la vie du cirque n'avait pas de secret pour lui – alors qu'il ne savait sans doute pas ce qu'était une « répèt' ».

Nick serra la main aux deux jeunes Français, qui lui sourirent chaleureusement. Manifestement, ils s'amusaient bien avec Lucas. Cela lui faisait drôle de se dire que, désormais, ces gens allaient être leurs amis, que ses fils seraient élevés parmi les acrobates, les phénomènes de foire et les clowns – même si Joe soutenait qu'il n'y avait pas de « phénomènes de foire » au cirque, uniquement des numéros et des artistes.

— Ils disent que je pourrai être clown, annonça fièrement Lucas, et que je pourrai monter dans la petite voiture avec eux pendant l'entracte. Et Thomas va m'emmener voir les éléphants.

Ils en avaient vu plusieurs sur le parking ce matin, y compris des petits qui suivaient leur mère, accompagnés par un soigneur qui courait à côté d'eux.

— Bonne idée, fit Nick avec un sourire un peu las. Toby et moi avons une répétition demain matin, devant le président du cirque. Où est-il, Toby, au fait ?

— Dedans, répondit Lucas en se retournant pour pointer le doigt vers la caravane.

À ce moment-là, une petite fille approcha. Elle avait de grands yeux bleus et un nuage de boucles blondes. Dans sa robe rose, elle ressemblait à une poupée. Elle devait avoir à peu près l'âge de Lucas. Elle dévisagea celui-ci avec intérêt, sous l'œil amusé de Nick.

— Tu parles anglais ? demanda-t-elle avec aplomb.

Il hocha la tête.

— Tu viens d'où ? fit-elle avec curiosité.

Le clown et le nain s'en allèrent, non sans promettre de revenir le lendemain.

— Allemagne, répondit-il.

Elle hocha la tête d'un air entendu. Il y avait d'autres Allemands au cirque.

— Moi, je suis tchécoslovaque. Mais j'habite ici depuis que j'ai deux ans. Je sais aussi parler tchèque et allemand, précisa-t-elle avant de poursuivre la conversation en allemand.

Lucas parut soulagé d'avoir quelqu'un à qui parler sans chercher ses mots.

— Je m'appelle Rosie, et ma maman danse sur la corde raide, quelquefois sans filet. C'est elle qui m'a fait ma robe. Mon papa aussi vient de Tchécoslovaquie. Il est trapéziste et il sait faire le triple. Il monte parfois sur la corde avec ma maman. Il n'aime pas quand elle n'a pas de filet, mais les gens applaudissent plus fort. Et toi, ton papa, il fait quoi ?

Elle jeta un regard timide à Nick, qui lui sourit. Elle était adorable, désarmante de naturel. Au fond, pour elle, tout cela était la vie normale, alors que pour

Lucas, qui découvrait ce monde, c'était bien plus amusant que le calme bavarois de sa vie d'avant.

— Il monte à cheval, et mon frère aussi. On est arrivés aujourd'hui.

— Je sais. Ma maman m'a dit de vous laisser vous installer tranquillement. Ma sœur trouve que ton frère est très beau. Elle l'a vu tout à l'heure.

Lucas sembla juger ces informations intéressantes.

— Mon frère a quinze ans, et moi six, indiqua-t-il.

— Moi aussi, dit Rose.

Quand elle souriait, on voyait qu'elle avait perdu depuis peu ses dents de devant. Cela la rendait plus mignonne encore.

Nick laissa les deux petits faire connaissance et rentra dans la caravane pour parler avec Toby de la répétition du lendemain. Il le trouva en train d'écouter la radio, livide.

— Qu'est-ce qui se passe ? demanda-t-il avec inquiétude.

— Il y a eu des attaques dans toute l'Allemagne, il y a deux jours. Ils ont brûlé des synagogues, des commerces, des entreprises, des maisons. Ils ont emmené des gens. Ils disent qu'ils débarrassent l'Allemagne de ses éléments criminels, mais apparemment, ce sont uniquement des Juifs. D'après le journaliste, trente mille hommes juifs sont en prison, et plusieurs milliers de femmes aussi, en Allemagne et en Autriche. Ils ont appelé cela la Nuit de cristal. Ça s'est passé la veille de l'arrivée du bateau. Vous vous rendez compte, papa ? Est-ce que nous aurions été pris, nous aussi, si nous étions restés là-bas ?

Il avait l'air à la fois terrifié à cette idée et bouleversé pour les victimes qui n'avaient pas eu leur chance. Pendant le voyage, ils avaient été coupés du monde, des informations. Nick avait bien entendu des passagers faire allusion à des violences en Allemagne, mais il avait cru à des actes isolés après un rassemblement. Il était loin de se douter que les persécutions contre les Juifs avaient pris de telles proportions. Heureusement que le général von Messing leur avait enjoint de partir au plus vite. Peut-être, d'ailleurs, savait-il ce qui se tramait. La Nuit de cristal n'était pas une rafle au hasard. Elle avait été planifiée.

— Par bonheur, Tobias, nous ne le saurons jamais. Je pense qu'ils ne s'en seraient pas pris à nous, mais on ne peut pas savoir. Notre pays est dans un triste état. Hitler est un homme dangereux.

Nick était profondément soulagé d'avoir pu fuir à temps. Dans le cas contraire, en plus du risque pour eux, son père aurait été inquiété parce qu'il les hébergeait. Il semblait que plus personne ne soit en sécurité en Allemagne : ni les Juifs, ni ceux qui leur étaient apparentés, même par alliance, ni ceux qui faisaient des affaires avec eux. Tous les Juifs et ceux qui les protégeaient étaient en danger.

Un peu plus tard, Nick apprit que cette Nuit de cristal avait été d'une violence telle qu'elle avait ébranlé le monde entier. Leur retour en Allemagne semblait de plus en plus improbable. Par conséquent, Nick devait faire le maximum pour présenter un bon numéro et être engagé. Il en parla avec Toby dans l'espoir de le distraire. Il lui expliqua en détail ce qu'il voulait montrer et dans quel ordre. Il présenterait tous les mouvements les plus spectaculaires de Pluto et souhaitait que Toby fasse quelques tours de piste au galop sur Nina au début et à la fin de sa présentation. Ils seraient tous deux en queue-de-pie et haut-de-forme.

Le lendemain matin, après une nuit presque blanche, ils se vêtirent donc très élégamment, avant d'aller chercher les chevaux pour les conduire sous le grand chapiteau. Lucas les accompagnait, et Nick trouva deux soigneurs pour les aider. Les trois hommes et Toby tenaient chacun deux chevaux. Lucas gambadait non loin de son frère en lui racontant qu'une jeune fille le trouvait beau.

— Ah oui ? fit Toby, sceptique.

Il n'avait encore pour ainsi dire parlé à personne. Son petit frère était beaucoup plus sociable que lui. La seule fille qui ne l'intimidât pas, c'était Marianne. Il lui avait écrit une longue lettre, la veille au soir, pour lui raconter la traversée en bateau et leur arrivée au cirque, lui dire qu'elle lui manquait, de même qu'Alex et son grand-père, et combien tout était étrange ici. Il l'avait postée à la première heure ce matin.

— Comment s'appelle-t-elle ? demanda-t-il tout de même.

— Je ne sais pas. C'est sa petite sœur qui me l'a dit. Elle, elle s'appelle Rosie et elle a six ans. Elle vient de Tchécoslovaquie, mais elle parle allemand. Sa sœur aussi, je parie.

Pour Lucas, c'était un avantage indéniable ; il en déduisait que pour Toby aussi. Le petit garçon s'efforçait de distraire son frère. Il le sentait nerveux. En fait, Toby avait le trac. Son père lui avait expliqué l'importance de cette présentation, et il ne voulait pas tout faire rater.

Les soigneurs attachèrent les chevaux à un poteau sous l'immense chapiteau. Des trapézistes achevaient tout juste leur répétition. Un autre groupe leur succéda. Des Polonais, supposa Nick en les entendant parler. Une jeune danseuse de corde monta sur le fil pour travailler son numéro sous la direction d'un homme en fauteuil roulant. Nick la regarda. Elle avait un visage d'ange et un corps de fée. Fasciné, il l'observa bondir dans les airs et retomber à chaque fois sur la corde dans un équilibre parfait. Pas un instant, son regard ne déviait. Elle était totalement concentrée sur ce qu'elle faisait et sur les indications de l'homme en fauteuil roulant. Jamais Nick n'avait vu autant de grâce. Elle semblait à peine sortie de l'enfance, tant elle était petite et menue. Pourtant, il émanait d'elle une féminité déjà adulte. Peut-être avait-elle près de vingt ans…

Allons, il fallait qu'il s'occupe de ses chevaux, se reprit-il. Il se mit à parler à Pluto à voix basse.

— Tu sais combien c'est important, hein, mon vieux ? Une fois de plus, je dépends de toi. Il faut que tu réussisses parfaitement la cabriole et la croupade. C'est vital.

Le cheval fit un mouvement de tête, comme s'il avait compris. Nick se tourna vers Nina et lui tint le même discours. Les lipizzans étaient équipés avec leur selle et leur bride d'apparat. Les pur-sang arabes dansaient d'impatience de se détendre, mais ne semblèrent pas nerveux quand Toby les monta l'un après l'autre sur la piste. Son fils aîné avait l'air très à l'aise. Tout à sa tâche, il ne prêtait plus attention à ce qui se passait autour d'eux.

Ensuite, ce fut au tour de Nick et Pluto de répéter leur numéro. L'étalon était particulièrement joyeux d'être à nouveau monté. L'impression de Nick qu'un lien s'était tissé entre eux quand l'animal avait été malade sur le bateau se confirma. Il obéissait désormais à ses indications même les plus discrètes et s'appliquait en permanence à lui faire plaisir.

Après cela, Nick monta Nina pour la détendre avant de la passer à Toby. Ils avaient prévu une heure d'échauffement et de préparation. À 10 heures pile, comme prévu, John Ringling North apparut. Il vint au centre de la piste serrer la main de Nick. Ce dernier ne pouvait le savoir, mais North n'avait jamais fait cela ; c'était un témoignage de respect exceptionnel. Il alla ensuite prendre place dans la tribune pour assister à leur répétition.

Lucas mit un disque de Mozart sur le phonographe, et le numéro commença. Nick fit plusieurs tours de piste au galop, de plus en plus vite, avant de venir au centre exécuter une levade. Le cheval blanc sembla rester une éternité en équilibre sur ses membres postérieurs. Jamais il ne l'avait aussi bien fait, avec tant de fluidité. Il enchaîna ensuite avec une courbette, c'est-à-dire que, gardant la position de la levade, il avança par petits bonds. Puis Nick repartit au galop et fut rejoint par Toby et Nina pour quelques mouvements synchronisés, qu'ils exécutèrent avec la précision et la poésie d'un ballet. Ils mirent pied à terre simultanément et sortirent, laissant les deux chevaux immobiles au centre de la piste. Après quoi, Nick revint pour le travail en liberté. Les lipizzans furent irréprochables, faisant exactement ce qu'il leur demandait. Pour finir, Nick se remit en selle sur Pluto pour exécuter la difficile cabriole – le cheval bondissant et décochant une ruade en l'air – et enchaîner avec une croupade – un bond lors duquel Pluto garda ses quatre membres ramassés sous lui avant d'atterrir avec grâce, comme s'il ne pesait rien. Il semblait littéralement voler…

Tous ceux qui assistaient à la présentation, les soigneurs et une poignée d'acrobates, en eurent le souffle coupé. Pluto avait été sublime. Toujours en selle, Nick lui fit faire la révérence et souleva son chapeau en direction de John Ringling North. Puis ils sortirent de piste, et Nick mit pied à terre. Ils étaient allés au bout de leurs forces l'un et l'autre, et ils n'auraient pu faire mieux. Nina, elle aussi, avait parfaitement tenu sa partie.

Tandis que Nick reprenait son souffle en caressant Pluto, John Ringling North descendit des gradins et vint le rejoindre. Il était en jodhpur et bottes de cheval, une cravache à pommeau d'argent à la main. Il exultait.

— Jamais je n'ai rien vu d'aussi beau ! s'exclama-t-il. Vos chevaux sont dressés à la perfection, et aussi bons que ceux que j'ai vus à l'École espagnole de Vienne. Bienvenue chez les Ringling Brothers, Mr. Bing !

Il sourit et serra la main de Nick. Puis il se tourna vers Pluto.

— On dirait vraiment qu'il vole, n'est-ce pas ? Oh ! j'ai une idée, cher ami. Nous pourrions l'appeler Pégase, comme le cheval ailé de la mythologie grecque. Et la jument serait Athéna. Qu'en pensez-vous ? Avec ça, vous tenez votre numéro, Nick. Bienvenue dans le Plus Grand Spectacle du monde ; vous en êtes digne.

Il sortit une enveloppe de sa poche et la lui donna.

— Votre contrat. Je l'ai déjà signé. Faites-en autant et déposez-le à mon bureau. Je vous veux sur la piste centrale, en deuxième, après les fauves, pour la première représentation après la trêve hivernale. Vous ferez vos débuts au Madison Square Garden.

John North se tourna alors vers Toby.

— Bravo, mon garçon ! Tu as été excellent.

Toby rougit légèrement sous le compliment. Nick ressentit une pointe de fierté. Surtout, ils étaient sauvés ! Ils avaient un toit, ils avaient un emploi. Ils avaient... Pégase et Athéna. Deux stars étaient nées.

— Merci, dit Nick à son cheval après le départ du président. Merci, Pégase, d'avoir fait ça pour moi. Je ne te laisserai jamais tomber. Et j'espère que tu ne t'offusques pas trop de ce changement de nom. C'est pour la bonne cause...

Au moment de sortir du chapiteau, Nick aperçut la danseuse de corde à demi cachée par le poteau derrière lequel elle avait assisté à la représentation. Elle avait des yeux immenses, bleus comme les siens, et une auréole de cheveux d'un blond très pâle. Leurs regards se croisèrent un instant, mais elle ne sourit pas. Elle le fixa puis se volatilisa. Comme une apparition. Comme un ange gardien qui aurait veillé sur lui. Avait-il rêvé ?

— Jolie fille, commenta-t-il avec une décontraction destinée à justifier l'intensité avec laquelle il l'avait dévisagée.

— C'est une Markovitch, fit un des soigneurs en haussant les épaules.

Comme si cela expliquait tout.

Sauf que Nick n'était pas au courant des usages ni des histoires du cirque et qu'il ne connaissait le nom que des deux artistes dont Lucas avait fait la connaissance.

— Ce sont des Polonais, précisa le soigneur. Ils sont tous dingues. Corde raide sans filet, tout en haut. Son père est en fauteuil roulant. Il a déjà tué sa femme comme ça – un beau brin de fille. Et la petite aussi, ils vont la tuer. Aujourd'hui, elle travaillait en bas pour répéter. Mais, pour les représentations, elle est tout là-haut, ajouta-t-il en levant les yeux. Les spectateurs adorent. Moi, je trouve ça horrible de faire une chose pareille à une fille aussi jeune. Mais son père s'en fiche. Il veut épater la galerie. Visiblement, ça ne le dérange pas qu'elle finisse en fauteuil, comme lui, ou morte, comme sa mère. Sa tante aussi est en chaise roulante. Moi, je ne peux pas les regarder. Ça me rend malade.

— Comment s'appelle-t-elle ? demanda Nick, intrigué.

— Christianna. Christianna Markovitch. Elle a le dernier numéro avant la parade, à la fin de la représentation. Ça oblige les spectateurs à rester jusqu'au bout, pour voir si elle va mourir ou pas.

Quel cynisme, songea Nick. Le soigneur n'exagérait-il pas un peu ?

— Elle a l'air d'une gamine, remarqua-t-il.

De près, il lui donnait quinze ans.

— Elle n'est pas aussi jeune qu'elle en a l'air. Elle a vingt et un ans. Elle est au cirque depuis sa naissance ; sa famille est l'une des plus anciennes, ici. Il y a d'autres danseurs de corde qui sont là depuis quatre ans. Des Tchécoslovaques. C'est la guerre, entre eux. Les Tchécoslovaques travaillent presque toujours avec un filet. Du coup, les Markovitch les traitent comme des moins que rien, révéla-t-il en souriant.

Nick se rendit compte qu'il en avait long à apprendre sur les intrigues, les rivalités et les jalousies du monde du cirque, ainsi que sur ses dangers. Néanmoins, il avait été frappé par cette jeune femme aérienne qui s'entraînait sous la houlette de son père. Son regard l'avait électrisé. Mais elle avait disparu. La recroiserait-il ? Aurait-il le cran de l'aborder ? Déjà, il était horrifié à l'idée qu'elle travaille sans filet et risque une chute mortelle. Et que son père soit prêt à la mettre ainsi en danger était inconcevable.

Après le départ des soigneurs, Nick et Toby donnèrent à boire aux chevaux, aidés de Lucas. Ce dernier avait été tout excité de voir son père et son frère en piste. Mieux, après la répétition, les soigneurs l'avaient emmené voir les éléphants et l'avaient même fait monter sur l'un d'eux. Sa nouvelle vie regorgeait d'aventures plus fabuleuses les unes que les autres. En regagnant la caravane, toujours en queue-de-pie et haut-de-forme, Nick se sentit soudain plus à l'aise parmi tous ces gens étranges qu'ils croisaient. Plusieurs d'entre eux leur sourirent. Lucas fit signe au nain qu'il avait rencontré la veille, qui bavardait avec un groupe d'amis. Tout compte fait, ils avaient bien de la chance d'avoir atterri ici. C'était certes très différent de ce à quoi ils étaient habitués, mais, pour le moment, les choses ne se passaient pas si mal que cela.

Ils trouvèrent Rosie assise sur les marches de leur caravane.

— Où étais-tu passé ? demanda-t-elle à Lucas en anglais.

— Il fallait que mon père et mon frère travaillent, répondit-il en allemand.

Rosie hocha la tête. Elle était accompagnée d'une plus grande fille, qui, quoique aussi brune qu'elle était blonde, était manifestement sa sœur. Avec sa robe bleue et ses longues jambes, elle avait l'air d'une ballerine. Toute rougissante, elle regardait Toby à la dérobée.

— C'est ma sœur, Katia, dit Rosie en passant à son tour à l'allemand.

Toby avait beau feindre la nonchalance, son père n'était pas dupe. Il était fasciné par la jeune fille, cela sautait aux yeux.

Nick invita les deux sœurs à les accompagner à la cantine pour déjeuner. Elles allèrent demander la permission à leurs parents et revinrent dire que c'était d'accord. Elles étaient très bien élevées et, tous les cinq, ils bavardèrent agréablement en allemand sur le chemin du réfectoire. Katia avait quinze ans, comme Toby. Ils n'étaient dans ce cirque que depuis quatre ans, c'est-à-dire depuis qu'elle en avait onze. Elle ne parlait pas aussi bien anglais que sa petite sœur, qui était arrivée en Amérique à deux ans. Avant cela, ils faisaient partie d'un cirque en Tchécoslovaquie et, encore avant, en Allemagne. Des découvreurs de talents les avaient repérés et fait venir en Floride. Katia assura qu'elle se plaisait beaucoup ici – bien davantage qu'en Europe. Rosie, quant à elle, était trop petite pour se souvenir de leur vie d'avant.

— Tout le monde est très gentil dans ce cirque, assura Katia à Toby.

Le jeune homme buvait ses paroles.

Elle lui expliqua que son père lui apprenait le trapèze. Au fil de la conversation, Nick comprit que sa famille était la grande rivale des Markovitch. La mère des petites était l'autre danseuse de corde, celle qui travaillait avec un filet.

Pendant le déjeuner, il s'éclipsa quelques minutes pour rapporter son contrat signé. Voilà, il faisait partie du cirque, maintenant. C'était presque comme une seconde naissance. Il avait même été rebaptisé, et ses chevaux aussi. Une nouvelle vie commençait pour eux.

9

— J'ai reçu une lettre de Toby, aujourd'hui, annonça Marianne à son père d'un air lugubre.

Cela faisait trois semaines que leurs amis étaient partis. L'Europe résonnait encore des effroyables récits de la Nuit de cristal, des destructions, de la disparition de tant de Juifs. Paul et Alex ne s'étaient que davantage félicités d'avoir poussé Nick à fuir au plus vite. À l'heure qu'il était, les garçons et lui devaient être à l'abri en Floride.

— Déjà ? répondit-il à Marianne, étonné. Il a dû vous écrire dès son arrivée. Depuis le télégramme que son père m'a envoyé en débarquant à New York, je n'ai pas de nouvelles. Comment vont-ils ?

— Toby a l'air triste. En effet, c'était le jour de leur arrivée ; il me dit que tout est très bizarre.

— Bah, il est normal qu'ils soient dépaysés : non seulement c'est un nouveau pays, une nouvelle langue, mais en plus ils sont dans un cirque ! C'est un immense changement, une nouvelle vie ! Mais, au moins, ils n'ont rien à craindre, là-bas.

— Sans doute... Il me dit qu'ils vivent dans une caravane plus petite que le wagon des chevaux. Ce doit être très dur.

Alex hocha la tête, tout en songeant que ce l'était moins que le sort auquel ils avaient échappé.

Le lendemain, il alla voir le père de Nick. Cela faisait deux semaines que Paul était souffrant. Il semblait avoir pris vingt ans depuis le départ de son fils et de ses petits-fils. La solitude lui pesait terriblement, d'autant qu'il ne pouvait espérer les revoir dans un avenir proche – peut-être même ne les reverrait-il jamais... Voyant qu'il toussait beaucoup et semblait fiévreux, Alex proposa d'appeler le médecin, mais Paul affirma qu'il allait bien. Alex ne se voyait pas insister, et moins encore le faire venir contre sa volonté.

— Marianne a reçu une lettre de Toby, annonça-t-il dans l'idée de l'égayer un peu avec des nouvelles de sa famille.

Mais ce fut plutôt l'inverse qui se produisit : l'entendre les évoquer sembla au contraire l'attrister davantage.

— Ils vont bien ? demanda-t-il tout de même.

Alex hocha la tête.

— Oui. Il a écrit dès le jour de leur arrivée en Floride. Ils n'étaient même pas encore vraiment installés. Tout est très nouveau, pour eux, bien sûr. Mais ils vont vite s'adapter.

Paul remercia Alex de sa visite. Malgré les paroles rassurantes de ce dernier, il ne pouvait s'empêcher de se faire du souci...

Maintenant, Marianne écrivait tous les jours à Toby pour lui donner des nouvelles de chez eux. Elle s'abstint toutefois de lui dire combien la violence de la Nuit de cristal avait effrayé tout le monde. Heureusement, à la campagne, ils étaient relativement épargnés par l'agitation qui régnait dans les villes. Elle lui apprit en revanche que, cette année, son père avait décidé de ne pas donner de bal à Noël. Tant de gens souffraient que cela lui semblait déplacé. De toute façon, sans son meilleur ami avec qui partager les festivités, le cœur lui manquait. Marianne non plus n'avait pas envie de s'amuser. En cet hiver particulièrement froid et sombre, l'atmosphère était plus au deuil qu'aux réjouissances.

Elle raconta à Toby qu'elle était allée à la chasse avec son père, mais que la sortie n'avait pas été une réussite ; d'ailleurs, ils n'avaient même pas pris le renard. Elle lui décrivit le poulain lipizzan qui grandissait : il avait de l'énergie à revendre ! Un autre devait bientôt naître. Elle espérait que Pluto, Nina et les autres chevaux allaient bien, ajouta-t-elle.

Elle ne lui dit pas combien elle se sentait seule depuis leur départ. La vie était si morne sans eux. Si vide. Et elle voyait bien que son père, malgré ses efforts pour paraître gai, était tout aussi triste qu'elle.

Cela faisait maintenant près de deux semaines que Nick et les garçons étaient arrivés en Floride. Un programme de répétitions avait été attribué à Nick pour qu'il puisse développer son numéro. Il avait accès tous les jours à l'une des pistes du grand chapiteau. Il s'y entraînait donc quotidiennement, le plus souvent avec Toby. Parfois, il y allait seul avec Pluto et Nina – qu'il avait encore du mal à appeler Pégase et Athéna – pour parfaire la précision du travail en liberté. Il avait la sensation d'apprendre beaucoup chaque jour. Toby aussi faisait énormément de progrès. Et les pur-sang arabes étaient de plus en plus performants, quoique moins spectaculaires à regarder.

Nick n'avait pas revu Christianna Markovitch. Elle devait s'entraîner à un autre moment de la journée. Du reste, il n'avait guère eu le temps de songer à elle. Grâce à Lucas, il avait rencontré beaucoup de gens :

des Européens de l'Est, des Allemands, quelques Français. Pierre avait présenté presque tous les clowns au petit garçon. Il s'amusait bien, avec eux. Pour sa plus grande joie, il avait aussi fait la connaissance de la femme tatouée. Il était devenu inséparable de la petite Rosie, avec qui il faisait toutes les bêtises possibles à chaque fois qu'ils en avaient l'occasion. Ils jouaient aux billes, à la marelle, à cache-cache entre les caravanes : bref, aux mêmes jeux que tous les enfants du monde. En revanche, tous les enfants du monde n'avaient pas la possibilité, comme eux, d'aller voir les éléphants quand l'envie leur en prenait et de faire un tour sur leur dos. Ou d'apprendre les échasses... Pierre, le clown, en apporta une petite paire à Lucas et lui montra comment faire. Lucas se mit à s'entraîner tous les soirs. Il avait très envie d'aller sur la piste avec les clowns pendant l'entracte. Nick se retint de faire une remarque : le métier de clown ne lui semblait pas une ambition digne de son fils. Le cirque était leur vie, pour le moment, et il s'astreignait à faire bonne figure, mais il ne s'y voyait pas jusqu'à la fin de ses jours.

Un après-midi, Nick fit la connaissance de la mère de Rosie et Katia. En justaucorps et tutu, elle sortait tout juste de répétition et venait chercher ses filles à la caravane.

— Merci d'être aussi gentil avec mes petites, dit-elle en souriant avec chaleur.

Gallina – c'est ainsi qu'elle s'appelait – était une ravissante jeune femme, très mince, à la fois musclée et gracieuse.

— Elles sont adorables et très bien élevées, assura-t-il sincèrement.

Il les appréciait beaucoup, et ses fils aussi.

Ils bavardèrent quelques instants, et il remarqua que, malgré son accent tchèque, elle parlait un allemand excellent. Elle devait avoir fait de bonnes études. Comme il manifestait une certaine curiosité, elle lui expliqua qu'elle était de Prague et que son père l'avait envoyée en pension en Allemagne pendant que lui-même et sa femme voyageaient avec le cirque. Elle les avait rejoints à quatorze ans, lorsqu'elle avait décidé, passant outre leurs protestations, de devenir danseuse de corde. Dans sa famille, on était gymnaste ou trapéziste, pas funambule comme les Markovitch. Nick commençait à comprendre qu'il existait dans le monde du cirque une véritable hiérarchie, une espèce de classement social établi selon les spécialités, le pays d'origine, l'ancienneté dans le métier.

Par la suite, Gallina avait épousé Sergei, lui aussi issu d'une célèbre famille tchécoslovaque de trapézistes. Il avait cinq frères, qui étaient entrés chez les Ringling Brothers en même temps que lui. Les parents de Sergei avaient pris leur retraite et étaient restés en Tchécoslovaquie. Ceux de Gallina travaillaient encore dans un cirque en Allemagne, avec son frère et sa sœur.

Elle regarda Nick en souriant. Elle connaissait suffisamment l'Allemagne pour deviner qu'il appartenait à la haute société et se rendre compte que sa place n'était pas ici. D'ailleurs, d'après la rumeur qui circulait sur le champ de foire, il était comte. Elle était d'autant plus touchée par sa courtoisie à son égard. Elle l'avait vu travailler avec ses chevaux et avait pu mesurer son talent. Depuis son arrivée, tout le monde ne parlait que de lui et de ses lipizzans.

— Inutile que je vous demande de quel cirque vous venez..., lâcha-t-elle en souriant timidement. Mais peut-être me direz-vous ce qui vous a amené ici ?

— Des problèmes politiques dans mon pays, répondit-il simplement.

Elle n'insista pas. Elle savait déjà par Lucas que le malheureux avait perdu sa femme et sa fille. La petite aurait aujourd'hui neuf ans. Néanmoins, elle trouvait curieux qu'ils aient atterri ici. Elle se demanda combien de temps ils allaient rester. En tout cas, c'était un vrai gentleman. Quoiqu'il fût d'un milieu social bien plus élevé que le sien, rien, dans son comportement, ne cherchait à le lui faire sentir. Et il se montrait d'une grande gentillesse avec ses filles.

— Je venais vous demander si vous aimeriez vous joindre à nous pour Thanksgiving, lui dit-elle. C'est une fête importante, ici. Nous faisons de la dinde, des boulettes, bien sûr, ainsi que des plats traditionnels tchèques. Un Thanksgiving « à notre sauce », en quelque sorte. Nous serions ravis de vous avoir, les garçons et vous.

— Avec grand plaisir, répondit-il. Que puis-je apporter ? Je ne suis pas très bon cuisinier, mais je pourrais acheter un dessert.

Il avait entendu dire que les tartes aux pommes et au potiron étaient des desserts traditionnels de Thanksgiving.

— Non, ce n'est pas la peine, je vous assure : mes belles-sœurs s'occupent de tout. Moi non plus, je ne suis pas un cordon-bleu. Venez en toute décontraction. C'est votre premier Thanksgiving ici, et nous ne voulions pas que vous soyez seuls. Sans compter que ma Katia est folle de votre Toby...

Oui, il s'en était rendu compte. Il eût fallu être aveugle pour ne pas le remarquer. Et cela semblait réciproque. Les deux tourtereaux ne se quittaient pas.

— C'est un garçon charmant, ajouta-t-elle. Quant à ce petit monstre de Lucas, nous l'adorons tous.

Ils rirent tous les deux. Lucas avait des amis partout sur le champ de foire. Nick n'aurait pas été étonné d'apprendre qu'il avait déjà rencontré les trois cents artistes au moins une fois. Il savait tout sur tout le monde, ce que faisaient les uns, d'où venaient les autres... Et il montrait des progrès spectaculaires en anglais.

— Il voudrait que mes beaux-frères lui apprennent à jongler, révéla Gallina.

— Voilà qui promet, répondit Nick en riant à nouveau. Sur des échasses, de préférence, j'imagine. Il s'entraîne avec beaucoup d'application.

Sur ce, ils aperçurent justement Lucas, qui s'approchait d'eux sur ses petites échasses, en compagnie de Pierre. Le clown lui donnait des conseils pour conserver son équilibre. Rosie les accompagnait, plus adorable que jamais. Elle lui tenait une main, et Pierre l'autre. Toby et Katia suivaient sur un tandem emprunté à Dieu sait qui.

— Quand on parle du loup..., fit Nick en observant le petit groupe hétéroclite.

Lucas coula un regard inquiet en direction de son père et de Gallina.

— Attention, on va se faire attraper..., murmura Lucas à l'intention de ses amis.

Nick l'avait déjà grondé à plusieurs reprises pour avoir disparu sans prévenir. Tout comme Gallina avec ses filles, il tenait à savoir où étaient ses fils. Ils avaient l'un et l'autre des principes d'éducation européens assez stricts. Ici, au cirque, ce n'était pas le cas de tous les parents. Certains se montraient beaucoup moins vigilants avec leurs enfants.

— Non, mon grand, dit-il à Lucas d'un ton rassurant. Pour une fois, je ne dirai rien. Vous savez quoi, les enfants ? La maman de Katia et Rosie a la gentillesse de nous inviter pour Thanksgiving.

Les quatre jeunes poussèrent des cris de joie.

— J'ai bien l'impression que votre proposition fait l'unanimité, ajouta Nick à l'adresse de Gallina.

— À demain, alors. Venez à 4 heures. Nous dînerons à 6.

Nick la remercia encore. Puis il partit acheter deux bouteilles de bon vin pour ne pas arriver les mains vides. Cette invitation lui faisait grand plaisir. Ce soir-là, en dînant dans la caravane à la petite table tout juste assez grande pour eux trois, il parla avec les garçons de leurs nouvelles amies.

— Gallina et son mari se sont disputés aujourd'hui, confia Toby. Je les ai entendus.

Ils mangeaient du poulet, que Nick avait réussi à faire cuire dans le four minuscule. Il apprenait la cuisine comme il apprenait tout le reste. C'était la première fois de sa vie qu'il devait s'occuper du linge, faire son lit, le ménage.

— C'était à propos de la corde raide. Sergei n'est pas content qu'elle fasse ça. Il voudrait qu'elle fasse du trapèze, pour l'avoir avec lui et ses frères, dans leur numéro, mais elle refuse. Elle trouve cela trop banal – même quand ils font un triple, alors que c'est très dur. Je les ai regardés faire. Heureusement, ils utilisent un filet.

Toby racontait cela le plus naturellement du monde, comme s'il n'y avait rien d'extraordinaire à connaître de telles gens. Maintenant, il expliquait à son père :

— Le triple, c'est un triple saut périlleux dans les airs en partant d'un trapèze. Sergei a dit à Gallina d'aller chez les Markovitch si elle voulait des sensations fortes. Eux, ils travaillent sans filet.

— C'est ce que j'ai ouï dire, en effet, confirma Nick.

Lui aussi commençait à connaître les petites histoires du cirque. Il avait eu une conversation passionnante avec le dompteur des fauves, un homme très intéressant, allemand lui aussi, mais qui avait vécu des années en Afrique. Nick découvrait peu à peu qu'il y avait chez les Ringling Brothers toutes sortes de personnages, issus de toutes les classes sociales, avec des parcours très divers. Un homme par exemple, qui faisait un numéro équestre, avait choisi le cirque après des études de droit. D'autres au contraire venaient des bas-fonds. L'humanité dans son entier était représentée ici, finalement. Et il s'y faisait. Déjà, tout lui semblait moins nouveau, moins bizarre. Il lui tardait de rencontrer le mari et les beaux-frères de Gallina. Séparé de son père et d'Alex, il manquait de compagnie masculine.

Le lendemain, au cours du dîner, il découvrit que toute la famille de Gallina était aussi sympathique et accueillante qu'elle. Les frères de Sergei avaient à eux tous sept ou huit enfants, surtout des garçons, qui deviendraient certainement trapézistes un jour. C'était déjà le cas des aînés, qui étaient adolescents. Entre Nick et Sergei, le courant passa tout de suite. Non sans humour, Sergei décréta que ses frères ne sauraient pas apprécier le vin que Nick avait apporté et rangea une des deux bouteilles. Ils burent la seconde en dînant, ainsi que plusieurs autres. Il régnait chez eux un esprit de famille très sain ; tout le monde s'entendait bien, et la soirée fut ponctuée de nombreux rires. Le premier Thanksgiving de Nick et des garçons fut donc une réussite.

Après le dîner, Toby et Katia sortirent. Il faisait si doux dehors qu'ils purent bavarder un long moment. La jeune fille avoua à Toby qu'elle aimerait quitter le cirque, un jour, pour vivre une vie normale dans une vraie maison.

— Ah oui ? Eh bien, rien ne t'en empêche..., jugea le garçon.

Pour lui, c'était une envie non seulement compréhensible, mais aussi tout à fait réalisable. Katia lui expliqua que les choses n'étaient pas si simples : ses parents le prendraient très mal si elle leur confiait ce souhait. À leurs yeux, il n'y avait pas mieux au monde que la vie au cirque…

— Et toi ? demanda-t-elle à Toby en posant sur lui ses grands yeux bleus.

Il prit le temps de réfléchir avant de répondre.

— Je ne sais pas. Je ne sais pas ce que je veux faire, à part rentrer en Allemagne un jour.

Alors qu'il prononçait ces mots, Toby fut pris d'une bouffée de tristesse. Son grand-père lui manquait. Et Marianne. Et tous leurs amis.

— Moi, je veux rester ici, dit Katia. En Amérique, je veux dire – pas spécialement en Floride. J'aime beaucoup New York. L'ouverture de la saison au Madison Square Garden est un moment extraordinaire, lui confia-t-elle, les yeux brillants. Je n'ai pas envie de retourner à Prague. C'était trop ennuyeux. La Tchécoslovaquie manque à ma mère, mais pas à moi. C'est beaucoup mieux ici.

Toby était arrivé trop récemment pour se faire une opinion sur les mérites respectifs de son pays natal et de sa terre d'adoption. Ce qu'il savait, en revanche, c'était que Katia lui plaisait beaucoup. Et, comme elle semblait l'apprécier, elle aussi, il l'embrassa. Il ne le lui dit pas, mais c'était la première fois qu'il embrassait une fille. La tête lui tourna. C'était étrange… Il l'embrassa une seconde fois. Déjà, ils eurent tous deux l'impression de s'y prendre mieux. Ainsi donc, cela s'apprenait ? Ils ne demandaient pas mieux que de s'y appliquer. Ils étaient encore en train de s'exercer quand Lucas sortit de la caravane et les aperçut. Il s'arrêta net, gloussa et disparut – il fallait absolument qu'il aille raconter l'événement à Rosie.

— C'est nul, déclara-t-elle d'un air dégoûté. Mon père sera très fâché s'il l'apprend. Katia n'a pas le droit d'embrasser des garçons. Il dit qu'il ne veut pas « qu'elle se conduise comme les petites traînées du cirque ». Je ne comprends pas ce que ça veut dire, mais il le répète tout le temps.

— Moi, je crois qu'ils s'aiment beaucoup, déclara Lucas.

— Oui, tu as raison, convint Rosie. Tu sais quoi, je pense que nous devrions garder le secret.

Elle le fit jurer à Lucas.

Ce soir-là, Nick et les garçons rentrèrent chez eux repus et heureux. Nick avait bu plusieurs verres de vin et s'était détendu pour la première fois depuis bien longtemps. Il avait gagné une partie d'échecs contre Sergei et discuté très agréablement avec ses frères. Les discussions avaient eu lieu principalement en allemand, même si la langue de la famille était le tchèque et que les enfants communiquaient plutôt en anglais. Maintenant, il avait des amis ici, lui sembla-t-il. Sergei souhaitait même venir le regarder dresser ses chevaux. On lui avait dit que la croupade de Pégase était une chose extraordinaire, et il avait très envie de voir le cheval s'envoler. On entendait beaucoup parler de Nick Bing sur le champ de foire.

— Ils sont vraiment sympathiques, dit-il à ses fils une fois dans la caravane.

Toby, qui avait des étoiles plein les yeux, se contenta de hocher la tête en guise de réponse. Il se mit en pyjama, se brossa les dents et se coucha sans tarder. Nick s'assit à la petite table et entreprit d'écrire une lettre à son père pour lui raconter leur premier Thanksgiving – une fête inconnue en Allemagne, et qu'il venait de passer en compagnie de trapézistes, de gymnastes et d'une danseuse de corde. Il avait du mal à trouver les mots pour décrire cette soirée et les impressions qu'elle lui laissait, mais sa joie était réelle. Il fut interrompu par Lucas, qui voulut monter sur ses genoux. Le petit garçon était gai comme un pinson.

— Bonne nuit, papa, dit-il en lui plantant un baiser sur la joue. Finalement, je vais peut-être devenir trapéziste, plutôt que clown.

Sur ce, il alla se coucher en bâillant.

Que la vie est étrange, songea Nick. Comme les choses pouvaient changer rapidement… Qu'allait-il advenir d'eux ? Il aurait donné cher pour le savoir. Au moins, pour l'instant, il était à l'abri de l'orage qui couvait en Europe. C'était déjà énorme.

10

Tous les ans, le cirque donnait une représentation de Noël à Sarasota. C'était l'occasion de tester certains nouveaux numéros. Il fut décidé que Nick y participerait. Des annonces présentant « le comte et ses chevaux volants, Pégase et Athéna », furent publiées. Un photographe vint prendre des clichés spectaculaires de Pégase en pleine croupade, monté par Nick en tenue d'apparat.

Lors de la représentation, le public, emballé, applaudit à tout rompre. Le travail que Nick accomplissait avec ses chevaux suscitait l'admiration. Son physique, en outre, ne laissait pas indifférentes certaines femmes. Cette première fut donc une réussite, pour la plus grande satisfaction de John Ringling North, qui avait pris place au premier rang pour assister au spectacle. En coulisses, plusieurs artistes vinrent féliciter Nick pour sa prestation.

Alors qu'il attendait la parade finale, il entendit Monsieur Loyal annoncer les Markovitch sur la piste principale. Il décida d'aller regarder Christianna. Il ne l'avait jamais vue se produire sur la corde haute. Elle monta gracieusement à la corde lisse jusqu'à la petite plate-forme tout en haut du chapiteau. Il n'y avait pas un bruit dans le public. L'orchestre jouait *Le Lac des cygnes*, mais personne n'y prêtait une oreille attentive. Tous avaient leur attention fixée sur l'acrobate, qui passa avec légèreté de la plate-forme au fil.

D'instinct, Nick regarda en dessous d'elle. Il vit des hommes de piste, son père dans son fauteuil roulant, et ses frères qui ne la quittaient pas des yeux et restaient sous le fil pour la rattraper si nécessaire. Mais pas de filet. Nick retint son souffle, hypnotisé par la silhouette gracile qui semblait flotter dans les airs. Elle était si haut que l'on distinguait à peine le fil sous ses pieds.

La corde oscilla, et le public étrangla un cri de frayeur, mais la danseuse conserva son équilibre sans effort. Elle fit demi-tour une première fois, puis une seconde. Nick en avait presque la nausée. Elle prenait des risques insensés. La tension était insoutenable. Il comprenait aisément qu'elle soit la vedette du spectacle. C'était amplement mérité. Cependant, son numéro n'en finissait pas. L'angoisse montait. Nick était au supplice.

Enfin, un dernier bond aérien la porta sur la petite plate-forme à l'autre bout de la corde, et l'assistance donna libre cours à son émotion dans un tonnerre d'applaudissements. Christianna se laissa couler le long de la corde lisse jusqu'au sol de la piste, puis salua avec élégance. Debout, le public poussait des vivats. Elle avait risqué sa vie pour le divertir. Nick se rendit compte qu'il tremblait. Jamais il n'avait rien vu d'aussi terrifiant.

En sortant de piste, elle passa à côté de lui à toute vitesse sans le voir, suivie de ses frères et de son père en fauteuil. Ce dernier avait autrefois été aussi talentueux qu'elle, et plus audacieux encore. De même, tous s'accordaient à dire que sa mère avait autant de grâce. Mais elle en était morte. Qu'est-ce qui pouvait valoir la peine de prendre de tels risques ? Nick ne comprenait pas. Il avait regardé Gallina, tout à l'heure ; elle était beaucoup plus prudente. Il fallait bien reconnaître que son numéro, quoique excellent, n'avait pas la même intensité dramatique que celui-ci. Christianna alliait grâce, agilité, équilibre et, surtout, ménageait un suspense absolument effroyable.

Nick était encore ébranlé, quelques minutes plus tard, quand il remonta sur Pégase pour la parade finale, tandis que Toby enfourchait Athéna. Heureusement, ce dernier défilé de tous les artistes saluant le public allégea bien vite l'atmosphère. Les animaux étaient de la partie. Les principales vedettes du spectacle chevauchaient les éléphants. Les clowns faisaient mille cabrioles, l'orchestre jouait une musique joyeuse et entraînante de fin de spectacle. Durant le tour d'honneur, Pégase et Nick se trouvèrent un moment à hauteur de l'éléphant sur lequel était perchée Christianna, debout. Elle regarda Nick. Il souleva son chapeau pour la saluer, et elle lui sourit. Légère comme l'air, elle dansa un instant à côté de lui, puis il fit partir Pégase au petit galop et la dépassa. Il était troublé. À chaque fois qu'il croisait son regard, elle le captivait. Était-ce à cause de sa beauté ou des risques fous qu'elle prenait ? Il n'aurait su dire.

À la fin du spectacle, Toby et lui ramenèrent les chevaux à l'écurie, les brossèrent et les nourrirent. Ils rentrèrent à la caravane d'un pas lent. Nick était étourdi, comme ivre des odeurs, des sensations et des bruits de la représentation. Il entendait encore la musique résonner dans sa tête.

— J'ai regardé le numéro de Christianna Markovitch, tout à l'heure, dit-il à son fils d'un ton détaché. C'est vraiment de la folie.

— Oui, beaucoup de gens le pensent.

— Son père est insensé de la laisser faire. Je ne le comprends vraiment pas. Rien ne justifie de tels risques ! Je te préviens : si jamais tu as envie de faire un jour quelque chose d'aussi dangereux, j'en mourrai.

Sans presque s'en rendre compte, le père et le fils en étaient venus à se tutoyer. Le vouvoiement eût paru totalement incongru dans l'univers du cirque.

— Bah, c'est leur problème..., fit valoir Toby en souriant.

En six semaines, il s'était habitué au cirque et à ses rouages. Tout cela lui semblait normal. Grâce à son idylle avec Katia, il était heureux. Tout feu tout flamme, même. Les deux familles étaient au courant et trouvaient l'histoire charmante du moment qu'elle restait innocente. Gallina surveillait sa fille de près, et les règles étaient claires et strictes. Dûment sermonné par son père, Toby avait promis de rester raisonnable.

Ce soir-là, dans son lit, Nick se reprit à songer à Christianna et à son numéro époustouflant. L'image d'elle en train de danser sur ce fil tendu si haut au-dessus du public restait gravée dans sa mémoire. Dans la nuit, il fit des cauchemars. Il la voyait tomber, se précipitait pour la rattraper mais n'arrivait pas à temps ; elle tombait, disparaissant dans un puits sans fond, en silence, sans le quitter des yeux. Il se réveilla baigné de sueurs froides. Le lendemain matin, il se sentait mieux, mais le souvenir de cet affreux rêve le hantait. C'était vraiment trop dangereux. Il ne put s'empêcher d'évoquer la question avec Gallina dans l'après-midi. Elle leva les yeux au ciel.

— Cette famille a une attitude suicidaire, dit-elle d'un ton critique. C'est son père qui la pousse. Selon moi, il est fou. Pour lui, rien ne compte à part la haute voltige. Évidemment, avec un filet, le public serait moins captivé. Moi, je refuse de prendre de tels risques. J'ai des enfants.

Nick savait que Gallina travaillait parfois sans filet, mais que c'était de plus en plus rare. Lorsqu'elle le faisait, Sergei lui en voulait pendant plusieurs semaines. Les dirigeants du cirque ne le lui imposaient jamais, heureusement. C'était d'ailleurs d'autant plus facile pour eux qu'ils avaient les Markovitch : Christianna, la vedette, mais aussi sa petite sœur de treize ans, que leur père préparait et qui ne tarderait pas à se produire à son tour.

Le surlendemain du spectacle de Noël, Nick et les garçons fêtèrent Noël tranquillement tous les trois. Ils avaient acheté un petit sapin et l'avaient décoré. Ils avaient aussi fixé des guirlandes électriques à l'extérieur de leur caravane. Malgré cette décoration festive, Nick trouvait leur demeure toujours aussi sinistre. Il ne se faisait pas à cet aspect de la vie du cirque. Il s'estimait même moins bien logé que ses chevaux...

Le soir, Nick alluma les bougies du sapin. Le mal du pays le saisit. Le cœur serré, il s'efforça de ne pas penser aux êtres chers qu'il avait laissés en Allemagne, ni à la période des fêtes au château. Ils étaient en Floride depuis presque deux mois. Deux mois qui lui semblaient une éternité. Ses fils s'adaptaient bien. Cependant, il lui arrivait de se demander s'ils retrouveraient jamais une vie normale, parmi les leurs, dans la maison où la famille von Bingen avait vécu pendant des siècles. Ici, tout lui était étranger. S'y habituerait-il jamais ? Pourrait-il rentrer chez lui un jour ou resterait-il un paria dans son pays natal ?

Ils restèrent un long moment autour du sapin, sans rien dire, à regarder briller les petites flammes. Nick songeait à son père, à Alex. Comment allaient-ils ? Quel Noël avaient-ils passé ? Il s'inquiétait de savoir son père seul. Il lui écrivait souvent, mais il ne pouvait rien pour lui, aussi loin. Heureusement qu'Alex lui rendait de fréquentes visites et qu'il pouvait compter sur lui. Son ami assurait, dans ses lettres, que Paul allait bien. Pourvu que ce fût vrai...

La semaine entre Noël et le jour de l'An, le champ de foire prit des airs de fête. On s'invitait à dîner ou à boire un verre les uns chez les autres, on sortait en ville. Juste avant la nouvelle année, le cirque donna une grande fête sous le chapiteau principal. Nick et ses fils s'y rendirent. Presque tout le monde était là. Ce fut l'occasion de faire de nouvelles rencontres. Autour d'eux, on parlait toutes les langues. Il y avait néanmoins beaucoup d'Allemands, de Français et d'Italiens.

Après le Nouvel An, les garçons retourneraient en classe. L'école où ils allaient leur plaisait, et ils avaient déjà fait des progrès considérables en anglais. Il tardait tout de même à Nick d'être en avril et de partir en tournée. Cela les changerait, et surtout ils auraient plus à faire. Ils allaient découvrir l'Amérique ville par ville, au cours de cette traversée qui les mènerait d'une côte à l'autre du vaste pays. Les garçons aussi étaient très excités à cette perspective.

Ils passèrent le réveillon chez Gallina et Sergei, en compagnie de leur famille, mais rentrèrent peu après minuit. Nick avait permis à ses fils de goûter un peu de champagne. Toby avait eu droit à quelques gorgées, Lucas à une goutte. Rosie et lui s'étaient endormis bien avant la fin de la soirée, et Nick avait dû le porter pour regagner leur caravane. Cette réunion amicale leur avait donné en outre l'occasion de parler allemand : c'était certainement la meilleure façon de terminer l'année.

Le lendemain, Nick était en train de brosser ses chevaux quand il vit Lucas et Rosie qui se dirigeaient vers le grand chapiteau. Il rappela à son fils de rentrer pour déjeuner, ce que le petit promit. Il finissait de panser Pégase et allait s'occuper d'Athéna quand Rosie déboula dans la tente, en larmes.

— Lucas s'est blessé ! s'écria-t-elle.

Nick se figea, terrifié. Avait-il été piétiné par un éléphant ? avait-il glissé la main entre les barreaux de la cage d'un tigre ? été renversé par un camion ? Ici, tout pouvait arriver. Mille dangers guettaient les enfants du cirque – surtout quand ils étaient d'un tempérament aussi aventureux que Lucas.

— Que s'est-il passé ? demanda-t-il, hagard, en laissant tomber sa brosse. Où est-il ?

— ... le grand chapiteau... il a voulu monter sur le fil et il est tombé. Je crois qu'il s'est cogné la tête. Il avait les yeux fermés, il ne s'est pas relevé et...

Nick ne prit pas le temps de l'écouter jusqu'au bout. Il courut jusqu'au grand chapiteau, où un attroupement s'était formé sous un des fils bas qui servaient à l'entraînement des funambules. Il se fraya un chemin entre les gens, craignant le pire. Après sa femme et sa fille, il ne supporterait pas de perdre son petit garçon. Il repéra Lucas, étendu sur le sol, dans sa culotte courte et sa chemise à carreaux. Il avait les yeux ouverts et il parlait ! Un sentiment d'intense soulagement le traversa. Puis il se rendit compte que la personne à qui il parlait n'était autre que Christianna, agenouillée auprès de lui en justaucorps blanc et chaussons de danse. Elle caressait la tête de Lucas, qui lui souriait. Elle lui avait posé une compresse humide sur le front et lui répétait de rester couché.

Nick sentit la colère le gagner : était-elle là quand Nick était monté sur le fil ? Avait-elle trouvé normal de le laisser faire à sa guise, au mépris des règles de prudence élémentaires ?

— Que s'est-il passé ? demanda-t-il sèchement.

— Je ne sais pas, répondit-elle d'une voix douce qu'il entendait pour la première fois. Je suis arrivée juste après sa chute. Ça va, il n'a rien aux yeux. Il s'est donné un coup sur la tête, mais il y voit clair. On peut appeler le médecin, mais je crois qu'il ne va pas tarder à se sentir mieux. Son cou, ça va aussi.

Elle s'exprimait dans un anglais marqué par un fort accent polonais. Visiblement, elle savait ce qu'il y avait à vérifier lors de ce genre de chute et s'en était chargée. Elle s'était occupée de Lucas avec beaucoup de calme et de gentillesse.

Nick hocha la tête et se tourna vers son fils.

— Pourquoi as-tu fait ça ? C'était idiot, et très dangereux. Tu aurais pu te casser le cou, lâcha-t-il durement.

La frayeur, bien plus que la colère, expliquait son ton. Certes, le fil d'entraînement n'était qu'à un mètre cinquante du sol ; ce n'était pas de la haute voltige. N'empêche qu'il aurait pu se blesser gravement.

Nick jeta un regard reconnaissant à Christianna et prit Lucas dans ses bras pour le porter. À ce moment-là, le petit garçon ferma les yeux et se plaignit d'avoir mal au cœur.

— Il doit avoir une commotion, dit-elle. Mais ce n'est pas grave. Si vous le gardez au lit, il ira mieux demain. Cela m'arrivait tout le temps, au début, confia-t-elle en souriant.

— Est-ce cela qui explique que vous soyez à ce point inconsciente pour travailler sans filet ? lâcha Nick, au risque de se montrer impoli.

Il n'empêche, il n'avait jamais vu des yeux aussi bleus que les siens. Ils semblaient le percer tels deux rais de lumière. Fasciné, il ne se rendait pas compte qu'il la fixait intensément.

— C’est une tradition familiale, rétorqua-t-elle simplement sans se troubler.

Une tradition qui avait coûté la vie à sa mère et causé l’accident de son père, songea Nick.

— Voulez-vous que je vienne veiller sur lui un petit moment ? proposa-t-elle.

Sans bien savoir pourquoi, Nick hocha la tête, et elle le suivit d’un pas vif jusqu’à sa caravane.

Pendant le trajet, Lucas parla avec animation. Il semblait se remettre rapidement. Christianna confirma à Nick qu’il n’y avait pas lieu de s’inquiéter outre mesure.

— Tu m’as fait une de ces peurs, dit-il d’un ton de reproche à un Lucas tout penaud.

Il le posa sur son lit et se retourna pour aller chercher un autre linge humide.

Christianna en avait déjà préparé un et le lui tendit. Il le plaça sur le front de Lucas et lui enjoignit de rester tranquille un petit moment. Après quoi, il retourna avec Christianna dans le minuscule salon de la caravane et la remercia de son aide.

— Il n’aurait jamais dû faire une chose pareille, lâcha-t-il, contrarié.

— C’est surtout que le fil n’aurait jamais dû rester tendu. Je le décroche toujours, à la fin de mon entraînement. Les gens ne se rendent pas compte qu’il est tout de même suffisamment haut pour que quelqu’un ait un accident.

Il hocha la tête. Elle le fixait d’un regard incandescent. Debout tout près d’elle, il mesura combien elle était petite. À peine plus grande qu’une enfant. Mais son corps était bien celui d’une femme, et la compassion de son regard, sa douceur, témoignaient de sa maturité. Ce mélange d’intrépidité et de sagesse l’intrigua.

— Pourquoi faites-vous cela ? ne put-il s'empêcher de lui demander. C'est tellement dangereux... Je vous ai regardée, lors du spectacle de Noël : j'en étais malade de peur pour vous.

— Moi aussi, cela me rendait malade de peur, au début, avoua-t-elle. Mais plus maintenant. C'est pour cela que je peux le faire, d'ailleurs. C'est la peur qui fait tomber. Qui n'a pas peur ne tombe pas.

L'explication lui parut quelque peu simpliste. Trop confiante, trop optimiste.

— Et si vous glissiez ? fit-il valoir.

— Cela ne m'arrive jamais, affirma-t-elle tranquillement.

Elle n'avait donc vraiment pas peur. Pourtant, quelque chose avait bien causé la chute de ses parents, des funambules expérimentés l'un comme l'autre.

— La peur viendra peut-être un jour, reprit-il. Au moment où vous vous y attendez le moins. N'existe-t-il donc pas d'autre moyen de tenir le public en haleine ?

— Pas à ce point. C'est ce que veulent les spectateurs. C'est pour cela qu'ils viennent.

Il savait que c'était en partie vrai. Le public était grisé par le danger, la prise de risque, il l'avait senti l'autre soir.

— Vos chevaux sont magnifiques, dit-elle pour changer de sujet. J'aime tout particulièrement les blancs. On dirait des danseurs. Et ce que vous faites avec eux... c'est comme un ballet.

— Figurez-vous que, quand je les présente ensemble, cela s'appelle justement un pas de deux, comme en danse. Et vous, montez-vous à cheval ?

— J'ai essayé d'apprendre, mais je ne suis pas très rassurée, confia-t-elle avec un petit sourire.

— J'ai peine à le croire. Une artiste qui fait de la haute voltige sans filet n'a rien à craindre sur un cheval à moins de deux mètres du sol.

— Détrompez-vous. Pour moi, ce sont des animaux imprévisibles. On ne sait jamais ce qu'ils vont faire. Sur le fil, en revanche, je ne dépends que de moi.

— C'est vrai, mais un bon cheval, c'est un cheval auquel on peut faire confiance. Je vous montrerai, à l'occasion.

Elle hocha la tête, apparemment séduite par cette idée. Puis ils retournèrent voir Lucas. Le petit garçon jouait dans son lit ; il leva les yeux sur Christianna et lui sourit.

— Merci de m'avoir aidé, murmura-t-il timidement.

— Ne remonte jamais sur mon fil, dit-elle d'un ton sévère.

Dans son regard, on sentait une volonté de fer. Il n'en fallait sans doute pas moins pour exercer ce métier. Sur ces entrefaites, Rosie entra dans la caravane et appela Lucas. Nick lui dit de venir dans la chambre. Dès qu'elle vit son ami et comprit qu'il allait bien, son air affolé fit place à un immense sourire.

— J'ai cru que tu étais mort, dit-elle.

— Pas du tout, répondit-il fièrement. J'ai juste fait une petite sieste.

— Une sieste plutôt profonde, tu veux dire, rétorqua-t-elle. Quand je t'ai appelé, tu ne t'es pas réveillé.

— Ça va, maintenant. C'est elle qui m'a guéri, dit-il en se tournant vers Christianna.

— Tu étais déjà réveillé quand je suis arrivée, assura-t-elle. Juste un peu étourdi.

— À partir d'aujourd'hui, je ne veux plus que vous vous éloigniez tout seuls, déclara Nick. C'est ma faute : je n'aurais pas dû vous laisser aller sous le grand chapiteau. Même si je ne me doutais pas que tu serais assez bête pour marcher sur le fil.

— Ma maman ne veut pas non plus que j'aille dessus, avoua Rosie.

Voyant que Christianna sortait discrètement de la chambre, Nick la raccompagna à la porte de la caravane.

— Alors, quand venez-vous voir mes chevaux ? lui demanda-t-il. Vous pourriez monter Pégase ; je tiendrais les rênes.

— Je ne sais pas. J'aurais trop peur qu'il se dresse sur ses pattes arrière.

— Il ne le fait qu'à la demande, assura Nick. Il est très sage, vous savez, et Athéna encore plus, si vous préférez.

— Un de ces jours, peut-être, dit-elle prudemment.

— Vous serez la bienvenue quand vous voudrez. Et merci encore pour Lucas, ajouta-t-il quand elle sortit. Quelle chance que vous ayez été là, que vous ayez su quoi faire…

— Je suis heureuse que tout aille bien.

Elle fit un dernier sourire à Nick et s'en fut, prenant la direction du grand chapiteau. Nick la regarda s'éloigner quelques instants.

— Elle est jolie, commenta Lucas quand son père revint dans sa chambre. Je l'aime beaucoup.

— Oui, moi aussi, confirma Nick en souriant.

— Pourquoi tout le monde dit qu'elle est folle ? Elle est très gentille.

— Parce qu'elle travaille sans filet, expliqua Rosie. C'est très, très bête. Ma maman dit que son père la force et qu'il est fou aussi. C'est très méchant de l'obliger à faire ça.

Nick laissa les petits à leur conversation. Son père la contraignait-il vraiment à faire ce numéro, se demanda-t-il, ou cela plaisait-il à Christianna ? Elle semblait aimer ce qu'elle faisait et n'avoir pas d'appréhension. Comme tous les artistes de cirque, elle exerçait son métier sans se rendre compte de ce qu'il pouvait avoir d'extravagant aux yeux des autres.

Il sortit. Il faisait bon, au soleil. Il s'assit sur une chaise que quelqu'un avait laissée devant la caravane voisine. Celle-ci était occupée par quatre acrobates, des Chinois de Hong Kong, qui faisaient souvent du bruit le soir. Christianna..., songea-t-il encore. Qu'elle était belle... Ce mélange de courage et de délicatesse le bouleversait. Pourvu qu'elle vienne bientôt voir ses chevaux !

Il se morigéna soudain. Elle n'avait que vingt et un ans, et lui près de quarante-quatre. Il n'était pas question qu'il lui fasse la cour. Pourtant, elle l'attirait énormément. C'était surtout son regard qui le fascinait. Pour s'obliger à la chasser de ses pensées, Nick rentra à l'intérieur. La dernière chose dont il avait besoin, c'était une liaison avec une artiste du cirque, surtout aussi jeune. De toute façon, elle le trouvait sûrement beaucoup trop vieux.

Malgré ses bonnes résolutions, elle le hanta toute la journée. Il se remémorait sans cesse son visage quand il l'avait trouvée auprès de Lucas sous le grand chapiteau, puis quand elle avait affirmé un peu plus tard que la haute voltige ne lui faisait pas peur. Ce mélange de douceur et de force le subjuguait. Il eut beau s'occuper, tout faire pour l'oublier, il n'y parvint pas. À la fin de la journée, il se sentait comme grisé.

Le soir, il alla nourrir ses chevaux. En finissant de distribuer les rations, il se rendit compte qu'elle était là, qui le regardait en silence.

— J'ai pensé à vous toute la journée, avoua-t-il d'emblée. Je crois que vous m'avez ensorcelé.

Il sourit. En face d'elle, il avait l'impression d'être un gamin. Quand leurs regards se rencontrèrent, il sentit fondre la différence d'âge.

— Moi aussi, j'ai pensé à vous. Et je suis venue voir les chevaux.

Il hocha la tête et lui fit signe d'approcher. Lorsqu'elle fut à côté de lui, il la souleva et la posa sur le dos d'Athéna. Puis il fit sortir la jument de sa stalle en la tenant par le licol.

— Vous êtes si légère qu'elle doit à peine vous sentir sur son dos, dit-il en souriant.

— Mais je suis très forte, déclara-t-elle d'un ton solennel.

Elle désigna fièrement sa jambe fine et musclée de danseuse.

Il rit.

— Je sais que vous êtes forte, Christianna : vous avez réussi à me distraire toute la journée.

Pour quelqu'un qui disait avoir peur des chevaux, elle n'avait pas l'air trop inquiète. Il l'observa. On aurait dit une fée, sur la jument blanche. Elle le regarda à son tour, sans la moindre crainte. Il comprit alors que c'était lui qu'elle était venue voir, et non les chevaux.

— Qu'allons-nous faire, maintenant ? lui demanda-t-il, convaincu qu'elle savait parfaitement ce que sa question sous-entendait.

De son côté, il n'était certain que d'une chose : jamais il n'avait rencontré une telle femme. La suite ne dépendait plus que d'elle. Car lui ne se sentait plus aucune prise sur les événements à venir.

Elle se pencha vers lui et noua les bras autour de son cou tandis qu'il la maintenait sur le cheval. N'y tenant plus, il l'embrassa, ainsi qu'il en avait eu envie toute la journée. Elle lui rendit son baiser, avant de lui sourire à nouveau, comme pour lui faire comprendre que c'était pour cela qu'elle était venue. Alors il l'embrassa encore, et encore. Tout en douceur, il la fit descendre de cheval et la posa à terre. Elle resta face à lui, à le regarder dans les yeux. À cet instant, il se sentit parfaitement à sa place, là dans ce cirque, à l'autre bout du monde. Il avait traversé un océan, il avait quitté tout ce qui faisait sa vie d'avant, mais il l'avait trouvée, elle, et tous ses doutes s'étaient envolés. Il devait être avec elle, il le savait. C'est alors qu'elle dit :

— Je t'attendais, tu sais. Tu as mis bien longtemps à arriver.

— J'avais des choses à faire, répondit-il en l'enlaçant toujours. Mais maintenant je suis là, je suis tout à toi, je...

Il s'interrompit brusquement. La regarda au fond des yeux.

— Christianna, il y a un problème : la haute voltige... je ne supporterai pas.

— On verra bien, fit-elle sans s'engager.

— Je ne suis pas venu jusqu'ici pour te voir te tuer.

Déjà veuf une fois, il ne voulait pas tomber amoureux d'une femme qui risquait sa vie tous les soirs. L'épreuve lui semblait bien au-delà de ses forces.

— J'ai besoin de toi ici, avec moi, Christianna. Je ne veux pas te perdre.

— Moi aussi, j'ai besoin de toi, Nicolas. Et peut-être que, un jour, je n'aurai plus besoin de la haute voltige.

— Tu veux dire que c'est ce qui te motive ? Le frisson ?

Cela ne lui ressemblait pas, pourtant. Elle était si forte, si sérieuse, si pleine de sagesse pour son âge...

— Non. Je le fais parce que ma famille compte sur moi pour perpétuer la tradition. Je suis la seule à pouvoir le faire pour l'instant. Ma sœur est trop jeune et elle a peur. Quant à mes frères, ils sont trop grands.

Nick avait remarqué qu'ils étaient nettement plus charpentés que leur père.

— Après tous les accidents graves et les morts qu'il y a eus dans ta famille, je n'accepterai pas que tu sois la suivante sur la liste. Même si c'est la tradition…

Il l'embrassa à nouveau. Il avait la sensation qu'il devait en être ainsi, que leurs chemins étaient destinés à se croiser. Que c'était écrit depuis toujours, depuis une autre vie. Il ne se rassasiait pas d'elle. L'embrasser suffisait à lui faire tourner la tête. Elle avait le visage d'une douceur infinie sous ses caresses, et ses doigts étaient comme de la soie sur sa peau à lui.

— Nous en reparlerons, dit-il.

Pour l'instant, il n'était plus capable de penser. Il était tout à son envie d'être avec elle, de la tenir dans ses bras.

— Je ne pourrai jamais être à toi, murmura-t-elle soudain avec tristesse.

Il la regarda intensément.

— Pourquoi dis-tu cela ?

Il était surpris, blessé et inquiet, mais elle ne chercha pas à se détacher de lui.

— À cause de ce que tu es. Moi, je ne suis qu'une fille du cirque, alors que toi, tu étais un homme important dans ton autre vie ; cela se voit. Un jour, tu y retourneras. Je ne sais pas ce qui t'a amené ici, mais je sais que tu partiras. Tu n'es pas vraiment à ta place, chez les Ringling Brothers. Moi, si.

— Je ne sais pas si je partirai un jour, ni si je pourrai rentrer chez moi, dans mon pays, répondit-il avec franchise. Mais, si je le peux, je t'emmènerai avec moi. Tu n'es pas simplement une fille du cirque, Christianna. Tu es un être exceptionnel.

Il le savait rien qu'à la dignité, la noblesse et la grâce qui émanaient d'elle. Peu importaient le lieu où ils s'étaient rencontrés ou ses origines. Il aurait été fier de l'avoir à son bras dans les plus grandes salles d'opéra d'Europe et il le lui dit sans hésiter.

Mais elle n'était pas convaincue.

— Je te serai toujours inférieure parce que je viens d'ici, soutint-elle.

Ce n'était pourtant pas ainsi qu'il sentait les choses. Jamais il n'avait rencontré femme plus captivante, plus merveilleuse. Soudain, grâce à elle, le monde qu'il avait perdu ne comptait plus. Il avait suffi d'un instant pour qu'elle déboule dans sa vie et la comble tout entièrement.

— Un jour, tu auras honte de moi, affirma-t-elle.

Il savait que non, il la respectait plus que quiconque.

— Jamais, promit-il. De quoi pourrais-je avoir honte ? D'avoir pour compagne la femme la plus extraordinaire qui soit ? Non, je serai le plus heureux des hommes si je t'ai avec moi.

— Tu es un aristocrate, Nicolas, et moi une simple danseuse de corde.

— Chut, dit-il fermement en la faisant taire d'un baiser.

Alors, Pégase se tourna vers eux et hocha la tête. Au moins son cheval était-il d'accord avec lui. Il ne restait plus à Nick qu'à prouver à Christianna qu'il disait vrai. Qu'il était sûr de lui, que leurs origines sociales et culturelles si éloignées ne comptaient pas. Le lien qui s'était tissé entre eux dès le premier regard était indestructible. Scellé pour l'éternité.

11

La vie de Nick changea du tout au tout et pour le mieux dès que Christianna y fut entrée. Au début, ils jugèrent raisonnable de ne pas ébruiter leur amour. Ils faisaient de longues promenades ensemble le soir, à l'écart du champ de foire, là où personne ne pouvait les reconnaître. Il n'avait envie que d'être avec elle, de parler avec elle, de mieux la connaître. Ils partageaient presque toujours le même point de vue sur la vie, sur les gens et même sur le cirque, malgré leur différence d'âge et de passé. Bien qu'elle fût d'une grande maturité pour ses vingt et un ans, en sa compagnie, il se sentait rajeunir. À leur prochain anniversaire, il aurait exactement le double de son âge. Mais quelle importance ?

— Que penserait ton père s'il apprenait, pour nous deux ? lui demanda Nick un soir.

Ils avaient marché une heure, puis s'étaient assis sur un banc pour parler tranquillement. Cela faisait du bien de s'éloigner du cirque. Pour l'instant, ils n'avaient rien dit à la famille de Christianna ni aux fils de Nick. Ils voulaient se laisser le temps de mieux faire connaissance et protéger les précieux moments qu'ils partageaient.

— Il aurait peur que tu m'emmènes ailleurs. Car il n'y a personne pour le moment pour me succéder sur le fil. Ma sœur Mina est trop jeune : elle n'a que treize ans. Or cela fait quarante ans qu'il y a toujours au moins un Markovitch pour faire un numéro de haute voltige. En attendant que Mina soit assez grande, c'est à moi de le faire.

— Sauf que, si tu tombes, il n'y aura plus personne non plus. Ton père s'est blessé, ta mère est morte : comment peut-il te mettre ainsi en danger ?

— C'est une tradition familiale. Mon grand-père possédait le meilleur cirque de Varsovie. Il a dû le vendre après s'être ruiné au jeu. Mes parents sont arrivés ici il y a vingt ans, quand j'étais bébé. Le cirque, c'est toute notre vie. Mais ce n'est pas la tienne, Nick. Un jour, tu partiras. Et c'est ce qui inquiétera mon père s'il apprend ce qu'il y a entre nous.

— Notre différence d'âge ne le contrariera pas ?

Cela préoccupait un peu Nick, qui craignait le qu'en-dira-t-on et n'avait pas envie de passer injustement pour un séducteur. Pour l'instant, de toute façon, leur relation restait chaste. La séduire, profiter d'elle de quelque manière que ce soit n'était pas dans l'intention de Nick. Il l'aimait bien trop pour cela. De sa vie, il n'avait éprouvé des sentiments aussi forts. Même pour sa première épouse. Christianna ne ressemblait à personne. Avec elle, tout était différent. Il lui semblait renaître à la vie.

— Il ne s'en souciera pas, assura-t-elle. Lui-même avait vingt-huit ans de plus que ma mère, qui était sa seconde femme.

Son père avait soixante-dix ans, et son frère aîné, né du premier mariage de son père, approchait la quarantaine.

— Tout ce qui importe pour lui, ajouta-t-elle, c'est que je ne quitte pas le cirque.

— Mais si tu voulais partir un jour ?

— Pourquoi voudrais-je partir ? Je n'ai jamais connu d'autre vie, répondit-elle simplement.

Nick aurait pourtant aimé pouvoir lui offrir une vie meilleure. Pour l'instant, ce n'était pas possible et, de toute façon, elle était heureuse ici. Au fond, elle s'y sentait comme lui en Allemagne : dans la continuité de l'histoire de sa famille.

Ils regagnèrent le champ de foire en prenant leur temps, tout au plaisir d'être ensemble, à l'écart du tohu-bohu quotidien, des jongleurs, des clowns, des éléphants, du tourbillon des artistes et des ouvriers qui s'affairaient en tous sens. Ces temps-ci, le cirque était en effervescence. Nouveaux numéros, nouveaux costumes : les préparatifs de la nouvelle tournée battaient leur plein.

Paradoxalement, Nick n'avait jamais connu une telle paix intérieure. Il émanait de Christianna un calme qui se propageait jusqu'à lui, apportait force et équilibre à son existence. Il voyait désormais sa situation sous un tout autre angle. Au lieu de se désoler de ce qu'il avait perdu, il percevait sa nouvelle vie comme une bénédiction. Eh oui, maintenant Christianna en faisait partie. Il était si heureux.

Ils donnèrent quelques représentations avant le départ de Sarasota. C'était un peu comme des répétitions générales de la nouvelle saison. Le seul hic – énorme –, c'était qu'assister aux numéros de haute voltige de Christianna le rendait malade. Il était absolument terrifié, ne respirait plus tant qu'elle n'était pas redescendue sur la terre ferme. Il ne tiendrait pas indéfiniment, il le savait. Il avait trop peur pour elle.

À deux reprises, elle avait failli perdre l'équilibre. Le soir, en tête à tête, il avait explosé :

— Tu te rends compte de ce que tu fais, Christianna ? Tu te mets en danger *à chaque fois* ! Tu n'auras pas toujours autant de chance, c'est impossible.

Il était bien plus malheureux qu'en colère, du reste. Pendant son numéro, il était au bord des larmes.

— Mais si, c'est possible ! argua-t-elle. Ma grand-mère n'est jamais tombée. Et elle est morte de vieillesse.

— Ce doit bien être la seule de ta famille. Je sais que je n'ai pas le droit de t'empêcher de vivre ta vie. Mais je voudrais seulement que tu ne la risques pas sans arrêt. Je voudrais que tu restes en vie pour moi.

— C'est promis, dit-elle solennellement.

Cela ne suffit pas à le calmer. Il était fou d'inquiétude à chaque fois qu'elle montait.

Fin janvier, Nick lut dans les journaux qu'Hitler avait ouvertement menacé les Juifs lors de son discours au Reichstag. Il n'en fut guère surpris ; en revanche, pour le monde entier, ce fut un choc brutal. L'entendre affirmer que l'Europe ne connaîtrait pas la paix tant que la question juive ne serait pas résolue ne laissait plus place au moindre doute. Tout était parfaitement clair. Une fois encore, Nick rendit grâce au général qui avait averti son père et lui avait permis de partir à temps.

Quelques semaines plus tard, John Ringling North fit appeler Nick et Christianna ensemble dans son bureau. C'était certain, songèrent-ils tous deux, il avait eu vent de leur histoire naissante et allait les morigéner. Rien, dans leur contrat, ne l'interdisait, pourtant. Les liaisons entre gens du cirque étaient légion et allaient parfois jusqu'au mariage. N'empêche qu'ils craignaient une réprimande. Aussi tendus l'un que l'autre, ils avaient l'impression d'avoir été convoqués dans le bureau du proviseur du collège.

Quelle ne fut pas leur surprise quand ils virent que M. North les accueillait avec un large sourire. C'était à n'y rien comprendre. Que pouvait-il leur vouloir ? Ils évitèrent de se regarder pour ne pas se trahir.

— Chers amis, je vous ai fait venir tous les deux pour discuter d'une idée qui m'est venue. Depuis ses dix-huit ans, Christianna est notre plus grande star, déclara-t-il en lui souriant. Et quelque chose me dit que vous allez connaître le même succès, Nick.

Il était vrai que les lipizzans s'étaient affirmés, à chacune des représentations qu'ils avaient données à Sarasota, comme le clou du spectacle. Et Nick, dans son rôle de bel aristocrate européen sur son cheval blanc, faisait lui aussi la conquête du public, en particulier féminin, dont il symbolisait les fantasmes. Même les autres artistes évoquaient son allure avec admiration.

— Et donc voilà, reprit le directeur : j'aimerais que, tous les deux, vous fassiez un petit numéro. Je ne vous imagine pas trop sur la corde raide, Nick, précisa-t-il en souriant. En revanche, il me plairait énormément de voir Christianna sur un de vos lipizzans. Si vous pouviez imaginer quelque chose ensemble, à faire pendant votre numéro, Nick, je crois que le public serait conquis. Le beau prince et la fée... Savez-vous monter à cheval ? demanda-t-il à Christianna.

— Un tout petit peu, répondit-elle, éberluée par cette suggestion inattendue.

— Je peux lui apprendre, s'empressa de proposer Nick, enchanté. Nous pourrions valser à cheval. Bien entendu, il va falloir que je dresse les chevaux avant. En attendant, nous pouvons préparer quelque chose de plus simple. Je suis emballé par votre suggestion, monsieur North.

Nick jubilait. Cette demande du directeur du cirque était providentielle. Entre les répétitions et les spectacles, elle leur offrait, à Christianna et lui, l'occasion rêvée de passer plus de temps ensemble. Il leur restait six semaines avant le départ en tournée pour mettre leur numéro au point.

— Et moi qui pensais que nous allions nous faire taper sur les doigts…, fit Christianna en sortant du bureau.

Elle eut un petit rire gamin, qui lui donna l'air plus jeune encore.

— C'est ce qui nous arrivera si nous ne lui donnons pas satisfaction. Je vais me mettre au travail dès aujourd'hui.

Il fallut six jours à Nick pour imaginer une chorégraphie adaptée à ses chevaux et au niveau de Christianna. Il ne restait maintenant plus qu'à la réaliser. Ils disposaient de cinq semaines avant la première au Madison Square Garden. Ils répétèrent donc avec zèle, tous les jours. Nerveuse au début, Christianna n'avait pas tardé à prendre confiance. Grâce à son équilibre exceptionnel, elle parvenait à se tenir debout sur la croupe de la jument pendant une partie du numéro. Le reste du temps, elle était tout à fait à l'aise en selle, au botte à botte avec Nick qui montait Pégase. Les deux chevaux évoluaient avec une précision millimétrique sur la piste ronde. Nick était enchanté des progrès quotidiens de Christianna et de la qualité de leur prestation. Il leur arrivait encore de faire de petites erreurs, mais elles étaient rares, et les spectateurs ne les décèleraient même pas. Quel bonheur que de travailler avec elle… Et puis, John North avait vu juste : elle ajoutait de l'élégance et du piquant à son numéro. On eût dit un ange sur le dos d'Athéna.

La veille du départ en tournée, alors que Nick la raccompagnait à sa caravane en parlant avec animation de leur travail du jour, ils tombèrent sur le père, les frères et la sœur cadette de Christianna. Nick les salua poliment et échangea quelques mots avec ses frères avant de rentrer chez lui retrouver ses fils. Comme tout le monde, il avait encore beaucoup de préparatifs à faire d'ici le lendemain.

Au matin, une atmosphère particulière régnait dans le cirque. Tout le monde était au comble de l'excitation, Lucas le premier. On faisait déjà monter les fauves, les éléphants et les autres animaux dans le train. Nick fit embarquer ses chevaux de bonne heure après leur avoir donné à manger et à boire. Il y aurait des soigneurs dans le train pour s'occuper d'eux. Beaucoup d'artistes faisaient le voyage en chemin de fer, mais d'autres prenaient une voiture attelée à leur caravane. C'était le cas de la famille de Christianna, ainsi que de Nick et ses fils. Le gros matériel était transporté en partie par le train et en partie par des camions. On eût dit que toute une ville se déplaçait. Et ils ne seraient pas de retour avant huit ou neuf mois, après avoir sillonné tout le pays, s'arrêtant dans des villes souvent petites, parfois plus grosses, une seule nuit en général et presque jamais plus de deux ou trois. New York était la seule exception : ils s'y installaient quatre semaines au début de la tournée. Ce long séjour faisait le bonheur des artistes, car les conditions de représentation au « Garden » étaient excellentes.

On avait prévenu Nick : la tournée serait éreintante. Ses fils ne s'en préoccupaient guère, tout excités qu'ils étaient de passer presque un mois à New York. Toby souhaita faire le trajet avec la famille de Katia. Il fut convenu, en échange, que Rosie viendrait avec Nick et Lucas.

Avant de prendre la route, Nick passa en vitesse voir Christianna. Ils allaient être séparés des heures, peut-être même jusqu'au lendemain. Elle portait une robe bain de soleil blanche et des chaussons de danse trop usés pour la corde. Il lui donna un rapide baiser. Ses frères et sa sœur l'attendaient déjà dans leur caravane. Son père et sa tante, eux, prenaient le train.

— Mes frères commencent à se douter de quelque chose, chuchota-t-elle comme il l'embrassait à nouveau.

Ils avaient parlé, dernièrement, de les mettre au courant, mais ils craignaient leur réaction. La présence de Nick dans la vie de Christianna, le souci qu'il avait d'elle, représentaient pour eux une menace. Du reste, ils étaient contrariés que John Ringling North leur ait demandé de faire un numéro ensemble. Selon eux, cela atténuait l'impact de celui de Christianna sur la corde raide, en fin de spectacle. En outre, la tradition voulait que les danseurs de corde, à la différence des acrobates, ne pratiquent pas la voltige équestre. Mais John Ringling North était le président du cirque et, comme elle le leur avait rappelé, ses désirs étaient des ordres. Ils ne pouvaient que s'incliner.

— À plus tard, murmura Nick dans un dernier baiser avant de filer.

Christianna souriait quand elle monta dans la caravane pour entamer le long voyage vers New York.

Ils roulaient depuis plusieurs heures quand son frère aîné l'interrogea.

— Qu'est-ce qui se passe, entre Bing et toi ? s'enquit-il en croquant dans une pomme.

Leur petite sœur, Mina, s'était endormie sur la banquette à côté de lui. Leurs trois autres frères se relayaient au volant. Les belles-sœurs de Christianna avaient pris le train avec son père et sa tante.

— Rien, pourquoi ?

C'était la première fois de sa vie qu'elle ne lui disait pas la vérité. Mais elle ne se sentait pas encore prête à avouer ses sentiments pour Nick. C'était une chose qui leur appartenait à tous les deux, un secret qu'elle ne voulait pas trahir, ne serait-ce que pour les protéger, Nick et elle.

— Nous répétons le numéro que nous a commandé M. North, ajouta-t-elle.

— Et c'est tout ? demanda son frère en souriant. Tu peux tout me dire, tu sais, fit-il d'un air entendu.

Il la traitait comme une enfant, comme Mina qui n'avait que treize ans.

— C'est tout, confirma-t-elle. Il est sympathique ; nous sommes amis. Et j'aime bien ses fils.

— Ils sont plus proches de toi en âge que lui. Il pourrait être ton père, Christianna. J'espère que tu en as conscience.

— Il n'y a rien entre nous, répéta-t-elle froidement.

Il insistait trop, et cela commençait à l'agacer. Très semblable à leur père, son frère aîné avait des idées vieux jeu sur le métier et sur son numéro de voltige. Il aurait rêvé de succéder à leur père sur la corde, mais sa corpulence l'avait contraint à y renoncer. Était-ce pour cela qu'elle percevait chez lui – comme chez sa femme, d'ailleurs – une certaine jalousie de son succès ? Toujours est-il qu'elle n'avait pas entière confiance en eux.

— Ne te fais pas d'illusions, reprit-il. Ce n'est pas parce qu'il a fière allure à cheval que c'est un type bien. Il t'abandonnera. De toute façon, je ne le vois pas rester ici longtemps. Je les connais, ces gens qui viennent au cirque quand le vent tourne pour se renflouer. Dès que ça ira mieux, il disparaîtra. S'il prétend le contraire, ne le crois pas.

Christianna savait bien que Nick ne resterait sans doute pas éternellement au cirque. Il méritait une vie meilleure. Celle-ci ne lui convenait pas, même s'il faisait contre mauvaise fortune bon cœur. Il lui avait expliqué pourquoi il avait quitté l'Allemagne. Dès que tout serait rentré dans l'ordre, il était probable qu'il retournerait dans son pays. Et cela arriverait, un jour ou l'autre… La folie qui régnait actuellement là-bas ne pouvait pas durer.

Si, pour une raison ou une autre, il lui était impossible de rentrer en Allemagne, Nick projetait d'élever des chevaux lipizzans, peut-être dans un ranch. Il n'en avait pas les moyens pour l'instant, mais il espérait gagner l'argent nécessaire avant que Pégase soit trop vieux pour la reproduction. Il avait un certain temps devant lui, puisque l'étalon était encore très jeune. De son côté, Christianna ne pourrait pas pratiquer la haute voltige éternellement. Si tout allait bien, elle avait encore dix ou douze ans devant elle. Ensuite, il faudrait que Mina, ou quelqu'un d'autre, lui succède. En attendant, rien ne les empêchait de rêver à leur avenir.

— Il t'a fait des promesses ? s'enquit Peter avec un regard insistant.

— Pourquoi m'en ferait-il ? Nous travaillons ensemble, c'est tout. Je t'assure que j'ai beaucoup à apprendre.

Son frère hocha la tête. Il ne savait s'il devait la croire. Il avait bien vu la façon dont Bing regardait sa sœur, surtout quand elle était sur le fil. Ce qu'il éprouvait pour elle se lisait dans ses yeux. Heureusement que Christianna ne s'en était pas aperçue. C'était une fille sage et innocente qui n'aguichait pas les hommes. Son père et ses frères ne l'auraient pas laissée faire, du reste. Les filles faciles ne manquaient pas, au cirque, mais Peter ne tolérerait pas que sa sœur soit du nombre. Bien sûr, il leur arrivait, à ses frères et à lui, de se laisser tenter à l'insu de leur femme, mais ce n'était pas la même chose. Ils étaient des hommes.

— Je dirais qu'il a beaucoup plus à apprendre que toi, répliqua-t-il d'un ton acerbe. Il ne connaît rien au cirque.

— C'est quelqu'un de bien, affirma-t-elle sèchement. Et un excellent père. Je suis persuadée qu'il était gentil avec sa femme.

Elle n'aurait pu en dire autant de Peter, qui battait la sienne quand il avait trop bu. C'était un comportement plutôt répandu, sur le champ de foire. Et les femmes prenaient leur revanche en leur étant infidèles – tout comme ils l'étaient eux-mêmes d'ailleurs. Ces mœurs n'étaient pas du goût de Christianna. C'était une des raisons pour lesquelles elle ne s'intéressait pas aux hommes du cirque. Elle se contentait de travailler, de faire son numéro et de s'occuper de son père et de sa petite sœur. Cela lui suffisait. Jusqu'à l'arrivée de Nick, du moins. Désormais, elle en voulait davantage. Avec lui. Parce qu'il valait infiniment mieux que ses frères et les hommes de leur entourage. C'était un vrai gentleman, et il la traitait avec tant d'égards et de gentillesse… Il n'était pas pensable qu'elle ait un jour la chance de partager sa vie avec un être aussi merveilleux. Sur ce point, son frère avait raison, hélas. Elle ne doutait pas de la sincérité de Nick, mais elle savait qu'il quitterait le cirque dès que possible. Et qu'il ne l'emmènerait pas. Jamais elle ne pourrait trouver sa place dans son univers. Cela ne l'empêchait pas d'être heureuse de faire partie de sa vie pour le moment. Elle vivait leur amour au jour le jour.

— Ne va pas prendre des vessies pour des lanternes, c'est tout, la mit-il en garde avant d'aller rejoindre les autres à l'avant.

Christianna s'étendit à côté de sa sœur en songeant à Nick. Bientôt, elle s'endormit et rêva de lui.

Pour passer le temps, Nick jouait aux devinettes avec Rosie et Lucas. Le cirque dans son entier migrait vers le nord en un interminable convoi. À la différence des autres, il n'avait personne pour le relayer au volant ; Toby était encore trop jeune pour conduire. À chaque arrêt, il s'assurait que ses chevaux allaient bien, leur proposait à manger et à boire, nettoyait la remorque. Si seulement il avait pu faire le voyage avec Christianna… Ou au moins aller la retrouver lors de l'étape du soir. Mais elle l'avait prié de ne pas le faire, par souci de discrétion, et elle avait raison.

Tard dans la soirée, pourtant, alors qu'il fumait une dernière cigarette dehors en songeant à elle, elle apparut comme par enchantement à côté de sa caravane.

— Qu'est-ce que tu fais là ? demanda-t-il avec un mélange de surprise et de joie. Tu t'es échappée ?

Elle hocha la tête avec un sourire malicieux de gamine. Il rit de plaisir et l'étreignit longuement.

— Tout le monde dort, chuchota-t-elle. Mes frères ont trop bu, ce soir.

— Si seulement nous pouvions nous enfuir quelque part…, fit-il avec mélancolie tandis qu'ils s'asseyaient sur les marches.

Des milliers d'étoiles brillaient dans le ciel. On entendait de rares chuchotis, quelques rires étouffés, mais, à cette heure tardive, le campement plongé dans l'obscurité était très calme. Presque tout le monde dormait.

— Où voudrais-tu aller ? murmura-t-elle tendrement. En Allemagne ?

Il hésita longuement.

— Je ne sais pas. Je crains de ne plus y avoir ma place. Si je pouvais retrouver l'Allemagne d'autrefois, ce serait différent. Aujourd'hui, je ne sais même pas où j'irais.

Il n'avait plus ni pays ni foyer. Mais il aimait une femme qui l'aimait en retour, et ça, c'était magnifique. Cela avait bien plus de valeur que tout ce qu'il avait pu posséder autrefois. Il l'attira contre lui et plongea le regard dans ses yeux qui, la nuit, avaient la profondeur indigo de l'océan.

— Et toi, lui demanda-t-il, où irais-tu si tu t'enfuyais ?

Elle le fixa avec une innocence qui le bouleversa et répondit, tout simplement :

— Vers toi.

Comme si la question ne se posait même pas. Il l'étreignit, ferma les yeux. Si seulement le monde était différent… Si seulement il pouvait lui donner tout ce qu'il avait eu… Aujourd'hui, il n'avait rien à lui offrir, que son amour.

Ils restèrent assis un long moment sans parler. Puis elle s'étira.

— Il vaut mieux que je rentre, au cas où quelqu'un se réveillerait, dit-elle.

Un instant, il eut envie qu'elle reste ici cette nuit, avec lui. Mais c'était impossible, évidemment.

Il l'embrassa une dernière fois, avant qu'elle s'éclipse aussi silencieusement qu'elle était arrivée. Telle une apparition, elle s'était montrée au moment où il songeait à elle, où il avait besoin d'elle. Et puis elle s'était évanouie comme un rêve.

De retour dans la caravane de sa famille, Christianna trouva ses frères en train de ronfler, affalés dans le salon. Sans un bruit, elle se glissa dans sa chambre, se mit en chemise de nuit et se coucha à côté de sa sœur.

Le lendemain matin, ils reprirent la route à l'aube. Il était près de minuit quand ils arrivèrent à New York. Les hommes se mirent aussitôt au travail pour tout décharger et installer le campement. C'était une tâche énorme qui requérait toute la main-d'œuvre – pourtant nombreuse – disponible. Les artistes ne s'en mêlaient pas, mais manœuvres et soigneurs avaient du pain sur la planche.

Ils travaillèrent la nuit entière et une bonne partie de la journée du lendemain : il fallait mettre en place les cages et les tunnels métalliques qu'empruntaient les fauves pour se rendre au chapiteau, monter la corde raide, les trapèzes, les mâts et les cordes. Certains clowns les aidèrent. Les artistes, pour leur part, durent, reprendre qui l'entraînement, qui les répétitions. Après ces deux jours de voyage, les acrobates et les gymnastes se plaignaient de raideurs. Les costumières mettaient la dernière main aux tenues. Il y avait mille choses à faire. Nick et Toby échauffèrent les chevaux avant la répétition. Fatigué et énervé par le voyage et le confinement, Pégase se mit à danser sur place à peine Nick en selle.

Nick enfourcha ensuite un de ses pur-sang arabes pour partir à la recherche de Christianna. Il la trouva sur le fil d'entraînement. Elle était seule et ne cacha pas sa joie de le voir.

— Tu auras le temps de répéter avec moi ? lui demanda-t-il comme elle sautait souplement à terre.

— Bien sûr. Justement, j'ai terminé.

Une piste d'exercice avait été montée pour les chevaux. Nick avait déjà réservé un créneau entre deux autres numéros.

— Viens avec moi, dit-il d'un ton engageant en lui tendant la main.

Elle la prit, et il la souleva aisément de terre pour l'asseoir devant lui sur le cheval. Il partit au petit galop, les bras autour d'elle, les rênes mi-longues. Ils se rendirent à l'écurie pour prendre Pégase et Athéna qu'ils emmenèrent au pas à la piste d'entraînement. Là, Nick les fit travailler en liberté quelques minutes pour les préparer, sous le regard attentif de Christianna. Au cours des cinq derniers mois, lui aussi avait fait des progrès, même s'il était encore loin d'avoir atteint le niveau d'Alex. Quand il eut fini, il aida Christianna à monter sur Athéna puis se mit en selle sur Pégase. Tandis que, au botte à botte, ils répétaient les mouvements de leur pas de deux, il lui prodiguait des conseils. À la fin du numéro, elle se mit debout sur le dos d'Athéna et fit plusieurs tours de piste au galop. On eût dit que des fils invisibles la maintenaient en l'air tant elle semblait à l'aise sur le cheval. L'exécution était parfaite, vraiment. Les yeux bleus de Christianna brillaient de joie quand elle vint le rejoindre.

— Alors ? lui demanda-t-elle avec un sourire radieux.

L'espace d'un instant, il la vit aussi transportée de plaisir que sur la corde raide.

— C'était fantastique ! ajouta-t-elle. J'ai cru que je volais.

— Tu as été sublime, confirma-t-il.

Puis, sachant qu'ils étaient seuls, il se pencha vers elle pour l'embrasser, et ils échangèrent un sourire plein d'amour.

— Je dois te laisser, dit-il à regret. Les garçons m'attendent.

La visite de New York était prévue pour le lendemain matin. Lucas déclara qu'il voulait absolument aller à l'Empire State Building, puisqu'il n'avait pas pu le voir en débarquant du bateau. Entre la découverte de la ville et les représentations au Madison Square Garden, le mois à venir s'annonçait passionnant.

Christianna aussi nageait dans le bonheur. Elle allait se produire avec son prince charmant. Elle serait sa princesse. Ils monteraient deux magnifiques chevaux blancs. Il ne restait plus qu'à espérer que le public new-yorkais serait ébloui par leur prestation…

12

La première, à New York, fut pratiquement parfaite. La présence de Christianna apportait au numéro de Nick une dimension supplémentaire extraordinaire, et le public exprima son enthousiasme en applaudissant à tout rompre.

Chaque soir qui suivit, Nick eut l'impression que c'était encore un peu mieux. Le mois entier fut merveilleux. Ils étaient très heureux, à New York. Lorsqu'ils avaient un jour de repos, Christianna se promenait dans la ville avec Nick et ses fils. Lucas les fit monter trois fois en haut de l'Empire State Building ! Nick et Christianna parvinrent même à s'échapper à plusieurs reprises pour dîner en tête à tête.

Une certaine tension se faisait néanmoins sentir parmi les artistes venus de l'est de l'Europe, car Hitler occupait depuis le mois de mars la Tchécoslovaquie, où ils étaient nombreux à avoir encore de la famille. Gallina et les siens étaient particulièrement inquiets et bouleversés. Le sujet était toujours au centre des préoccupations et des conversations début mai, lorsque le cirque quitta New York pour Boston.

Après Boston, ce fut le sud du Connecticut, puis Baltimore, Washington et Philadelphie. Ils ne passaient pas plus de deux ou trois jours dans chaque ville, un rythme épuisant après ce mois sédentaire à New York qui leur avait tant plu à tous. Nick ne savait pas comment les hommes de piste résistaient.

Ils se rendirent dans la Pennsylvanie rurale, le New Jersey, l'Ohio, le Kentucky, le Michigan, le Wisconsin. Ils sillonnaient littéralement le pays. En août, ils firent route vers l'ouest. Puis vers le nord, jusqu'au Canada, où ils passèrent une semaine. Avant de redescendre à Washington et dans l'Oregon à la fin du mois. Ils se trouvaient à Eugene, dans l'Oregon, le 1er septembre, quand l'Allemagne envahit la Pologne. Un vent de panique souffla sur le cirque. Deux jours plus tard, alors qu'ils venaient d'arriver à Redding, en Californie, ils apprirent que l'Angleterre, la France, l'Australie et la Nouvelle-Zélande déclaraient la guerre à l'Allemagne. On était le 3 septembre. La nouvelle assomma le monde entier. L'Europe était en guerre.

Malgré son inquiétude pour son père, Nick se réjouit néanmoins d'arriver en Californie. Il attendait ce moment avec impatience. Depuis son arrivée en Amérique, il se sentait attiré par cet État. Ils passèrent deux jours palpitants à San Francisco. Ils trouvèrent le temps de se promener sur l'Embarcadero, de regarder les grands navires, d'admirer une superbe construction tout juste achevée : le Golden Gate Bridge, ainsi qu'un autre pont, qui enjambait le côté est de la baie. La vue sur la ville était magnifique de tous les côtés. Ils firent ensuite étape à Los Angeles, puis à San Diego, avant de remonter à Santa Barbara, où ils eurent droit à deux jours de repos. Enfin !

Nick ne sut pas comment elle s'y était prise, mais Christianna parvint à faire croire à son père, ses frères et sa tante qu'elle retournait passer la nuit à Los Angeles avec trois gymnastes ukrainiennes du cirque. Celles-ci allaient rendre visite à des amis dans la vallée de San Fernando et l'avaient effectivement invitée à se joindre à elles. Elles acceptèrent de la couvrir, devinant bien sûr la raison de ce mensonge, mais sans savoir qui était l'heureux élu.

De son côté, Nick pria Gallina de veiller sur Toby et Lucas et se chargea de trouver une voiture. Pierre, le clown français, avait affirmé qu'il pouvait lui en procurer une. Il ne put se retenir d'éclater de rire en découvrant l'engin, le « taxi » jaune orné du logo du « Plus Grand Spectacle du monde » dont les clowns se servaient pour leur numéro à l'entracte. Christianna ne tarda pas à arriver, portant une robe blanche et de vraies chaussures, un petit sac à la main. Elle débordait de joie : cela faisait des semaines qu'ils projetaient cette escapade de deux jours. Elle aussi rit en voyant le carrosse que Nick avait trouvé. Il n'y avait même pas de banquette arrière, de façon que les clowns puissent s'y entasser le plus nombreux possible et déborder en tombant sur la piste, déclenchant l'hilarité du public. On était loin de la Bugatti bleue de Nick ou de la Duesenberg de son père… Et alors ? Il embrassa Christianna et démarra. Ils partaient tous les deux ! Ils avaient réussi !

Il l'emmena dans la vallée de Santa Ynez, à deux heures de route de Santa Barbara. C'était une magnifique région d'élevage de chevaux, lui avait-on dit. Il avait envie de la visiter avec elle.

— C'est pratique, ce véhicule. Les gens n'auront même pas besoin de nous demander ce que nous faisons dans la vie, remarqua-t-il en garant la guimbarde jaune devant un hôtel.

Le bâtiment avait l'air d'un chalet suisse. Il réserva une chambre, et ils montèrent. Il faisait un temps superbe. Le soleil brillait, l'air était doux, la chambre confortable, avec un grand lit. Aussitôt la porte refermée derrière eux, Nick prit Christianna dans ses bras. Quel bonheur de simplement la tenir contre lui et d'être seul avec elle… Cela faisait si longtemps qu'ils attendaient de partager ce moment.

— Nous avons réussi : nous voilà enfin rien que tous les deux, murmura-t-il en enfouissant le visage dans ses cheveux avant de l'embrasser dans le cou. C'est trop beau pour être vrai.

Entre le travail et la surveillance étroite de la famille de Christianna, ils n'avaient eu jusqu'à présent que des instants trop brefs, quoique infiniment précieux. Ces deux nuits entières leur paraissaient donc un luxe inouï, le plus beau des cadeaux. Ils comptaient profiter de chaque minute pour se découvrir l'un l'autre et jouir enfin du bonheur d'être ensemble.

Submergée par l'émotion, Christianna resta muette quand Nick lui ôta lentement ses vêtements et l'étendit sur le grand lit moelleux. Il la rejoignit aussitôt et se déshabilla à son tour, en lui tournant le dos pour ménager sa pudeur. Il savait que, pour elle, c'était la première fois. Elle lui tendit pourtant les bras pour s'offrir à lui. Ils voyaient ce moment comme leur nuit de noces. Ils l'attendaient depuis six mois, et Nick voulait que tout soit parfait. Il la prit avec le plus de douceur possible, puis lui fit l'amour avec toute la passion qu'il éprouvait pour elle. Jamais il n'avait aimé personne à ce point.

Ensuite, tandis qu'elle reposait entre ses bras, l'air comblée, elle posa sur lui ses grands yeux bleus.

— Désormais, je t'appartiens, Nick, murmura-t-elle.

— Et moi à toi… Si tu savais combien je t'aime.

Il aurait voulu lui faire promettre d'abandonner la haute voltige. Il avait trop peur de la perdre, qu'il lui arrive quelque chose d'épouvantable. Mais il savait qu'il n'avait pas le droit de lui demander cela. Pas pour le moment, en tout cas. Un jour, peut-être...

Il l'enveloppa d'un regard chargé de tout ce qu'il éprouvait pour elle et l'embrassa. Puis il lui fit à nouveau l'amour, et, cette fois, elle y prit encore plus de plaisir. Il lui enseigna les merveilles de leurs deux corps et se délecta de la beauté de celui de Christianna, de la joie qu'il lui offrait.

Ils restèrent couchés presque jusqu'à la tombée du jour. Puis ils prirent une douche ensemble et se rhabillèrent. Elle n'éprouvait pas la moindre gêne à être nue devant lui. Il était ébloui par la perfection de son corps aux proportions idéales et si délicatement sculpté. On eût dit la statue d'une déesse. Il ne se lassait pas de la contempler.

Après un petit tour en ville, ils reprirent la voiture pour aller se promener dans la campagne et les montagnes de Santa Ynez. Arrivé sur un promontoire, il s'arrêta. Ils descendirent de voiture pour contempler le soleil qui déclinait déjà derrière les montagnes. C'est alors qu'il sut qu'il aurait envie de revenir ici un jour avec elle.

Sans rien dire, elle glissa la main dans la sienne et appuya la tête contre lui tandis qu'ils admiraient la vallée en contrebas. Il parla comme dans un rêve.

— Un jour, j'aurai un ranch ici pour y élever des lipizzans.

Il se tourna vers elle, très sérieux, avant d'ajouter :

— Je ne sais pas encore comment nous y parviendrons, mais je voudrais faire cela avec toi.

C'était presque une demande en mariage ; jamais il n'était allé aussi loin avec elle. Elle le regarda d'un air de regret.

— Je ne peux pas quitter le cirque, Nick. Tu le sais.

Elle avait toujours été très honnête sur ce point.

— Un jour, nous partirons. Je souhaite une vie meilleure pour mes fils, pour toi, pour nos enfants. Ici, ce sera possible. Je ne veux pas te voir sur la corde raide pour le restant de tes jours.

Il faillit ajouter qu'il aurait aimé ne plus jamais l'y voir, mais il se retint.

— Nous saurons quand le moment sera venu, Christianna, assura-t-il. Je n'en ai pas encore les moyens mais j'espère que, un jour, ce sera possible. Ce jour-là, je voudrai que tu viennes avec moi. Et je sais que c'est ici le bon endroit.

C'était la première fois qu'un site lui semblait à la hauteur de son pays perdu. Et c'était là qu'il voulait vivre avec Christianna. En contemplant la vallée, il avait l'impression d'être arrivé chez lui. Cependant, il ne quitterait pas le cirque tant qu'elle ne serait pas prête à le suivre. Il l'enlaça au moment où le soleil disparaissait et l'embrassa longuement. Puis ils remontèrent en voiture et rentrèrent à l'hôtel.

Le soir, il l'emmena dîner dans un restaurant italien. Ils rirent, ils bavardèrent, elle lui raconta son enfance au cirque. Il fut très amusé d'apprendre qu'elle avait rêvé d'être clown.

— Tu aurais fait un très joli clown, assura-t-il. Hélas, j'ai bien peur que ce ne soit aussi le projet de Lucas – pour le moment. Toby, lui, veut devenir vétérinaire équin. Ce n'est pas une mauvaise idée : nous aurons besoin de ses services si nous créons un ranch, un jour.

Il en parlait comme si c'était réel.

— Tu es sérieux, on dirait, observa-t-elle.

— Oui. On ne peut plus.

— Et si je ne peux pas t'accompagner ? fit-elle dans un murmure plein de tristesse.

— Je serai contraint de t'enlever, répondit-il. Je sais que nous serons bien.

Elle ne se voyait pas tout quitter pour sauter dans l'inconnu, comme ça.

— Je ne connais que le cirque, fit-elle valoir en ouvrant de grands yeux inquiets. Je n'ai jamais vécu ailleurs.

Il prit sa petite main dans la sienne.

— Je veux partager ma vie avec toi, Christianna. Je ne peux pas t'offrir tout le confort et le luxe que j'ai laissés en Allemagne, mais je crois pouvoir te proposer une belle aventure, ici, le jour où nous serons prêts, et vous rendre heureux, toi et nos enfants.

C'était la seconde fois de la journée qu'il évoquait leurs futurs enfants. Elle sourit.

— Moi aussi, c'est ce que je souhaite, assura-t-elle doucement. Mais je ne sais pas comment y arriver.

Sa famille serait un obstacle majeur à surmonter. Elle se battrait forcément pour que Christianna ne parte pas avec lui.

— Nous trouverons un moyen. Ensemble. Je suis là avec toi.

Elle hocha la tête, et il porta ses doigts à ses lèvres pour les baiser.

— Ne t'en fais pas. Tout ira bien.

— Je l'espère...

Elle avait autant envie que lui de partager sa vie. La différence, c'est qu'elle ne se voyait pas quitter le cirque. Lui, si.

— Je te le promets.

Le dîner fini, ils rentrèrent à l'hôtel et firent encore l'amour. Ce furent la soirée et la nuit les plus belles de toute la vie de Christianna. Quand elle s'éveilla, le lendemain matin, Nick la regardait en souriant.

Ils passèrent la journée à se promener, à parler du ranch imaginaire de Nick, de son emplacement idéal. Ils barbotèrent dans un ruisseau, s'endormirent sous un arbre, achetèrent des sandwichs pour pique-niquer. En fin de journée, ils retournèrent sur le promontoire pour y admirer le coucher du soleil. Le soir, ils se firent monter à dîner dans leur chambre. Nick tenait à savourer chaque minute avec elle. Ils parlèrent de ce qu'ils allaient faire à leur retour. Elle affirma que ses frères la tueraient s'ils apprenaient qu'elle avait passé ces deux nuits avec lui. Nick avait pris toutes les précautions possibles pour qu'elle ne tombe pas enceinte. Il ne voulait surtout pas que les choses tournent mal.

— J'aimerais que tu fasses connaissance avec ma famille, dit-elle. Si tu venais dîner, un soir, avec les garçons ?

— Je ferai tout ce que tu voudras, Christianna. Pour moi, c'est du sérieux – si tu veux de moi.

Il scella cet engagement d'un baiser.

— Oui, répondit-elle tout contre ses lèvres.

Elle était si belle, ainsi, nue, étendue en travers de leur lit, qu'on eût dit une fée apparue dans sa vie comme dans un songe.

— J'ai déjà envie de m'échapper à nouveau avec toi dès que possible, avoua-t-il.

Ces deux jours passés ensemble avaient été la perfection. Au cirque, cependant, il faudrait qu'ils soient discrets. Les langues allaient bon train, dans ce petit monde fermé. Chacun était à l'affût d'un nouveau commérage, et Nick tenait à protéger Christianna au maximum.

Le lendemain matin, ils se préparèrent lentement à sortir de cette chambre où ils avaient vécu comme une nuit de noces. Certes, il n'y avait ni contrat ni alliance, mais les sentiments étaient bien là. En quittant la petite auberge, ils sentaient l'un et l'autre que le lien qui les unissait leur ferait franchir n'importe quel obstacle. Rien ni personne ne pourrait s'immiscer entre eux. Ils s'étaient donnés l'un à l'autre.

Sur le chemin du retour à Santa Barbara, ils évoquèrent la rencontre de Nick avec la famille de Christianna. Tout serait tellement plus simple pour elle si son père, sa tante, ses frères l'appréciaient...

— De quel œil voient-ils notre numéro ensemble, maintenant ? s'enquit-il.

Il le savait, au début, ils étaient contre. Mais, devant le talent de la jeune fille et leur succès, ils s'étaient peut-être ravisés...

— Ils considèrent toujours que je devrais m'en tenir à la corde raide. Selon eux, les chevaux, c'est dangereux. Ils ont peur que je me blesse, dit-elle en souriant, consciente de l'ironie de la situation.

Nick éclata de rire.

— Alors que la haute voltige sans filet, pas de problème ! Ah, là, là, ils ne manquent pas d'air, fit-il d'un ton narquois.

Elle se pencha vers lui pour l'embrasser.

— Tu vas me manquer, ce soir, murmura-t-elle tristement.

Il avait été si merveilleux de se réveiller ensemble, ces deux derniers jours...

— Nous allons bien trouver quelque chose, assura-t-il avec optimisme. Peut-être pas tous les soirs, mais à chaque fois que ce sera possible. Je vais réfléchir à une solution pour les garçons. Et puis nous pourrons nous éclipser de temps en temps. Quand nous aurons une soirée de relâche, nous filerons discrètement quelque part.

Ce ne serait pas si simple, sans doute, mais ils étaient si déterminés qu'ils réussiraient.

Ils virent avec tristesse se profiler le champ de foire de Santa Barbara. Christianna regarda Nick et sourit à nouveau. Elle était femme, désormais, et c'était lui, son homme.

Elle le pria de la déposer loin de sa caravane. Elle n'avait aucune envie de tomber sur ses frères en arrivant, et moins encore qu'ils découvrent qu'elle était avec Nick. De son côté, il devait rendre la voiture au clown.

— Notre carrosse ne va pas tarder à se transformer en citrouille, la prévint-il.

Il s'arrêta devant un groupe de caravanes qu'ils ne connaissaient pas. Christianna voulait commencer par aller voir les Ukrainiennes pour qu'elles accordent leurs violons.

— C'était déjà une citrouille quand nous sommes partis, s'exclama-t-elle en riant.

Cette voiture ridicule n'avait certes pas de quoi faire rêver, mais elle avait rempli son office.

— J'avais une auto magnifique, autrefois, dit-il avec une certaine nostalgie. Si on m'avait dit que je ferais le voyage le plus romantique de ma vie, avec la plus belle femme du monde, dans une voiture de clown...

Elle l'embrassa une dernière fois et descendit à contrecœur, son petit sac à la main.

— À tout à l'heure, dit-elle doucement.

Ils avaient une représentation ce soir-là.

— Merci pour tout, ajouta-t-elle. J'ai passé un moment merveilleux.

— Moi aussi, affirma-t-il. Je te promets qu'il y en aura beaucoup d'autres. À ce soir. Salue les Ukrainiennes pour moi et remercie-les !

— Surtout pas ! repartit-elle d'un ton malicieux.

Mieux valait que personne ne sache avec qui elle était. Elle comptait bien ne rien leur dire. Dieu sait pourtant qu'elles avaient essayé de lui tirer les vers du nez quand elle avait sollicité leur aide. Pour l'instant, à cause de la différence d'âge entre Nick et elle, il était peu probable que les gens se doutent de quelque chose. Et puis, ils faisaient attention à être très discrets, songea-t-elle pour se rassurer en traversant le champ de foire en direction de la caravane de ses amies.

Elle les trouva tout juste de retour de Los Angeles, en train de se préparer pour leur répétition.

— C'était bien ? lui demanda l'une d'elles avec un clin d'œil entendu que Christianna préféra ignorer.

— Oui, merci, répondit-elle allègrement.

Elles mirent quelques détails de l'histoire au point, puis Christianna s'en alla. Elle sortait tout juste de leur caravane quand son frère apparut. Cela n'aurait pu mieux tomber. Loin de se douter qu'il s'agissait d'une escapade romantique, il lui demanda sans l'ombre d'un soupçon si elle s'était bien amusée.

— Oui, beaucoup, assura-t-elle avec son sourire le plus innocent.

— Je ne sais pas comment tu peux supporter ces filles, remarqua Peter en baissant la voix. Elles font tellement de bruit… Vous avez bu ? lança-t-il, taquin.

Il savait que, comme les Russes, les Ukrainiennes étaient assez portées sur la vodka quand elles ne travaillaient pas. Mais les frères de Christianna, et lui en tête, ne valaient pas mieux.

— Bien sûr que non, répliqua-t-elle sagement.

Elle se sentait si différente qu'elle fut étonnée – et soulagée – qu'il ne remarque rien. Elle aurait juré que son bonheur et son amour pour Nick se lisaient sur son visage.

— Et vous, demanda-t-elle, vous êtes allés à Las Vegas ?

Il en était question avant son départ.

— Non. Je n'étais pas d'humeur, alors on est restés ici.

— Dommage.

— Bah, on y sera dans quelques jours, de toute façon. On aura l'occasion de jouer.

Les casinos de Las Vegas restaient ouverts vingt-quatre heures sur vingt-quatre. Ils y passaient chaque année, pour la plus grande joie de presque tous les artistes. Pour la première fois, Christianna aurait l'âge d'y être admise, mais cela ne la tentait pas. Elle irait jeter un œil, sans doute, par curiosité. Mais l'alcool et le jeu ne faisaient pas partie de ses passe-temps favoris.

En regagnant sa caravane, elle trouva sa tante et sa petite sœur dans le salon. Sa tante racontait que ça allait très mal, en Europe. Quelqu'un le lui avait dit le jour même. Mina l'écoutait à peine. Elle avait l'habitude de l'entendre débiter des mauvaises nouvelles. Personne ne faisait plus attention aux catastrophes qu'elle annonçait. Christianna leur dit bonjour et alla prendre une douche. Elle n'avait pas de répétition, aujourd'hui, avant la représentation de ce soir. Il lui tardait d'y être pour retrouver Nick.

Tandis qu'elle se déshabillait dans la petite chambre, le souvenir des moments qu'elle avait passés entre ses bras quelques heures plus tôt se fit plus vif encore. Elle aurait tant aimé y être encore… Mais pourvu qu'il ne l'ait pas mise enceinte ! Il lui avait assuré avoir pris toutes les précautions, n'empêche qu'elle se demandait comment il pouvait en être certain. Elle connaissait plusieurs filles qui avaient dû avorter ; elle savait que c'était dangereux et douloureux. Deux ans plus tôt, une gymnaste était allée voir une mauvaise faiseuse d'anges du New Jersey pendant la tournée ; elle était morte trois jours plus tard d'une infection. Sa tante lui avait dit que c'était le sort des filles qui couchaient avec un homme avant d'être mariées. Cela l'avait terrifiée. Pourtant, avec Nick, elle n'avait pas eu peur. Avec lui, tout était différent. Tout était beau.

Le soir, elle prit une légère collation avant de se rendre sous le chapiteau pour la représentation. Elle accorda un soin tout particulier à sa tenue et choisit un justaucorps et un tutu neufs, ornés de paillettes argentées. Elle en parsema également ses cheveux, remontés en un chignon serré, afin qu'ils scintillent à la lumière des projecteurs. Puis elle enfila des chaussons de satin blanc. Pour leur première représentation depuis leur lune de miel à Santa Ynez, elle voulait être parfaite.

De son côté, Nick passa sa plus belle queue-de-pie sur une chemise de piqué blanc faite sur mesure à Paris et un gilet blanc à boutons de diamant qu'il n'avait encore jamais porté en représentation. Avant de s'habiller, il s'était rasé de près, avait mis de l'eau de Cologne et ciré ses bottes avec application. Puis il alla à l'écurie retrouver Toby qui avait travaillé les chevaux dans l'après-midi et était en train de les seller. Katia lui tenait compagnie. Très amoureux tous les deux, ils ne se quittaient pas, ou presque. Lucas ne manquait pas une occasion de se moquer de son frère. La jeune fille était déjà en tenue pour la représentation. Elle participait au numéro de trapèze de son père et de ses oncles tandis que sa mère serait sur la corde raide. Nick bavarda avec les deux jeunes gens tout en examinant les chevaux et le matériel. Tout était en ordre, et Pégase paraissait en pleine forme.

— Où êtes-vous allés ? s'enquit Toby avec intérêt.

C'était la première fois depuis leur arrivée au cirque que son père les laissait. Le jeune homme avait été ravi de passer plus de temps encore avec Katia et ses parents.

— À Santa Ynez, répondit Nick, détendu. C'est une région magnifique, idéale pour les chevaux. J'aimerais bien y avoir un ranch. Un jour, qui sait…

Il se mit en selle et sentit son cheval bouillir d'excitation sous lui. Peut-être percevait-il que son cavalier était un homme neuf ? Revenu à la vie dans les bras de Christianna…

Nick et Toby quittèrent la tente avec les chevaux, Katia les suivant à bonne distance pour ne pas recevoir un coup de pied ou se faire bousculer. Christianna les attendait au chapiteau. Nick et Toby peaufinèrent les derniers détails, puis il la mit en selle. Elle s'assit souplement et chaussa les étriers réglés à bonne longueur pour elle. Un instant plus tard, les projecteurs se braquaient sur eux. Ils se surpassèrent. Tout le monde en convint : ils étaient magnifiques. Ils avaient encore gagné en précision et en grâce ; ils ne faisaient plus qu'un, et les chevaux aussi semblaient une partie d'eux. Ils terminèrent par un tour d'honneur au galop en se tenant par la main. La petite tiare que la costumière avait donnée à Christianna étincelait comme les diamants du gilet de Nick. Ils formaient un couple d'une élégance suprême ; le public applaudissait à tout rompre.

En sortant de piste, Nick et Toby allèrent attacher les chevaux à l'extérieur du chapiteau. Nick eut le temps de fumer une cigarette et de se détendre avant d'entendre les premières mesures de la musique de Christianna. Il rentra à l'instant où elle montait à la corde lisse vers la petite plate-forme. Elle s'y posa aussi légèrement que d'habitude, et Nick la regarda commencer son numéro, la gorge nouée par l'inquiétude. Il faisait attention à rester hors de la lumière, à l'écart de ses frères et de son père. Elle exécuta les premiers mouvements avec plus de grâce que jamais. Rayonnante, elle réussit un premier demi-tour parfait. Mais, au second, elle faillit trébucher. Les spectateurs poussèrent un cri d'effroi. Tout le corps de Nick était tendu vers elle, broyé par l'angoisse. Il aurait voulu pouvoir l'aider, la rattraper si elle tombait. Mais elle recouvra aussitôt son équilibre et son sang-froid. Quelques secondes plus tard, elle était au bout du fil et sautait légèrement sur la plate-forme. Nick crut défaillir de soulagement. Le sang battait à ses tempes. Jamais il ne tiendrait toute une vie comme cela, à craindre chaque soir pour la vie de la femme qu'il aimait.

Christianna se laissa glisser à terre sous un tonnerre d'applaudissements, salua et sortit de piste. Elle passa devant Nick en souriant, suivie de près par ses frères. Il la chercha dans les coulisses, sans succès. Décidément, il ne comprenait pas le goût du public pour les numéros dangereux, ce frisson qu'éprouvaient les spectateurs à l'idée qu'elle pouvait à tout moment tomber et se tuer. Il leur en voulait même, lui qui était ébranlé à chaque fois jusqu'au tréfonds de son être.

Quand il la revit, elle chevauchait l'éléphant, pour le défilé final. Elfe argenté, elle se mit debout en se tenant à la poignée de la selle de l'animal tandis que Nick passait à côté avec son étalon. Il resta un instant à sa hauteur et lui tendit la main. Elle se pencha vers lui pour la toucher avant d'envoyer un baiser aux spectateurs.

Quelques minutes plus tard, à la fin de la parade, Nick put voler quelques minutes de tête-à-tête avec Christianna. Mais il fallait être bref. Ses frères l'attendaient à l'extérieur.

Il ne put s'empêcher de la réprimander.

— Tu as failli tomber, ce soir.

— J'ai été distraite un instant, reconnut-elle d'un air contrit. Mais je me suis vite rattrapée.

— Et si tu n'avais pas réussi ? répliqua-t-il en la fixant du regard.

— Je serais morte.

— Moi aussi, j'en mourrais, la prévint-il plus doucement. Ne l'oublie jamais.

Elle hocha la tête. Alors, très vite pour que personne ne le voie, il lui prit la main et la baisa.

— Je t'aime, murmura-t-il.

— Moi aussi, je t'aime, répondit-elle dans un souffle avant de disparaître.

13

Après Santa Barbara, ils se rendirent à Solvang, une drôle de petite ville bâtie sur le modèle d'un village hollandais, avec des moulins. Ensuite, ce fut Las Vegas, l'une des étapes favorites de la troupe. Une seule nuit sur place n'allait pas leur laisser beaucoup de temps pour les tables de jeu. Ils profitèrent donc au maximum des casinos avant et après les représentations – car ils se produisaient en soirée et en matinée.

Cela faisait sept mois qu'ils étaient sur la route – un peu moins que les années précédentes – quand ils se dirigèrent vers le sud-est pour rentrer. Ils ne passaient qu'une nuit dans chaque ville, ce qui était éreintant pour les hommes de piste qui devaient tout monter et démonter quotidiennement. Ils travaillaient tard dans la nuit, après la représentation, pour être prêts à repartir dès le lendemain matin.

Ils traversèrent ainsi tout le Sud, s'arrêtant presque dans chaque ville, pour finir à Tampa, en Floride, le dernier soir.

Depuis le début du mois de septembre, le cirque et le monde entier suivaient avec angoisse les nouvelles du conflit en Europe. La Grande-Bretagne, la France, la Nouvelle-Zélande et l'Australie avaient déclaré la guerre à l'Allemagne. Ceux qui avaient de la famille en Europe, dont Nick, étaient particulièrement inquiets.

Malgré tout, ils avaient tenu leurs engagements jusqu'au bout, jusqu'à cette dernière représentation de Tampa le 30 octobre. Cela faisait plusieurs semaines que Nick n'avait plus de nouvelles d'Alex ni de son père. Les dernières lettres qu'il avait reçues étaient passées au crible de la censure, comme en témoignaient les tampons et cachets officiels qu'elles portaient. Toutefois les États-Unis n'étant pas en guerre contre l'Allemagne, elles lui étaient parvenues.

Nick se faisait beaucoup de souci pour son père. Paul lui paraissait vieilli, découragé devant l'état du monde. Et cela n'allait faire qu'empirer, sans doute, vu la conjoncture. Nick attendait avec impatience des nouvelles d'Alex : son ami lui donnait davantage de détails. Paul, qui se voulait rassurant, ne faisait que répéter que, dès que les choses se calmeraient, Nick et les garçons pourraient rentrer. Bien qu'il semblât de plus en plus évident à Nick que ce n'était pas près d'arriver. Pas tant qu'Hitler serait au pouvoir, en tout cas. Il ne pouvait s'empêcher de se demander ce qu'il était advenu de sa mère. Avait-elle été prise dans une rafle, comme tant d'autres Juifs au cours de l'année qui s'était écoulée, et envoyée dans un camp de concentration ? Avait-elle pu fuir ? Même sans la connaître, il l'espérait sincèrement.

Juste avant l'arrivée à Tampa, Nick et Christianna étaient parvenus à faire une autre escapade romantique, dans une charmante pension de famille de Savannah, en Géorgie. À nouveau, elle avait pu compter sur la complicité des Ukrainiennes. Nick lui avait confié son inquiétude au sujet de son père ; elle s'en était émue, avait tenté de le réconforter. Elle comprenait très bien. Si presque toute sa famille avait émigré aux États-Unis, recrutée par différents cirques, il lui restait des cousins à Varsovie pour lesquels elle s'inquiétait beaucoup.

Encore transportée par sa nuit d'amour avec Nick, déconcentrée par le souvenir de leur tête-à-tête, elle trébucha de nouveau lors de la dernière représentation. Le public poussa un cri d'effroi.

Nick n'y tint plus. Après le spectacle, il la supplia d'arrêter la haute voltige sans filet.

— Ne me demande pas cela, Nick, répondit-elle au comble de la frustration. Tu ne vois pas que je n'ai pas le choix ? Si j'arrête, nous n'aurons plus de numéro et nous devrons partir. Ma famille dépend de moi. C'est mon métier et c'est ma vie, comme tes chevaux pour toi.

Il lut dans son regard une tristesse infinie. Elle était malheureuse de le faire souffrir, mais elle n'y pouvait rien. Les Markovitch travaillaient sans filet. C'était cette audace qui faisait leur succès.

— Toute ta famille est donc ravie que tu risques ta vie pour elle ?

Il s'énervait à chaque fois qu'ils en parlaient. Ces discussions étaient d'ailleurs stériles. Comment aurait-il pu comprendre, lui qui n'appartenait pas à une famille du cirque et n'était chez les Ringling Brothers que depuis moins d'un an ?

— Ainsi, tu ne comptes pas arrêter ? demanda-t-il avec une certaine brusquerie.

— Non. Alors autant éviter le sujet.

— Sans doute, si tu refuses d'être raisonnable.

Cette dispute ne résolut rien et les laissa en froid jusqu'au lendemain, au retour à Sarasota. Ils n'étaient prêts à céder ni l'un ni l'autre. Mais la tension entre eux se relâcha vite, d'autant que la pause hivernale les dispensait des représentations quotidiennes et des voyages épuisants. Le problème resta donc au point mort. Au demeurant, la guerre était désormais au centre des préoccupations de tous, et les nouvelles n'étaient pas bonnes. C'était évident, maintenant : l'objectif d'Hitler était de dominer le monde.

Nick écoutait constamment la radio pour se tenir informé. Son inquiétude pour son père et pour Alex ne le quittait plus, même dans les moments de bonheur qu'il passait auprès de Christianna. L'inquiétude, mais aussi la culpabilité. Il s'en voulait de n'être pas en Allemagne pour agir, les aider.

— Ce sont eux qui t'ont poussé à partir, lui rappela-t-elle pour l'apaiser un soir qu'ils en parlaient. D'ailleurs, tu n'aurais pas pu rester.

— Je ne comprends pas pourquoi j'ai accepté, avoua-t-il avec franchise. Ma place est auprès d'eux.

De si loin, il ne pouvait rien faire pour les siens, ni pour ceux qui, en Europe, subissaient la guerre. Il se sentait si impuissant... Seul le soutien de Christianna, son amour, lui permettaient de tenir. Chaque jour qui passait resserrait les liens qui les unissaient.

Quant à Toby et Lucas, ils étaient heureux d'être rentrés à Sarasota après ce long cours de géographie, qui avait duré sept mois et les avait menés d'un bout à l'autre de l'Amérique. Tous les jours, après l'école, Lucas retrouvait les clowns. En un an, c'était devenu un véritable enfant de la balle. Se rappelait-il seulement leur vie d'avant ? Il s'était fait des amis dans tout le cirque, autant parmi les enfants que les adultes. Le petit garçon était ainsi : tout le monde l'aimait, et il aimait tout le monde. D'un naturel plus réservé, Toby passait le plus clair de son temps libre avec Katia. Leur romance se poursuivait en toute innocence. Ils parlaient, faisaient leurs devoirs ensemble, s'embrassaient quand ils le pouvaient.

Un après-midi de novembre, par une pluie battante, Christianna arriva à la caravane de Nick, trempée, pour l'inviter à dîner le soir même avec sa famille. Désœuvrés, ses frères avaient passé la semaine à se plaindre de lui, de ses airs supérieurs, de son snobisme supposé. Elle voulait leur donner l'occasion de se rendre compte que c'était quelqu'un de bien, qu'il était modeste, gentil. Ses belles-sœurs préparaient un dîner simple, précisa-t-elle. Des saucisses polonaises, des boulettes de pâte, des légumes à la vapeur. C'était la cuisine qu'ils appréciaient et qu'ils savaient faire ; elle espérait que cela conviendrait à Nick.

— Je comptais emmener les garçons au réfectoire, répondit-il en souriant.

Il s'efforçait d'y aller régulièrement pour que ses fils aient des repas suffisamment copieux et équilibrés, mais il leur arrivait aussi de manger ce qui leur tombait sous la main. Il était toujours aussi piètre cuisinier, il l'admettait volontiers. Par bonheur, Gallina et Sergei avaient la bonté de les inviter souvent à partager leurs délicieux dîners tchèques.

— Mais nous serons bien plus heureux d'accepter ton invitation. Merci beaucoup.

Elle le pria de venir vers 19 heures.

Dernièrement, tout le camp ne parlait que de la reddition de Varsovie aux nazis, fin septembre, qui avait causé une vive inquiétude chez beaucoup. Nick ne doutait pas qu'il en serait question, ce soir-là, dans la famille de Christianna. Des bagarres avaient éclaté dans le campement à ce sujet. Aiguillonnés par la peur pour leurs parents restés au pays, des gymnastes polonais s'en étaient pris à un groupe d'Allemands à l'intendance. Des écuyers britanniques en étaient venus aux mains avec d'autres Allemands. John Ringling North avait dû envoyer un avertissement général rappelant que le cirque devait rester un lieu de paix, quelles que soient l'allégeance nationale ou les sympathies de chacun durant cette guerre.

La raison pour laquelle Nick et ses fils avaient dû quitter l'Allemagne avait fini par se savoir, au moins dans les grandes lignes, de sorte que les anti-Allemands les laissaient tranquilles. Il ne parlait d'ailleurs jamais de politique, sauf avec Christianna, Gallina et Sergei, ses plus proches amis. Il détestait Hitler et avait de bonnes raisons pour cela. Toutefois, sans s'en cacher, il n'en faisait pas étalage. Cela lui semblait plus raisonnable. Et il gardait ses distances avec les deux dompteurs allemands dont les sympathies nazies étaient notoires. Il voulait éviter tout ennui. Il en avait eu suffisamment chez lui. Mais il continuait à se faire un sang d'encre pour son père, Alex et Marianne. Leurs lettres mettaient désormais beaucoup plus de temps à lui parvenir. Il restait donc longtemps sans nouvelles autres que celles des actualités filmées et des journaux.

La famille Markovitch occupait quatre caravanes. Nick et ses fils se rendirent directement dans celle du père de Christianna, comme elle le lui avait indiqué. Nick s'était dépêché de se rendre en ville pour acheter des fleurs pour sa tante et ses quatre belles-sœurs, ainsi qu'un petit bouquet pour elle, et une bouteille de vodka pour les hommes. Son geste fut très apprécié par sa tante, qui le remercia avec force sourires.

— C'est moi qui vous remercie de votre invitation, mademoiselle Markovitch, assura-t-il.

Il savait que, accidentée très jeune, à dix-huit ans à peine, elle n'avait jamais été mariée. Son frère l'avait donc prise en charge, bien avant de se retrouver à son tour en fauteuil roulant. La cinquantaine passée, elle cousait les tenues de gala de la famille, tenait les comptes et jouait les baby-sitters. Elle avait d'ailleurs élevé Christianna et sa petite sœur après la chute mortelle de leur mère. C'était une femme revêche. Mais Christianna, qui la disait malheureuse, lui était très attachée – bien plus qu'à ses frères et ses belles-sœurs, qui ne la traitaient pas toujours bien. Sans doute jalousaient-ils son statut de star, sa jeunesse, sa beauté, sa grâce et son talent. C'était du moins ce que pensait Nick. Comment réagiraient-ils, tous, s'ils apprenaient sa relation avec elle, alors qu'ils le jugeaient trop fier et que, comme beaucoup d'autres, ils voyaient leur succès d'un mauvais œil ?

La forte odeur de saucisse et de chou le ramena aussitôt chez lui, en Allemagne : c'était l'odeur qui émanait des fermes du domaine familial. Elle lui avait toujours plu, au point que, enfant, il rêvait d'être invité à dîner chez les fermiers. Cela le tentait bien plus que les mets raffinés que l'on servait au château, le gibier à poil et à plume que son père rapportait de la chasse. Quoi qu'il en soit, le but de cette soirée était de faire plus ample connaissance avec la famille de Christianna. Il connaissait très peu les Markovitch, au fond – mais assez pour savoir qu'ils représentaient l'aristocratie du cirque.

Ses fils offrirent les autres bouquets aux dames, et les hommes parurent apprécier sa bouteille de vodka. Il avait pris ce qu'il avait trouvé de mieux chez l'épicier le plus proche du champ de foire.

Pendant que les femmes achevaient de préparer le dîner tout en bavardant avec Toby et Lucas, il resta avec les hommes. Ils évoquèrent un moment la guerre, et l'un des frères lui demanda pourquoi il avait quitté l'Allemagne. Il avait entendu des rumeurs sur le sujet, mais Christianna ne lui avait rien expliqué.

— J'ai découvert que ma mère, que je n'ai pas connue, était à moitié juive, répondit-il en le regardant dans les yeux.

Il savait que ce n'était pas le cas des Markovitch, mais n'avait aucune idée de leurs sentiments sur le sujet. Néanmoins, c'était un fait, et il ne souhaitait pas le cacher.

— Vous n'avez pas l'air juif pourtant, commenta l'un d'eux en servant de petits verres de vodka.

Comme ses hôtes, Nick vida le sien d'un trait.

— Je ne le suis qu'au quart, par ma mère. Mon père est catholique.

— Et comte, à ce qu'il paraît, ajouta-t-il avec une pointe d'agressivité avant de reprendre un verre de vodka.

Sandor, le père, approcha son fauteuil roulant pour se resservir à son tour et, l'air satisfait, se tourna vers Nick.

— Cela doit vous faire un sacré changement, remarqua-t-il, sarcastique.

— Le cirque nous a sauvé la vie, à mes fils et à moi. Je lui suis extrêmement reconnaissant. Un ami m'a donné les chevaux que j'ai amenés. Monter à cheval, c'est la seule chose que je sache faire. J'ai beaucoup appris, au cours de cette année.

Sa simplicité était sincère et sembla adoucir ses interlocuteurs.

— C'est déjà pas mal, lança l'un d'eux en riant.

Sans doute réchauffé par sa seconde vodka, il avait l'air beaucoup plus bienveillant.

— Surtout que tu es bon. J'aime bien ton numéro avec les chevaux blancs. Comment fais-tu pour leur apprendre à se tenir debout comme ça ?

— C'est un talent naturel, chez eux. Et puis mon ami les avait déjà dressés avant de me les donner, précisa-t-il. Les lipizzans sont des chevaux extraordinaires. J'aimerais bien en élever, un jour.

— Ils doivent valoir beaucoup d'argent...

Nick hocha la tête.

— Et tu penses que tu vas rester ?

C'était la question qui les préoccupait tous.

— Je l'espère. J'ai besoin de ce travail pour élever mes fils. De toute façon, après cette guerre, je suppose que l'Allemagne sera en ruine. Nous n'avons plus rien d'autre.

Dans l'état actuel des choses, il estimait qu'il y avait peu de chances qu'il recouvre un jour le château et le domaine de sa famille. Il vivait donc de son salaire, comme les Markovitch, en économisant autant qu'il pouvait.

— Et vous ? leur demanda-t-il. Avez-vous encore de la famille en Pologne ?

— Très peu ; seulement quelques cousins. Tous les autres sont en Amérique. Et nous ne sommes pas juifs, précisa Peter, le frère aîné, d'un ton neutre. En revanche, certains jongleurs sont juifs et ont des parents au pays. Ils essaient de les faire venir, mais, pour le moment, ils n'y parviennent pas. Vous avez de la chance d'être partis à temps.

— Oui, confirma Nick.

Il y avait eu des pogroms en Pologne, en Russie, en Tchécoslovaquie. Les Juifs avaient été envoyés dans des camps de travail, persécutés, voire tués, avait-il entendu à la radio.

— Ce qui se passe là-bas a l'air terrible, reprit-il. Nous sommes en sécurité, ici.

— Oui, nous sommes bien. Vous savez, les Markovitch sont tous américains, maintenant, déclara fièrement Peter. Nous, nos femmes, mon père, Christianna ; notre tante a été la dernière à renoncer à la citoyenneté polonaise. Mais c'est préférable pour nous tous. Nous sommes ici depuis vingt ans, et l'Amérique nous a bien accueillis, dit-il d'un ton plein de reconnaissance.

Nick, aussi, avait été bien accueilli. Toutefois, il se sentait encore allemand et envisageait, si la situation le permettait, de retourner un jour dans son pays natal. Il n'était pas encore suffisamment attaché à sa terre d'accueil pour souhaiter en faire sa patrie et renoncer à l'ancienne. Cela ne l'empêchait pas d'admirer la démarche loyale de la famille de Christianna.

Un blanc dans leur conversation sur la guerre lui fournit l'occasion de demander, le plus calmement du monde :

— Pourquoi la laissez-vous travailler sans filet ?

Cette question lui brûlait les lèvres depuis le début. Un brusque silence se fit dans la caravane. Puis Sandor prit la parole. Nick s'était rendu compte de l'attention avec laquelle il l'observait depuis son arrivée ; il semblait moins hostile qu'il ne s'y attendait.

— C'est ce qu'attend le public, expliqua-t-il. Une gamine sur un fil à un mètre cinquante du sol avec un balancier dans les mains et un canari sur la tête ne l'intéresserait pas. Ce qu'il veut voir, c'est de la bravoure. Christianna est courageuse. Ma femme l'était aussi. Dans la vie, on n'a rien sans risque. Les gens ne la comprennent pas, mais ils l'admirent. Ce n'est pas facile, sur la corde, mais Christianna est excellente. Elle est plus douée que moi, que sa tante ou que sa mère. Elle a ça dans le sang ; ce n'est pas le cas de tout le monde, loin de là. Et c'est indispensable pour faire ce métier. On ne peut pas s'improviser funambule, ni même apprendre ce métier si l'on n'est pas fait pour. C'est un peu comme vos chevaux. Vous avez parlé de talent naturel. Christianna aussi a un talent naturel ; il faut qu'elle s'en serve.

— Et si elle tombe ? demanda Nick qui s'efforçait tout de même de comprendre le point de vue des Markovitch.

Au fond, ils étaient un peu des gladiateurs des temps modernes, prêts à livrer bataille et à affronter la mort tous les jours. Sauf qu'ils ne s'exposaient pas tous. Christianna seule prenait les risques.

— Elle ne tombera pas, affirma son père, sûr de lui. Parce qu'elle est très bonne. Et, chaque jour, elle peut constater qu'elle est capable de faire quelque chose de très difficile ; chaque jour, elle vainc sa peur. Cela va la rendre encore plus forte.

Ou la tuer… Mais Nick désespérait de les convaincre. Et mieux valait ne pas trop insister en cette première rencontre.

— Vous aussi, reprit Sandor, vous pourriez vous casser le cou en tombant de cheval ; pourtant, cela ne vous arrête pas. Parce que vous savez ce que vous faites. Eh bien elle, c'est pareil.

Que répondre à cela ? De toute façon, Nick n'aurait pas gain de cause ce soir.

— Au fond, nous sommes tous courageux et fous, dit-il, philosophe.

Si ce n'est que les frères de Christianna ne faisaient rien que la regarder et venir saluer avec elle à la fin de son numéro. C'était elle, la princesse, qui, courageusement, se battait chaque jour contre des dragons. Parce que sa famille comptait sur elle. Parce que c'était la tradition chez eux. Parce que c'était son devoir.

Le plus jeune des frères servit une troisième tournée de vodka. Cette fois, Nick refusa. Du reste, le dîner était servi. Tout le monde passa à table dans la caravane bondée et tendit son assiette. Christianna se glissa à côté de Nick, à la seule place libre. Il comprit que ses frères la lui avaient laissée à dessein. C'était leur façon de montrer qu'ils avaient bonne opinion de lui, bien qu'il ne fût pas des leurs. Sa franchise, son honnêteté avaient payé. Sandor l'entretint pendant tout le dîner. Ensuite, quand ils eurent débarrassé, il l'invita à jouer au poker avec eux. Il accepta volontiers : c'était un jeu qu'il appréciait. Il perdit, mais après s'être bien battu.

Ils se séparèrent avec force accolades et claques dans le dos. Les frères de Christianna avaient bu plus que de raison. Son père et Nick, moins. Les femmes s'étaient retirées depuis un moment. Seule Christianna était restée et avait fait une partie de cartes avec les garçons.

— Merci d'être venus dîner avec nous, dit Sandor solennellement.

C'était sa façon à lui de lui faire comprendre qu'il l'estimait, sans le lui dire ouvertement.

— Merci de nous avoir invités. C'était délicieux.

Ils se regardèrent. Dans les yeux de son hôte, Nick lut de la curiosité, et du respect.

— Vous êtes un homme honnête, dit Sandor. C'est bien. Et ne vous en faites pas pour Christianna : elle ne tombera pas.

Sans doute avait-il compris que Nick tenait à elle. Se doutait-il à quel point ?

— Je l'espère, répondit ce dernier.

— Mais, vous, n'allez pas la faire tomber de vos chevaux, hein !

Nick sentit qu'il ne plaisantait qu'à moitié et lança, avec feu :

— Si cela arrivait, je tuerais le cheval de mes propres mains.

— Bon, très bien alors ! Revenez bientôt nous voir, Nick.

— Merci. Nous n'y manquerons pas. Je vous inviterais bien volontiers chez nous, mais il faudrait que j'achète des hot-dogs à la cantine, parce que je fais très mal la cuisine.

Cet aveu fut salué par un éclat de rire.

— Ne vous inquiétez pas, lâcha Sandor. Nous vous emmènerons dans un restaurant polonais, un de ces jours. On y mange très bien ; beaucoup mieux que ce que mes belles-filles nous ont servi ce soir. Nous y allons souvent pendant la trêve hivernale.

Nick s'en réjouit d'avance. Pour l'heure, il fallait rentrer. Il appela ses fils, et Christianna les accompagna dehors. La pluie avait laissé une certaine fraîcheur dans l'air de la nuit étoilée.

— Ils t'ont apprécié, chuchota-t-elle.

À quelques pas d'eux, les garçons bavardaient avec animation et ne les écoutaient pas.

— Ils sont surtout contents de m'avoir battu au poker, repartit-il.

Il avait perdu dix dollars. Pour lui, c'était beaucoup, mais si cela pouvait amorcer de bonnes relations entre leurs deux familles, ce n'était pas cher payé.

— Non, non. Vraiment, ils t'ont bien aimé. Et mon père aussi. Tu as été très gentil avec eux tous, ajouta-t-elle avec un regard reconnaissant.

— Mais eux aussi ont été gentils avec moi.

Malgré leur côté un peu brut et leurs différences culturelles, il éprouvait pour eux une réelle sympathie. Leur attitude vis-à-vis de Christianna était la seule ombre au tableau.

— À demain, dit-il.

Il aurait aimé l'embrasser, mais il ne voulait pas courir le risque d'être vu. Il tenait à protéger leur amour. Ce soir, ils avaient fait un grand pas en avant vis-à-vis de son père et de ses frères. Il aurait été idiot de tout compromettre maintenant.

— Je t'aime, fit-elle dans un souffle à peine audible avant de le laisser partir.

— Moi aussi, articula-t-il silencieusement.

Sur le chemin du retour, ses fils y allèrent de leurs commentaires.

— Ils sont gentils, commenta Toby. Et on a bien mangé finalement.

Le jeune homme paraissait presque étonné d'avoir passé une aussi bonne soirée.

— J'ai battu Christianna aux cartes, lança Lucas avec un gloussement de fierté.

— Bravo, lâcha Nick. J'espère que tu as gagné de l'argent, parce que ses frères m'ont battu au poker. Ils sont coriaces.

— Je l'aime bien, papa, fit Lucas en bâillant.

— Moi aussi, avoua Nick.

Ils étaient arrivés. Toby lui sourit sans rien dire.

— Maintenant, au lit, les enfants.

Il n'était pas prêt à leur en dire davantage pour le moment.

Cinq minutes plus tard, après s'être brossé les dents et mis en pyjama, ils se couchaient. Il alla les embrasser, puis revint dans le petit salon et songea à la soirée, à la famille de Christianna.

Oui, ils étaient coriaces, mais comme beaucoup de gens du cirque. Ils avaient leurs traditions, leurs règles, leur hiérarchie. Cette hiérarchie qui faisait des Markovitch les aristocrates de leur monde. La princesse et le comte… Il appuya la tête contre le dossier du canapé et ferma les yeux pour mieux se représenter Christianna. Il la voyait debout sur Athéna tandis que lui chevauchait Pégase. Il ne l'imaginait plus jamais sur le fil. Elle était devenue sa petite fée qui montait les lipizzans avec lui en lui donnant la main. Il ne voulait pas d'autre image d'elle, la femme de ses rêves.

14

Fin novembre, tandis que les Américains fêtaient Thanksgiving, la situation en Europe continuait d'empirer. Les Juifs de Pologne furent contraints de porter une étoile de David jaune sur la poitrine ou un brassard, pour que l'on puisse les identifier. Cinq jours plus tard, le premier ghetto polonais était mis en place.

En Allemagne, le rationnement avait été instauré dès la déclaration de guerre, mais à un faible degré. Hitler ne voulait pas que les Allemands souffrent de privations qui auraient pu atteindre leur moral. Malgré les tickets de rationnement, le changement n'était donc pas trop important. Il y avait de toute façon suffisamment de nourriture et de vêtements. Seul le carburant manquait. Conformément à la logique d'Hitler, les Juifs se voyaient attribuer des rations inférieures.

Les jeunes hommes avaient été enrôlés dès le début de la guerre, et il y avait des soldats partout, même dans la paisible campagne bavaroise où vivaient Alex et sa fille. Et, s'ils avaient de quoi se nourrir, il leur était devenu impossible de chauffer le château. Les cheminées ne suffisaient pas à maintenir une température agréable, et Marianne avait tout le temps froid. Elle avait cessé d'aller en classe et ne sortait plus de chez elle. Elle tenait la maison et passait beaucoup de temps à rouler des bandes destinées à panser les blessés dans les hôpitaux.

Tous les palefreniers et les garçons d'écurie d'Alex étaient partis à la guerre. Il s'occupait donc lui-même des chevaux, ce qui lui prenait tout son temps. Il était aidé par Marianne, mais aussi par les fils des fermiers des environs encore trop jeunes pour le service militaire. On l'avait prévenu cependant que la Wehrmacht risquait de les réquisitionner. Dans un pays en guerre, les civils n'avaient plus besoin de chevaux de cette qualité, avaient déclaré les deux officiers de cavalerie venus visiter ses écuries.

Fine cuisinière, Marta continuait à leur servir des repas aussi bons que par le passé. Pour l'instant ne manquaient réellement que le café, les oranges, les bananes et le chocolat. Ils avaient en revanche suffisamment de viande, d'œufs et de produits de la terre.

Heureusement, Alex n'avait pas de fils à envoyer à la guerre. Et quelle chance que Nick ait pu partir à temps avec ses garçons... Alex n'avait que détestation pour Hitler et tout ce qu'il représentait.

Quant à Paul, il restait seul, désespéré, dans sa gentilhommière vide, à guetter les lettres de son fils et ses petits-fils. Alex lui rendait visite presque tous les jours. Il avait terriblement vieilli, depuis un an. Ce n'était plus le même homme. Le chagrin l'avait rendu amer, écœuré par tout ce qu'il voyait autour de lui. Il passait des journées entières sans parler à personne, si ce n'est à Alex. Il n'avait plus goût à rien, se désintéressait même de la gestion de son domaine, la grande passion de sa vie. Sans hommes jeunes et vigoureux pour l'aider et surtout sans l'espoir de le transmettre un jour à Nick et ses fils, cela n'avait plus de sens pour lui.

Alex ne se réjouissait pas davantage de la situation. Toutefois, le fait qu'il soit plus jeune expliquait probablement qu'il fût encore capable de se figurer un monde et une vie meilleurs après la guerre. Un monde sans Hitler. Paul, lui, ne voyait que la destruction de sa patrie et l'anéantissement de tout espoir de revoir un jour son fils et ses petits-fils. Les journées et les nuits lui paraissaient interminables, tandis qu'Hitler dévorait sans relâche les petits pays d'Europe, incapables de se défendre contre lui.

La veille de Noël, Alex rendit visite au vieil homme. Depuis quelque temps, Paul avait contracté une vilaine toux. Ses accès de fièvre fréquents l'avaient contraint à refuser l'invitation d'Alex à passer les fêtes avec eux. Il était affaibli, tombait souvent malade depuis un an. En arrivant à la gentilhommière, Alex trouva Paul délirant. Il pria la gouvernante d'envoyer chercher le médecin, ce qu'elle promit de faire sans tarder.

Le soir, Alex et Marianne dînèrent d'un délicieux poulet en sauce mitonné par Marta et accompagné de pommes de terre. Le plat ne reflétait en rien les pénuries, même si elle avait utilisé leurs tickets de rationnement pour faire les courses. Dans une certaine mesure, Alex était protégé par son rang social. Cependant, il était censé faire tout son possible pour soutenir le Troisième Reich, tant matériellement que par son attitude, afin de montrer l'exemple.

— Paul est-il vraiment très malade, papa ? demanda Marianne, soucieuse.

Alex hocha la tête en guise de réponse. Mais il n'y avait pas que l'état de santé de Paul qui l'inquiétait. Il trouvait Marianne bien fatiguée et d'une pâleur anormale. Elle en faisait trop, pour l'aider, aux écuries. C'était un travail d'homme. Et le soir, dans la maison, elle grelottait. Les rigueurs de la guerre se faisaient sentir, et ce n'était que le début. L'Amérique, en outre, n'avait nullement l'intention d'entrer en guerre. Franklin D. Roosevelt l'avait affirmé, de sorte que les Alliés devraient se défendre seuls en Europe, sans espoir d'aide extérieure. Cela rendait la situation plus préoccupante encore. Alex en était pleinement conscient, même s'il n'en parlait pas avec Marianne.

Il se prit à regretter qu'elle ne soit pas en Amérique avec Nick et les garçons. Eux ne risquaient rien, au moins. Et les nouvelles qu'ils avaient du cirque n'étaient pas mauvaises. Marianne lui racontait les récits que lui faisait Toby de la vie là-bas. Cela leur semblait complètement surréaliste. Même la température très douce de la Floride était à l'opposé de l'hiver glacial qu'ils connaissaient ici. Toby allait à l'école, avait des amis... Elle se sentait bien vieille, quand elle lisait ses lettres. Et elle ne pouvait même pas lui raconter combien les choses allaient mal en Allemagne, car la censure aurait détruit ses lettres. Elle était contrainte de mentir, d'assurer que tout allait bien.

— Mais malade à quel point ? insista Marianne.

— Je ne saurais dire, je ne suis pas médecin... Très malade, je pense, répondit franchement Alex.

Le pire, c'était qu'il lui semblait que le père de Nick avait perdu l'envie de vivre. Seul, il ne mangeait rien ; il avait énormément maigri ces derniers mois. Alex craignait qu'il soit trop affaibli, et surtout trop découragé, pour survivre aux longues années de guerre qui s'annonçaient.

— J'espère qu'il va vite se rétablir, dit-elle doucement.

Puis, voyant que son père se préparait à ressortir pour aller le voir, elle demanda à l'accompagner. Il hésita, de peur qu'elle ne tombe malade à son tour, mais, devant son insistance, il finit par céder. Ils s'y rendirent à cheval pour économiser un carburant de plus en plus rare.

Ils passèrent devant le château plongé dans l'obscurité et continuèrent jusqu'à la gentilhommière. Ursula, la gouvernante, vint leur ouvrir. Quoique habitant l'une des fermes alentour, elle était restée avec Paul, trop inquiète pour le laisser seul. Le médecin venait de repartir, promettant de revenir dès le lendemain matin. Il ne disposait que de peu de médicaments à lui donner. Presque toutes les réserves médicales étaient pour l'armée. Du reste, Paul soutenait qu'il allait bien et n'avait besoin de rien.

Alex entra seul dans sa chambre, laissant Marianne avec Ursula dans la cuisine, où elles se réchauffèrent en buvant de l'eau chaude. Il faisait presque aussi froid ici qu'à Altenberg.

L'état de Paul fut loin de le rassurer. Il avait le regard vitreux, les joues rouges et brûlantes. Il semblait épuisé, déjà prêt à se rendormir.

— Comment vous sentez-vous ? lui demanda tout de même Alex en tirant une chaise à son chevet pour s'asseoir.

Il prit dans la sienne sa main maigre et veineuse, couverte de taches. Il lui semblait si vieux.

— Je suis fatigué, répondit Paul d'une voix faible avant d'être saisi d'une quinte de toux.

Alex lui proposa un peu d'eau à boire :

— Il faut vous rétablir, Paul. Nick compte sur vous pour faire marcher le domaine jusqu'à son retour.

— Je serai mort et enterré quand il rentrera, objecta Paul abruptement.

Il semblait tout à fait résigné à cette idée.

— Mais non, Paul. En plus, si vous mourez, c'est à moi que Nick le reprochera.

Alex sourit à celui qui avait été pour lui comme un père depuis la mort du sien quand il était encore tout jeune. C'est lui qui lui avait appris à gérer son domaine et transmis tout ce qu'il savait – alors qu'il n'y était pas parvenu avec son fils, sans doute, justement, parce que ce dernier savait pouvoir compter sur lui.

— La guerre va être longue, murmura Paul après avoir repris son souffle. Les Britanniques vont se battre âprement ; les Français aussi, je l'espère. Et d'autres. Ils ne vont pas laisser ce monstre envahir l'Europe. Qui sait ? Les Américains finiront peut-être par s'en mêler un jour. De toute façon, cela va durer longtemps. Hitler ne s'arrêtera que quand ils l'auront anéanti – et Dieu sait que je souhaite qu'ils y parviennent avant qu'il ne nous détruise, nous, et ce que représente ce pays. Mais je suis trop vieux pour les regarder se battre. Je suis fatigué.

Il se tourna vers Alex, et la tristesse infinie que celui-ci lut dans son regard lui déchira le cœur. Il le voyait mourir, sous ses yeux, sans pouvoir rien faire. Le père de Nick avait perdu toute volonté de vivre.

— Mon fils me manque, ajouta-t-il. Quand je serai mort, dites-lui combien je l'aime. Tout ceci attendra son retour, bien sûr, après la guerre. À ce moment-là, j'aimerais qu'il revienne, avec les garçons. Tout est à lui. Une fois ce monstre écrasé, ils ne pourront pas le priver éternellement de son héritage.

— Alors, Paul, raison de plus pour que vous teniez bon et que vous vous occupiez du domaine jusqu'à son retour, l'encouragea Alex d'un ton plus assuré.

Mais le vieil homme secoua la tête et se détourna. Un moment plus tard, Alex se rendit compte qu'il s'était rendormi. Alors, il sortit de sa chambre.

— Comment est-il ? voulut savoir Ursula quand il descendit à la cuisine.

— Mal, répondit-il honnêtement.

Les larmes montèrent aux yeux de Marianne. Paul von Bingen était pour elle comme un grand-père. Le seul, du reste, qu'elle eût jamais connu.

— À quelle heure le médecin revient-il demain matin ?

— Il a dit qu'il essaierait d'être là à 8 heures.

— Je passerai moi aussi, pour lui parler. Bon courage, Ursula.

Elle allait rester cette nuit sur place, bien que ce fût le soir de Noël ; elle y tenait. Rassurés, Alex et Marianne se remirent en selle, mais décidèrent de gagner le village pour assister à la messe de minuit.

Dans l'église, la maigre assistance composée de femmes, d'enfants et de vieillards chantait *Douce Nuit*. Il n'y avait plus aucun homme jeune au village. Marianne avait demandé à plusieurs reprises à son père s'il ne risquait pas d'être appelé sous les drapeaux. À quarante-huit ans, lui avait-il assuré, il était trop vieux.

Après la messe, ils rentrèrent à Altenberg et se calfeutrèrent dans la bibliothèque au coin du feu. Jamais ils n'avaient passé un Noël aussi triste, sans leurs proches.

Au petit matin, après une nuit à se tourner et se retourner dans son lit, Alex se rendit chez Paul von Bingen, qu'il trouva plus mal encore. Le médecin l'ausculta et diagnostiqua une pneumonie. Il y avait peu d'espoir de guérison. Tout dépendrait de l'énergie avec laquelle il se battrait. Mais son moral ne semblait pas meilleur que la veille. Il somnola le reste de la journée. Le lendemain, il tomba dans un état semi-comateux. Pendant toute une semaine, Alex resta à son chevet. Marianne venait tous les jours tenir compagnie à son père, rentrait s'occuper des chevaux et revenait dîner avec lui.

L'espace de quelques instants, le soir du Nouvel An, Paul ouvrit les yeux et regarda Alex. Ce dernier reprit espoir. Allait-il s'en sortir, tout compte fait ?

— Vous êtes encore là ? murmura-t-il.

Il paraissait étonné. Alex se pencha vers lui et lui sourit dans la demi-obscurité.

— Vous n'avez pas mieux à faire, cher ami ?

— Non, affirma Alex. Je veux que vous guérissiez. Marianne est là aussi, en bas. Comment vous sentez-vous ?

Malgré ce regain de lucidité, il lui semblait tout aussi fiévreux que ces derniers jours.

— Très bien, assura-t-il d'une voix forte et claire.

Il s'assit un moment dans son lit et but quelques gorgées du bouillon préparé par Ursula.

— Oui, reprit-il, je me sens beaucoup mieux. Avez-vous des nouvelles de Nick ?

C'était tout ce qui l'intéressait. Depuis un an, il lui posait cette question à chaque fois qu'ils se voyaient, alors que Nick écrivait très régulièrement à son père.

— Ils sont toujours en Floride, pour la trêve hivernale. Ils vont bien tous les trois. Il m'a dit qu'ils allaient éclairer leur sapin avec des bougies, comme nous ici.

À quoi bon lui préciser que ledit sapin mesurait soixante centimètres, qu'il était posé sur l'unique table de la caravane et qu'il fallait éteindre les bougies presque aussitôt après les avoir allumées pour ne pas mettre le feu ?

— Je suis content que les garçons n'oublient pas nos traditions, fit Paul d'un air satisfait.

Puis il s'étendit et ferma les yeux. Alex décida de passer encore une nuit auprès de lui. Juste après minuit, dans les premiers instants de la nouvelle année, Paul rouvrit les yeux et sourit à Alex. Ce dernier se rendit compte alors qu'il le prenait pour Nick.

— Rentrez vite, murmura-t-il. On a besoin de vous, ici.

— C'est promis, répondit Alex pour son ami. Moi aussi, j'ai besoin de vous, père.

Cela, il le disait en leur nom à tous deux. Voir partir ce mentor qu'il aimait tant lui était insupportable. Et il savait que, pour Nick, cette perte serait plus atroce encore.

Souriant toujours, Paul le regardait ; il hocha la tête et s'assoupit de nouveau. Alex somnola à son chevet toute la nuit. Au petit matin, quand il se réveilla et le regarda, il comprit tout de suite : Paul von Bingen était mort paisiblement dans son sommeil. Il n'était plus là. Alex resta longuement seul avec lui, à caresser sa main déjà froide. Son cœur cognait violemment dans sa poitrine, et les larmes coulaient sur ses joues. Le pire était à venir, songea-t-il dans son chagrin. Maintenant, il allait devoir l'annoncer à Nick.

15

Nick passa la veillée de Noël dans sa caravane avec Toby et Lucas. Il leur offrit à chacun un jeu et un pull achetés à Sarasota et, à Christianna, un petit médaillon en or en forme de cœur qu'elle mit aussitôt. Puis elle découpa une photo de lui dans le programme du cirque et la glissa dans le médaillon, ravie. De son côté, elle lui avait tricoté une écharpe de laine noire très douce pour les soirées fraîches. Pendant les fêtes, ils passèrent ensemble autant de temps qu'ils le pouvaient sans éveiller les soupçons. Elle se joignit même à eux pour passer le jour de Noël avec Gallina, Sergei et leurs enfants, leurs plus proches amis, avec qui ils avaient déjà fêté Thanksgiving. Rien ne transparut de la supposée rivalité entre les deux jeunes femmes, qui ne montrèrent que de la bonne humeur au cours de cette journée, à l'image du reste du groupe.

— Christianna est charmante, lui dit d'ailleurs Gallina un peu plus tard.

Elle posa sur lui le même regard maternel que sur Toby. Lui sourit.

— Alors, reprit-elle, quand allez-vous vous décider à admettre que vous êtes amoureux ? Et pourquoi le cacher ? Vous avez bien le droit d'être heureux ! De toute façon, vous ne pourrez pas garder le secret éternellement ; cela saute aux yeux quand on vous voit.

— Depuis combien de temps êtes-vous au courant ? lui demanda-t-il, penaud.

Ils avaient donc été moins discrets qu'ils ne le croyaient. Il faut dire que Gallina était une femme intelligente et sensible, et qu'elle le connaissait bien. Et les sentiments qu'il éprouvait pour Christianna étaient si forts qu'ils devenaient difficiles à dissimuler. Même ses fils avaient découvert le pot aux roses – et se réjouissaient. Ils aimaient beaucoup Christianna. Lucas était allé jusqu'à dire qu'il espérait que son père se marierait avec elle pour qu'ils « puissent la garder ».

— Depuis plusieurs mois, répondit Gallina.

— Eh bien, pas facile de garder des secrets, par ici ! repartit-il en riant. Ce qu'il y a, c'est que je redoute la réaction de sa famille et que je ne veux pas lui compliquer la vie. Ses frères sont particulièrement protecteurs.

Outre la famille de Christianna, il y avait sa réputation, qu'il tenait à préserver. De même qu'il continuait de faire attention à ne pas la mettre enceinte. Jusqu'à présent, par chance, il n'y avait eu aucune alerte.

Le lendemain du Nouvel An, les Markovitch avaient invité Nick et les garçons à les accompagner au restaurant polonais de Sarasota pour célébrer la nouvelle année. Juste avant, il eut l'occasion d'aborder le sujet avec Christianna.

— Et si nous parlions à ta famille, un de ces jours ? lui suggéra-t-il prudemment.

Elle était venue lui tenir compagnie pendant qu'il nourrissait les chevaux et leur donnait à boire.

— J'y pensais, justement, avoua-t-elle.

— Tu crois qu'ils vont mal le prendre ?

Pour lui-même, il était prêt à faire face à la colère de son père et de ses frères. Ce qu'il ne voulait pas, c'était qu'ils s'en prennent à elle.

— Ils t'aiment bien, afirma-t-elle avec un petit sourire timide.

Elle caressa l'encolure d'Athéna, qui blottit sa tête contre elle.

— De plus, ils se doutent de quelque chose, reprit-elle.

— Et si mon âge ne leur convenait pas ?

— Non, ce qui les inquiète, c'est que tu veuilles partir.

Ils lui avaient d'ailleurs posé la question, se souvint-il.

— Ou que tu te mêles de nos affaires, ajouta-t-elle.

C'était une allusion directe au travail sans filet. De cela aussi, il avait été question dès la première rencontre de Nick avec sa famille, et les frères de Christianna lui en avaient reparlé par la suite.

— Je ne compte pas partir pour le moment, assura-t-il. Tant que l'Europe est en guerre, je n'ai nulle part où aller. De toute façon, même après, je ne sais pas si j'y retournerai. Donc la question de mon départ du cirque ne se pose pas. En revanche, il se peut en effet que j'intervienne un jour ou l'autre s'ils s'obstinent à te faire faire de la haute voltige sans filet. Tu connais mon opinion sur le sujet, et je n'en changerai pas. Un filet, cela ne me semble pas trop demander. Avec, je ne suis pas opposé à ce que tu continues la haute voltige jusqu'à quatre-vingt-dix ans si cela vous chante. Sans, je m'en mêlerai à chaque occasion.

Il était toujours franc avec elle, comme il l'avait été avec sa famille. Toutefois, il avait la politesse de ne pas constamment revenir sur le problème.

— Alors, poursuivit-il, comment veux-tu que nous leur présentions les choses, à propos de nous ?

— Disons-leur que nous nous aimons. Je pense que cela suffira.

— Et s'ils veulent en savoir plus ?

— Qu'y a-t-il à savoir de plus ?

— Par exemple, s'ils demandent si j'ai l'intention de t'épouser, dit-il doucement.

C'était le genre de question que posaient les pères.

— Tu n'es pas obligé de leur répondre, fit-elle en rougissant.

Elle se détourna pour s'occuper d'Athéna. Il sourit et alla la rejoindre de l'autre côté de la jument.

— Ne te cache pas, ma chérie. Je t'aime et je veux me marier avec toi un jour, mais pas avant de pouvoir t'offrir une belle vie.

Il ne lui avait encore jamais dit cela, et jamais elle n'aurait osé poser la question. Elle enfouit le visage dans son torse.

— Mais cette vie-ci est déjà belle, objecta-t-elle en levant les yeux vers lui.

— Pas suffisamment. Je veux t'offrir autre chose qu'une caravane et un filet pour ton numéro – si j'arrive à convaincre ton père. Tu mérites tellement mieux, Christianna… J'aimerais acheter un ranch dans la vallée de Santa Ynez. Ou ailleurs. Un endroit où nous pourrions élever des chevaux et vivre une vie tranquille.

— Et moi, que ferais-je ? lui demanda-t-elle avec un sourire malicieux.

C'était la toute première fois qu'ils parlaient d'avenir, de leurs rêves.

— Tu t'occuperais de moi, répondit-il avec un grand sourire, et tu aurais des bébés – si tu en as envie, naturellement. Cela dépendra de toi. J'ai déjà mes fils. N'empêche que j'aimerais infiniment avoir un enfant avec toi… quand nous serons mariés, bien sûr. Enfin, du moment que je t'ai, toi, je suis heureux. Pour le reste, la décision t'appartient.

— Et l'Allemagne ? s'enquit-elle.

Comme ses frères, elle craignait que, malgré les circonstances de son départ, il ait envie de rentrer chez lui et de retrouver son univers.

— Je ne sais pas. Tout dépendra de la situation après la guerre. J'ignore ce qu'il me restera et ce que je ressentirai. Il y a mon père, bien sûr, qui compte énormément. S'il a besoin de moi, je rentrerai. Autrement, franchement, je n'en ai aucune idée. Peut-être serions-nous plus heureux ici. Je ne sais même pas si je pourrai encore prétendre à mon héritage... Peut-être le pays sera-t-il entièrement détruit ?

Ses yeux dérivèrent un instant dans le vague. Puis il reprit, avec franchise :

— Je ne peux pas te demander de m'épouser pour le moment, Christianna. Je n'ai rien à t'offrir. Cependant, dès que ce sera possible, je le ferai. Et, alors, j'espère que tu diras oui.

Il prit son visage entre ses mains et l'embrassa.

— Je t'aime, dit-il.

— Moi aussi, je t'aime, Nick. Et, le jour où tu me le demanderas, je dirai oui. Même si tu n'as rien. Cela m'est égal.

Il le savait et ne l'en aimait que davantage.

— Bon, eh bien je crois que nous sommes au point, dit-il en souriant tandis qu'ils sortaient du chapiteau des chevaux.

Ils passèrent prendre Lucas et Toby, et rejoignirent les Markovitch au restaurant. Tout au long du repas, un air euphorique ne les quitta pas. Le père de Christianna s'en rendit compte.

— Vous n'auriez pas quelque chose à nous dire, tous les deux ? lança-t-il.

Nick lui fit son sourire le plus innocent.

— Ah ? Et quoi donc ? demanda-t-il, taquin.

Christianna laissa échapper un petit rire.

— Nous nous aimons, papa, dit-elle doucement.

— Oh ! ça, je le sais depuis des mois ; je ne suis pas aveugle, enfin ! Autre chose ? Des projets ?

Il regarda Nick avec une inquiétude visible.

— Dès que je serai en mesure d'offrir une belle vie à votre fille, je viendrai vous demander sa main. Je m'y engage. Vous avez ma parole.

— Et vous resterez au cirque ?

— Aussi longtemps que Christianna le souhaitera – dans les limites du raisonnable, répondit-il diplomatiquement. Je ferai mon possible pour la rendre heureuse.

Sauf qu'il lui avait déjà dit, à elle, ce qu'il souhaitait pour eux. Restait à la convaincre d'au moins essayer de vivre avec lui dans le monde réel.

— Et je vous demanderai un cadeau de mariage, ajouta-t-il comme si de rien n'était.

— Bien entendu, s'exclama Sandor en écartant les bras, magnanime. Quoi donc ?

— Un filet pour ma femme.

Nick le regarda droit dans les yeux. Sandor Markovitch ne répondit pas tout de suite. Puis, lentement, il hocha la tête et serra la main de Nick.

— Vous l'aurez. Moi aussi, je vous donne ma parole.

Nick n'en revenait pas ; il jubilait. Il avait joué gros et il avait gagné ! En y songeant, il se dit que l'accord était un encouragement à l'épouser au plus vite, ne serait-ce que pour la protéger. Il recommanda de la vodka pour fêter cela, et tout le monde en but – sauf Toby et Lucas, bien entendu.

Il était plus de minuit quand ils regagnèrent le champ de foire. Le dîner avait été fort joyeux. Et quel soulagement de ne plus être obligés de s'aimer clandestinement ! Gallina avait bien fait de le pousser à aborder le sujet. Par chance, la réponse qu'il avait faite à Sandor quant à son éventuel départ du cirque avait paru lui convenir. Sans doute n'imaginait-il pas que Christianna puisse vouloir s'en aller un jour.

Avant de se quitter, les deux amoureux s'assirent sur les marches de la caravane de Nick pour bavarder. Décidément, l'année commençait sous les meilleurs auspices.

Tandis qu'ils parlaient, Nick vit approcher à bicyclette un garçon en uniforme de la Western Union. Il s'arrêta à hauteur de la caravane, mit pied à terre et prit une enveloppe dans le sac qu'il portait en bandoulière.

— J'ai un télégramme pour M. Nicolas von Bingen. Est-ce vous ? demanda-t-il d'un ton très officiel.

Nick s'alarma. Il n'avait plus l'habitude d'entendre son nom de baptême. Et il ne le lisait plus que sur les lettres d'Alex et de son père.

— Oui, confirma-t-il, c'est moi.

Il prit la missive et signa le registre que lui tendit le garçon. Puis il ouvrit l'enveloppe sous le regard attentif de Christianna. La lune éclairait tout juste assez pour qu'il pût lire. Instinctivement, il chercha en bas du message le nom de l'expéditeur. C'était Alex. Nick dut relire deux fois les quelques lignes pour en saisir le sens.

Profond regret annoncer décès de ton père à l'aube du Nouvel An. Paisible. Pneumonie. Rien à faire. Sincèrement désolé. Toute ma sympathie à vous trois et toute mon affection. Alex.

Nick eut la sensation d'avoir été frappé par la foudre. Il regarda Christianna et lui tendit le télégramme, les yeux pleins de larmes. Il ne s'était vraiment pas attendu à ce coup du sort. Comment imaginer le monde sans son père ? C'était sa seule famille...

Christianna poussa un petit cri horrifié. Elle le tint étroitement enlacé tandis qu'il pleurait en silence. Ils passèrent un long moment ainsi, assis sur les marches, tandis qu'il prenait pleinement conscience de toute la portée du message. Il avait perdu son père. Christianna resta auprès de lui jusqu'au petit matin. Au lever du soleil, elle le laissa assoupi sur le canapé et rentra dans sa caravane sur la pointe des pieds. Les autres, qui avaient trop bu, ne l'entendirent même pas.

Nick se réveilla quand ses fils se levèrent. À sa mine, ils comprirent tout de suite qu'il était arrivé quelque chose de grave. Ils ne lui avaient pas vu cette tête-là depuis qu'il leur avait annoncé qu'il leur fallait fuir l'Allemagne.

— Qu'est-ce qui se passe ? demanda Toby.

Allaient-ils devoir quitter le cirque ? Perdre à nouveau leurs repères ? Lucas aussi avait peur. Nick avait pris soin de plier le télégramme et de le ranger dans sa poche pour qu'ils ne tombent pas dessus alors qu'il dormait. Il voulait le leur dire lui-même.

— C'est Opa, dit-il tristement. Il est tombé très malade ; il a eu une pneumonie.

Il prit une profonde inspiration avant d'ajouter :

— Il est mort hier. J'ai reçu un télégramme d'Alex cette nuit, quand nous sommes rentrés.

Les deux garçons éclatèrent en sanglots. Nick les serra dans ses bras. Après avoir pleuré toute la matinée, ils allèrent faire une longue promenade tous les trois. À leur retour, Joe Herlihy les attendait pour leur faire part de toute sa sympathie. Il leur transmit une lettre de condoléances personnelle de John Ringling North. Nick en fut profondément touché.

Ils passèrent la journée à parler de Paul. Christianna les laissa entre eux, mais apprit à sa famille ce qui était arrivé. La nouvelle avait déjà commencé à faire le tour du champ de foire. Dans l'après-midi, Gallina et Sergei vinrent à leur tour leur faire une visite de condoléances.

Les belles-sœurs de Christianna leur mijotèrent un ragoût, qu'elle leur déposa en fin de journée. Elle comptait repartir aussitôt, mais Nick insista pour qu'elle reste dîner avec eux. Elle s'associa à leur peine. Le pire, pour Nick, était de ne même pas pouvoir assister aux obsèques de son propre père. Il avait toute confiance en Alex pour faire dire une messe dans la chapelle du château et le faire enterrer comme il convenait dans le petit cimetière attenant. Néanmoins, ne pas être présent pour un événement aussi important le déchirait. D'autant qu'il savait fort bien ce qui avait tué son père. C'était leur départ d'Allemagne, à ses fils et à lui. À cet instant, même s'il n'en dit rien à personne, Nick sut qu'il ne rentrerait jamais dans son pays natal. La porte de son passé venait de se refermer pour toujours.

16

Alex organisa les obsèques de Paul, assista à la messe et à l'enterrement et fit graver la pierre tombale. Cette perte les laissait complètement démunis, Marianne et lui.

Il osait à peine imaginer ce qu'avait ressenti Nick en recevant son télégramme. Il lui avait écrit aussitôt après une longue lettre dans laquelle il lui exprimait toute sa sympathie et tout son chagrin. Il lui assurait que l'absence de Paul allait être douloureuse pour eux tous, que Marianne et lui s'associaient à sa peine et à celle de ses fils.

Deux semaines plus tard, un frisson d'agitation s'empara du village. Alex était en train de curer les box de ses chevaux quand un remue-ménage attira son attention. Un des gamins qui l'aidaient arrivait en courant, tout rouge, au comble de l'excitation.

— Ils ont pris le château des von Bingen ! cria-t-il de l'autre bout de l'écurie.

Alex le regarda sans comprendre.

— Pris ? Mais qui ?

— Les soldats. Un colonel, je crois. Ou un général. Ils sont venus dans une grosse auto et ils sont en train de s'installer.

Cette nouvelle glaça Alex jusqu'aux os. La rage lui fit monter une vague de bile dans la gorge.

— Comment cela ?

— Il y a plein de soldats avec des caisses, de grandes voitures, des officiers. Le château est ouvert, et quelqu'un m'a dit qu'ils l'avaient pris. Ça va être le... le quartier général du secteur, maintenant, et les officiers vont y habiter.

Alex ne dit pas un mot. Il sortit de l'écurie avec des envies de meurtre et rentra chez lui. Marianne était sortie pour voir une fermière qui venait d'accoucher, lui apporter à manger pour ses autres enfants et prendre de ses nouvelles. L'idée que les soldats avaient investi la demeure de Nick deux semaines à peine après la mort de Paul était plus qu'il n'en pouvait supporter. Il mit son costume le plus élégant, se coiffa et prit le volant de sa Mercedes pour se rendre au château des von Bingen. Comme l'avait annoncé le garçon, il y avait des voitures garées devant, des camions dans la cour, des caisses partout. Un colonel donnait des ordres aux deux douzaines de soldats qui s'affairaient. Alex respira profondément pour afficher un calme qu'il était loin d'éprouver et alla trouver le colonel.

— Bienvenue dans la région, mon colonel, dit-il en lui tendant la main et en lui souriant cordialement.

Il avisa avec un haut-le-cœur les deux pavillons marqués de la croix gammée sur la voiture du colonel et les deux lieutenants qui se tenaient de part et d'autre.

— Vous êtes ? fit le colonel froidement.

— Alex von Hemmerle. J'habite le château d'Altenberg, à cinq kilomètres d'ici, précisa-t-il en indiquant vaguement la direction. Je vois que vous rendez visite au comte von Bingen.

Il fit son possible pour ne pas conclure d'un ton trop sarcastique, mais ne fut pas certain d'y parvenir.

— Le comte von Bingen est décédé il y a deux semaines. Nous réquisitionnons le château pour l'armée.

— Je parlais de son fils, le comte Nicolas von Bingen, précisa Alex innocemment. J'imagine qu'il va hériter du titre et des biens de son père.

— Je suis au regret de vous informer que le comte avait épousé une Juive et que son fils, le « comte Nicolas » comme vous dites, a fui il y a un an – comme vous le savez certainement. Les Juifs n'ont plus le droit de posséder de terres ni d'en hériter. Ce château appartient donc désormais au Troisième Reich, dit-il, glacial. Je viens en prendre possession au nom de notre Führer, Adolf Hitler.

Il conclut en tendant brusquement le bras droit en un salut nazi qui donna la nausée à Alex. Il s'abstint de le lui rendre. En tant que civil, il n'y était pas obligé, même si certains zélateurs le faisaient.

— Je vois, fit-il en feignant la surprise. Je n'étais pas au courant. La chose n'a pas été ébruitée.

Le colonel hocha la tête.

— C'est compréhensible. Il paraît que vous avez des écuries magnifiques, ajouta-t-il avec un regard chargé de sous-entendus. Et d'excellents chevaux...

Il savait donc parfaitement qui était Alex. Il n'allait certainement pas tarder à débarquer chez lui et, sans doute, à prendre ce qu'il voulait. Peut-être même le château, si tel était son désir. L'armée avait tous les droits.

— Merci de ce compliment, mon colonel. J'espère que vous me rendrez visite, puisque nous sommes voisins.

Alex salua en inclinant la tête et en claquant des talons à la façon des aristocrates allemands et non des soldats. Ainsi, sans lui manquer de respect, il signifiait leur différence de position sociale.

— Merci, monsieur, je ne manquerai pas de venir vous voir, assura le colonel.

Sur ce, il entra dans la maison de Nick, accompagné d'un essaim d'officiers et de soldats. Alex le suivit des yeux. Il avait envie de pleurer, de hurler. Encore une mauvaise nouvelle dont il allait devoir faire part à Nick. Sa maison de famille, celle où ses ancêtres avaient vécu pendant six siècles, était annexée par le Troisième Reich pour y loger des soldats... Il n'y avait plus qu'à espérer que Nick puisse y revenir une fois le Reich tombé. Mais Dieu seul savait quand cela se produirait, et surtout dans quel état le château serait restitué.

Alex rentra chez lui, tremblant de rage et de consternation. Il claqua la porte si violemment que Marianne l'entendit depuis le bureau, où elle était montée pour se réchauffer auprès du feu. Elle le rejoignit sur le palier. Les yeux de son père lançaient des éclairs.

— Que se passe-t-il, papa ? demanda-t-elle, inquiète.

Il baissa la voix pour lui répondre. Désormais, il ne faisait plus confiance à personne. Partout, des gens cherchaient à se faire bien voir des autorités et espionnaient leurs voisins, quand bien même c'étaient des gens qu'ils connaissaient depuis toujours.

— L'armée vient d'investir le château de Nick. Les officiers emménagent. À partir de maintenant, vous ne sortez plus sans moi. C'est compris ? fit-il fermement. Il y a des soldats partout, et cela ne va faire qu'empirer. Ils pourraient même venir ici, s'installer avec nous. Je ne veux pas qu'ils vous approchent, Marianne. Sous aucun prétexte !

Elle sentit que c'était la peur et la colère qui le faisaient parler ainsi. La peur pour elle et la colère contre ceux qui avaient chassé son meilleur ami et violé sa maison.

— Comment est-il possible qu'ils s'installent ainsi chez les gens ? demanda-t-elle, médusée.

Ils retournèrent dans la bibliothèque, dont son père eut soin de refermer la porte derrière eux.

— Ne parlez à personne, Marianne. Ne faites aucun commentaire. Ne dites rien. Nous ne pouvons pas savoir à qui faire confiance ou qui nous trahira, même dans notre maison.

Ces porcs, ces voleurs qui s'étaient emparés du pays faisaient régner la terreur. Ils allaient se servir. Prendre ce qu'ils voulaient.

— Je crois que le colonel convoite nos chevaux.

Pire que cela, Alex redoutait que les officiers convoitent Marianne. À dix-huit ans, presque dix-neuf, c'était en toute objectivité une vraie beauté. Il craignait pour elle, d'autant qu'il était certain que rien n'arrêtait ces hommes.

Il avait plusieurs choses à faire, comprit-il. D'abord, écrire à Nick pour l'informer des derniers événements. Deuxièmement, écrire également à son ami, lord Beaulieu, en Angleterre. Camarades de pensionnat une trentaine d'années plus tôt, ils étaient restés très liés. Il avait besoin de son aide pour faire sortir Marianne d'Allemagne.

Après le télégramme annonçant la mort de son père, la lettre qu'il adressa à Nick cet après-midi-là fut certainement l'une des plus difficiles à écrire de sa vie. D'autant qu'il fallait qu'il pèse ses mots pour ne pas attirer l'attention des censeurs. Toutefois, une lettre envoyée en Amérique les intéressait moins qu'une autre envoyée chez leurs ennemis. Pour plus de prudence, au lieu de son nom complet, il inscrivit celui de Nick Bing sur l'enveloppe. Avec un peu de chance, il tomberait sur un employé guère attentif qui ne ferait pas le lien. Et il narra les faits comme s'il s'agissait d'une simple anecdote et non du drame que cela représenterait aux yeux de son ami comme aux siens. Il était certain, écrivit-il, que Nick serait ravi d'apprendre qu'il était fait bon usage du vieux château voisin du sien. Suite au départ du propriétaire et à un récent décès dans la famille, il avait été réquisitionné par le Reich et l'armée, pour loger des officiers et des soldats qui avaient du reste déjà emménagé. Il ajouta que cela allait amener un peu de vie dans la région et faire régner une saine atmosphère, et qu'il ne doutait pas que Nick s'en réjouirait. Alex imaginait combien Nick serait horrifié de le lire, mais il n'avait pas le choix. La dernière ligne tentait de le réconforter, à mots couverts : « Tout cela pourrait changer, et ce sera sans doute le cas, si les propriétaires reviennent. En attendant, c'est une très bonne nouvelle. »

Il relata encore quelques anecdotes sans importance sur leur vie, puis se mit en devoir d'écrire à Charles Beaulieu. Il prit autant de précautions pour la rédaction de cette lettre que pour son expédition. Il allait la glisser dans une autre lettre adressée à un ami commun à New York, auquel il demanderait de la faire suivre à Charles. Maintenant que les deux pays étaient en guerre, il avait la quasi-certitude qu'il était impossible de faire parvenir une lettre d'Allemagne en Angleterre. *Via* les États-Unis, il avait plus de chances. Il avait conscience de demander un service considérable à son ami Beaulieu et le priait de l'en excuser, mais il n'avait personne d'autre vers qui se tourner. Il porta le jour même ses deux lettres au bureau de poste, priant pour qu'elles arrivent à destination – surtout celle adressée à Charles. Puis il rentra et passa la soirée au coin du feu avec Marianne, à s'efforcer de la rassurer. La journée avait été pénible pour eux deux. Hélas, Alex en était convaincu, la situation n'allait faire qu'empirer. Il ne le lui dit pas, mais il était résolu à faire quitter l'Allemagne à sa fille. Si seulement Charles Beaulieu pouvait l'y aider…

17

Nick sut lire la lettre d'Alex entre les lignes et comprit que les « bonnes nouvelles » étaient loin d'en être. Depuis la mort de son père et dans la mesure où, en tant que Juif, il n'avait plus aucun droit, le Reich pouvait s'approprier ses biens. Il se retrouvait donc non seulement exilé, mais ruiné, dépossédé de son héritage. Cette nouvelle ne le bouleversa pas autant que la mort de son père, bien entendu, mais lui fit un choc. Il avait tout de même saisi l'allusion d'Alex, qui laissait entendre que, si le Reich tombait, s'il perdait la guerre, Nick recouvrerait ses biens. Mais qui savait si cela arriverait, et quand ? Il ne pouvait plus compter sur rien, que sur lui-même. Le cirque était désormais toute sa vie, comme il était celle de Christianna et de sa famille. Adolf Hitler l'avait dépouillé de six siècles d'histoire familiale, et il se retrouvait sans patrie ni foyer. En à peine plus d'un an, il avait perdu son pays, son père, sa fortune. Il ne lui restait du passé que ses fils.

Un peu plus tard dans la journée, il fit part de ce nouveau malheur à Christianna.

— Mais comment peuvent-ils avoir le droit de faire ça ? De te prendre ta maison, de s'y installer ?

— Ils le prennent sans scrupule, le droit, lâcha Nick avec un mélange d'amertume et de colère. Maintenant, je n'ai plus rien, même en Allemagne. Je n'y retournerai jamais.

— Peut-être Hitler perdra-t-il la guerre…, avança-t-elle.

Hélas, cela ne semblait pas près d'arriver. L'agressivité d'Hitler vis-à-vis des pays voisins et du reste de l'Europe donnait à penser qu'il voulait les engloutir.

Début février, Hitler lança une guerre sous-marine contre ses ennemis tandis que l'Angleterre mettait en place le blocus de l'Allemagne. Les U-Boats allemands coulaient des navires. Nick n'avait pas de nouvelles d'Alex.

Il fallut trois semaines à la lettre d'Alex pour parvenir à Charles Beaulieu *via* leur ami commun américain. Il eut beau répondre sur-le-champ, sa réponse mit encore un mois, empruntant le même chemin, à arriver à Alex. Mais elle lui fit chaud au cœur. Il se disait d'abord désolé d'apprendre la mort du père de Nick, qu'il avait connu autrefois. Il partageait l'inquiétude d'Alex sur la situation en Allemagne et lui conseillait d'envoyer Marianne au plus vite en Angleterre, dans la mesure du possible. Beaucoup d'enfants allemands y avaient trouvé refuge juste avant la guerre, ainsi que des enfants hongrois et polonais, majoritairement juifs, grâce à l'opération humanitaire britannique Kindertransport. Toutefois, depuis la déclaration de guerre six mois plus tôt, il était de plus en plus difficile d'obtenir l'asile en Angleterre et, surtout, de trouver un moyen de s'y rendre. D'autant que Marianne n'était plus une enfant. À dix-neuf ans, elle était considérée comme une femme. Il faudrait qu'elle quitte l'Allemagne dans les mêmes conditions que les adultes, avec les mêmes dangers. Du fait à la fois du blocus et de la guerre sous-marine, la traversée de la Manche était extrêmement dangereuse.

Malgré cela, il semblait pire encore à Alex de la garder en Allemagne, avec tous ces soldats autour d'eux. C'était pour lui un déchirement, mais il était prêt à courir le risque. Il devrait donc faire passer Marianne en France, d'où elle traverserait la Manche, à moins qu'il ne trouve un itinéraire plus sûr.

Charles et son épouse Isabel étaient tout disposés à l'accueillir chez eux, pour la durée de la guerre si nécessaire. Leurs deux fils étaient engagés dans la RAF et ils n'avaient pas de fille. La lettre de Charles était d'une extrême gentillesse : il assurait même que la compagnie de Marianne serait un plaisir pour Isabel, car la vie était assez monotone ces temps-ci dans le Buckinghamshire, et qu'elle voyait rarement leurs fils. Il lui promettait qu'elle serait en sécurité chez eux, tout du moins autant que l'on pouvait l'être en Angleterre en ces temps de guerre, et certainement bien davantage qu'en Allemagne. Beaucoup de gens envoyaient leurs enfants à la campagne, précisait-il, parfois même chez des inconnus qui s'étaient portés volontaires pour les accueillir. Isabel et lui avaient pensé à se proposer. Septième marquis de Haversham et membre de la Chambre des lords, il se trouvait à la tête d'un immense domaine.

Il ne restait plus à Alex qu'à trouver le moyen d'envoyer Marianne en Angleterre sans alerter quiconque au sein du Reich. Un voyage « normal » était impossible à cause de la guerre. Après examen attentif de la situation, le mieux lui sembla de la faire passer par la Belgique, pays neutre. Mais à qui s'adresser pour mettre le projet sur pied ? Alex n'avait de relations ni au gouvernement ni dans l'armée. Même si la Wehrmacht et les SS comptaient dans leurs rangs quelques aristocrates, ils lui faisaient l'effet de n'être que des malappris et de la racaille à qui il n'avait aucune envie de confier sa fille. Quant à la clandestinité, il n'y connaissait personne non plus. De toute façon, il voulait que Marianne sorte d'Allemagne avec des papiers légaux et en règle. Il cherchait toujours la solution quand le colonel vint voir ses chevaux.

Il fit le tour des écuries et s'arrêta, stupéfait, devant les quatre lipizzans qu'Alex possédait encore – deux juments et deux étalons dont il conservait les souches pour son élevage. Quoique un peu plus âgés, ils étaient de la même qualité que Pluto et Nina.

— Sont-ils dressés ? s'enquit l'officier, visiblement impressionné.

— Parfaitement. Sous la selle et en liberté.

L'idée de les lui présenter faisait horreur à Alex, mais il lui était impossible de refuser. Un colonel avait tous les pouvoirs.

— Puis-je voir cela ? fit-il d'un ton sceptique.

Un garçon aida Alex à emmener les chevaux dans la carrière où il les travaillait habituellement. Il fallait frapper fort, d'emblée. Aussi lâcha-t-il les quatre chevaux en même temps et leur fit-il exécuter, en liberté, tous les airs de l'École espagnole de Vienne. Les chevaux furent irréprochables. Ils terminèrent par une levade, suivie d'une croupade, l'un après l'autre, en parfaite symétrie. Le colonel semblait médusé.

— C'est vous qui les avez dressés ? demanda-t-il, incrédule.

Alex hocha la tête avec un brin d'amusement. Il résista à la tentation de lui faire observer que les aristocrates s'y prenaient mieux avec les chevaux que les militaires.

— Je les envoie presque tous à Vienne, mais, ces quatre-là, je les garde pour l'élevage.

— Vous arrive-t-il d'en vendre ? s'enquit le colonel, les yeux brillants.

À l'évidence, il se voyait déjà chevauchant l'un des deux étalons. Sauf qu'Alex n'avait aucune envie de les lui céder. Toutefois, il le sentait bien capable de lui en confisquer au moins un.

— Non, répondit-il. Je les place à l'École de Vienne ou les garde pour l'élevage. Ils ne sont pas à vendre.

Le colonel lui fit face d'un air contrarié. Alex se rendit compte qu'il avait de petits yeux méchants.

— Vous savez que je pourrais tous vous les prendre, si j'en avais envie, n'est-ce pas ? Au nom du Reich.

Alex soutint longuement son regard sans répondre. Il n'avait pas peur du colonel. Il n'éprouvait pour lui que du mépris.

— Oui, vous pourriez, finit-il par articuler lentement. Mais je doute qu'un officier de l'armée allemande s'abaisse à des pratiques aussi peu nobles. À moins, bien sûr, que je ne me trompe et que les officiers du Führer ne soient pas des gentlemen.

Son interlocuteur fit aussitôt machine arrière. Il voulait désespérément un des lipizzans, cela sautait aux yeux. Mais aucun motif ne justifiait une confiscation pure et simple. L'armée n'en avait pas besoin, et il n'était pas officier de cavalerie. Qui plus est, il appartenait à la Wehrmacht et non au corps d'élite que constituaient les SS. Toutefois, un lipizzan lui aurait conféré un prestige et une allure qui, sans doute, lui faisaient défaut. Voyant combien il en rêvait, une idée vint à Alex. C'était osé, dangereux même, mais, si cela pouvait marcher, le jeu en vaudrait la chandelle.

— Je ne les offre qu'à des gens très importants à mes yeux, en signe de mon respect et de mon admiration pour eux. Comme le Führer, par exemple, dit-il avec le plus grand sérieux.

Le colonel hocha la tête.

— Au fait, poursuivit Alex, auriez-vous envie de monter l'un des étalons ? Ils sont assez faciles, surtout le plus grand.

En réalité, l'autre était mieux né et meilleur, mais le grand faisait plus d'effet. Et Alex avait bien vu que c'était celui qui plaisait le plus à l'officier, probablement pour cette raison. C'était la monture idéale pour flatter son orgueil. De fait, il accepta sa proposition d'un signe de tête qui cachait mal son enthousiasme. Alex le fit monter et crut bien qu'il allait éclater de bonheur sous ses yeux. Il commanda aux trois autres chevaux de rester immobiles pendant que l'étalon et son cavalier faisaient quelques tours de piste.

— Il est agréable, n'est-ce pas ? demanda-t-il quand il revint s'arrêter à côté de lui.

— Vous offririez vraiment un cheval comme celui-ci au Führer ?

Le colonel semblait impressionné par la magnificence d'un tel don, même si cela n'arrangeait en rien ses intérêts personnels, sauf à voler au Führer cet extraordinaire animal. Non, pour l'obtenir, il faudrait qu'il le réquisitionne ou qu'il le confisque, ce qui le ferait passer pour un voleur de chevaux aux yeux d'Alex. Visiblement, il n'était pas prêt à l'assumer, d'autant qu'il se sentait un peu mal à l'aise devant les aristocrates.

— Au Führer, répondit-il, ou à quelqu'un que j'estimerais également.

Il regarda dans les yeux le colonel toujours assis sur l'étalon. Soudain, ce dernier comprit qu'Alex avait quelque chose à lui demander. Qu'est-ce que cela pouvait être ? Et pourrait-il le lui accorder facilement ?

Si oui, ils feraient affaire. Malgré son manque d'éducation, le colonel n'était pas un imbécile. Les deux hommes s'étaient compris à demi-mot.

— Un titre de voyage et un laissez-passer jusqu'à Ostende, en Belgique, dit simplement Alex.

Le colonel le scruta. C'était une ville portuaire. Il se doutait que ce n'était que la première partie d'un voyage vers une autre destination.

— Pour un Juif ?

Ce serait impossible, même en échange d'un lipizzan. Il ne voulait pas être accusé de trahison ; or, sur ce point, les ordres du haut commandement étaient stricts.

— Pas du tout. Pour une dame de haut rang dont les papiers sont parfaitement en règle.

Le colonel ne fut pas long à saisir.

— Votre fille ? demanda-t-il à voix basse.

Alex hésita un instant. Ne mettait-il pas Marianne en danger, à révéler ainsi ses projets au colonel ? Il n'avait pourtant pas le choix. Il fallait bien qu'il trouve quelque chose pour la faire sortir d'Allemagne – et c'était peut-être sa seule chance d'y parvenir. Il hocha la tête, au comble de l'angoisse. Avant de répondre, le colonel marqua un silence qui lui parut interminable.

— Cela doit pouvoir se faire, lâcha-t-il. Quand ?

— À votre convenance ; le plus tôt sera le mieux.

Alex avait abattu toutes ses cartes. S'il s'était trompé, s'il perdait cette partie de poker contre le colonel, sa vie serait en jeu, mais aussi, surtout, celle de Marianne.

— Je vais y réfléchir, déclara l'officier avant de mettre pied à terre. Je vous donne une réponse dans un jour ou deux.

Sur quoi il sortit de la carrière et s'en alla sans un regard en arrière. Le cœur d'Alex battait la chamade. Il avait fait un pari follement dangereux. Quelques instants plus tard, il entendit le chauffeur démarrer la voiture du colonel. Il resta un moment immobile, à se demander quoi faire. Au fond, il n'avait pas vraiment le choix. Il n'avait plus qu'à jouer le tout pour le tout. Quitte ou double.

Il sangla le lipizzan et prit un de ses chevaux de chasse en longe, puis demanda au jeune garçon de l'aider à remettre les trois autres au box. Lorsqu'il monta sur le lipizzan en tenant toujours le cheval de chasse, le gamin le regarda avec étonnement.

— Que faites-vous, monsieur ?

— Je vais livrer un cadeau, répondit-il en partant au trot sur cette route qu'il connaissait par cœur, celle qui menait chez Nick.

Le cheval de chasse suivit docilement l'étalon. En arrivant, il mit pied à terre puis l'attacha au poteau dont ils se servaient autrefois, avec Nick. La voiture du colonel, reconnaissable à ses drapeaux, était garée dans la cour. Il se dirigea vers un jeune sergent qu'il salua d'un bref signe de tête en lui tendant les rênes de l'étalon.

— Avec mes compliments au colonel, dit-il d'un ton formel. Merci de lui faire savoir qu'il a oublié son cheval dans mes écuries et que je me suis permis de le lui ramener.

Le sergent sourit. Il savait fort bien que le colonel ne possédait pas un tel cheval.

— Il s'appelle Favory, expliqua Alex. Il descend directement d'une des lignées fondatrices des lipizzans. Bonsoir, sergent.

Il fit un signe de tête, détacha son cheval de chasse et s'en retourna chez lui. Il ignorait si sa démarche serait payante, mais il se devait d'essayer. Il avait tout misé sur sa dernière main.

Le colonel ne se manifesta pas ce soir-là ni le lendemain matin. Mais, alors qu'il s'apprêtait à déjeuner avec Marianne, un caporal arriva au volant d'une Jeep, annonçant qu'il apportait une lettre pour le comte von Hemmerle. Alex attendit le départ du messager pour ouvrir l'enveloppe, les mains tremblantes. Il n'y trouva pas de mot, uniquement un titre de voyage pour Ostende, signé de la main du colonel, au nom de Marianne. Départ le lendemain. Son coup de poker avait payé. Favory avait acheté la liberté de Marianne, songea-t-il les larmes aux yeux.

— Que se passe-t-il, papa ? demanda-t-elle d'un air inquiet. Une mauvaise nouvelle ?

— Non, répondit-il calmement.

Il rangea les papiers dans la poche intérieure de sa veste et déjeuna tranquillement, tel un homme civilisé. Quand ils eurent fini, il l'emmena dans la bibliothèque, dont il referma la porte.

— Cela ne va peut-être pas vous plaire, ma chérie, mais il faudra faire ce que je vais vous dire. Rester ici serait dangereux pour vous. Bien trop dangereux. Ces gens sont capables de tout, et je ne veux pas que l'on vous fasse du mal. Il faut que vous quittiez l'Allemagne. Maintenant. Il y a des soldats ici, trop près de nous. Ils font la loi, et vous êtes une belle jeune fille. Je vous envoie chez mes amis Beaulieu, en Angleterre.

Il prononçait « Biouly », à l'anglaise, et non comme le suggérait l'orthographe française.

— Ils sont prêts à vous accueillir, et le colonel vous a établi un titre de voyage. Je l'ai dans ma poche. Vous devez partir demain.

Il lui avait exposé les faits d'une traite, sans la ménager. Elle se mit à pleurer. Protesta. Mais il ne se laissa pas fléchir. Il fallait qu'elle quitte l'Allemagne au plus vite.

— Oh, mon Dieu, gémit-elle en le fixant soudain du regard. Vous lui avez donné Favory, c'est cela ? À l'écurie, ce matin, ils m'ont dit qu'il n'était plus là. C'est terrible, il ne vous reste plus qu'un étalon pour le haras !

— Il est beaucoup plus important, à mes yeux, de vous savoir à l'abri en Angleterre. Demain matin, je vous mettrai dans un train à destination de la Belgique. Ces papiers vous permettront d'aller jusqu'à Ostende, où vous embarquerez à bord d'un ferry pour Ramsgate. De là, vous reprendrez un train pour vous rendre dans le Buckinghamshire. Une fois à Ramsgate, vous n'aurez plus rien à craindre. Ni en Belgique, grâce au colonel. Je vais vous donner tout ce que j'ai comme argent liquide ici. Charles pourvoira au reste, et je m'arrangerai avec lui par la suite. Il faut partir, ma chérie. Nous n'avons pas le choix. Songez à Nick, à Toby, à Lucas. À leur courage. Ils sont partis beaucoup plus loin, rejoindre des gens qu'ils ne connaissaient même pas. Chez les Beaulieu, vous serez en sécurité, et heureuse.

— Je n'ai aucune envie de vous laisser seul ici, père ! s'exclama-t-elle, horrifiée.

— Il le faut, Marianne. Mais ne craignez rien. Je ne suis pas leur cible, puisque je ne suis pas juif et qu'ils n'ont rien à me reprocher. Nous coexisterons paisiblement jusqu'à la fin de cette horrible guerre, puis vous pourrez rentrer, et la vie reprendra comme avant. En attendant, je tiens à ce que vous partiez avant que la situation empire. Il est impossible de prédire ce que va faire Hitler.

— Mais s'il fallait des années avant que la paix revienne ? fit-elle valoir en essuyant ses larmes.

Il se rendait compte qu'elle faisait son possible pour se montrer courageuse.

— J'espère que ce ne sera pas aussi long. Mais cela ne change rien.

— Qui s'occupera de vous ? demanda-t-elle en se remettant à pleurer.

Il lui sourit.

— Tout ira bien, ne vous en faites pas pour moi. Je ne suis ni vieux comme Paul, ni malade. Je vous attendrai. Il faut que vous fassiez vos bagages ce soir. Ne vous chargez pas trop, car vous devrez les porter vous-même. Et, si l'on vous pose des questions, dites que vous rendez visite à des amis à Berlin.

Berlin était très vivant, ces temps-ci. De nombreux événements et réceptions réunissaient officiers et jolies femmes.

Ils parlèrent encore un peu, puis il lui conseilla de monter sans tarder préparer ses affaires. Une fois seul, Alex resta longuement assis, le regard perdu dans les flammes. Elle allait lui manquer atrocement. Cependant, c'était le mieux pour elle. Il le savait.

18

Quand Alex conduisit Marianne à la gare le lendemain matin, à 7 heures, il remarqua que les autres passagers étaient surtout des soldats et de vieux fermiers. C'était la seule femme. Un instant, au moment de poser ses valises dans le compartiment, elle sembla prise de panique. Alex lui pressa le bras pour la réconforter.

— Tout va bien se passer, lui assura-t-il.

Il lui avait pris un billet de première classe. Il lui trouvait l'air très adulte, dans son manteau bleu marine, avec son chapeau noir à voilette et ses souliers à talons. Une tenue qui reflétait son sérieux, sa discrétion et sa bonne éducation. Il lui avait recommandé de cacher le plus possible de son argent sous ses vêtements et de ne garder qu'une petite somme dans son sac. Elle serrait celui-ci dans ses mains crispées en le regardant, les larmes aux yeux.

— Vous allez me manquer, papa, dit-elle d'une voix étranglée.

Elle l'étreignit de toutes ses forces.

— Vous aussi, vous allez me manquer, mon ange.

Il prenait sur lui afin de masquer son émotion.

— Charles m'écrira *via* un ami de New York pour me dire que vous êtes bien arrivée, précisa-t-il. Soyez prudente, Marianne. Ne parlez à personne.

Il lui faudrait huit ou neuf heures, dont un changement de train à la frontière, pour aller à Ostende. Elle ferait la traversée pour Ramsgate le soir, prendrait un autre train et devrait arriver dans le Buckinghamshire le lendemain matin. À la gare, il faudrait qu'elle trouve un taxi parce que les Beaulieu ignoraient la date de son arrivée et qu'il n'avait aucun moyen de les prévenir. Il la savait suffisamment aguerrie et capable d'initiative pour entreprendre seule ce périple, et ses papiers étaient en règle. Il ne restait plus qu'à espérer que les soldats ne l'importunent pas pendant le trajet.

— Bon voyage, Marianne, dit-il d'une voix rauque comme un coup de sifflet retentissait.

Il la serra une dernière fois dans ses bras et descendit du wagon. Elle ouvrit la fenêtre et se pencha à l'extérieur, son chapeau légèrement de travers. Elle était si belle… Il garderait à jamais cette image d'elle gravée dans sa mémoire. Il la conserverait précieusement jusqu'à la fin de la guerre, jusqu'à ce qu'elle puisse revenir en Allemagne sans avoir rien à y craindre.

— Je vous aime, papa ! s'écria-t-elle au moment où le train se mettait en branle.

Il recula du bord du quai et lui fit de grands signes en souriant… et en espérant qu'elle ne voyait pas ses larmes.

— Moi aussi ! cria-t-il tandis que le convoi s'éloignait.

Seule dans son compartiment, Marianne laissa libre cours à son chagrin. Son père n'était plus qu'un petit point sur le quai. Puis un virage le fit disparaître tout à fait. Elle ferma la fenêtre et s'assit sur la banquette en pleurant tout bas. Comment pouvait-il la faire partir, l'envoyer chez des gens qu'elle ne connaissait pour ainsi dire pas ? Elle n'avait aucun souvenir des Beaulieu. Et voilà qu'elle allait vivre chez eux, peut-être pendant des années. Elle n'avait qu'une envie : sauter du train, rentrer chez elle et se terrer sous les couvertures de son lit. Ou retrouver son père à l'écurie. Abandonner tout ce qu'elle connaissait, tout ce qui lui était cher, pour aller vivre chez des inconnus, dans un pays inconnu, lui paraissait à la fois absurde et effrayant.

Elle songea alors à Nick, à Toby. Elle se souvint que son père lui avait conseillé de prendre exemple sur leur courage quand ils étaient partis, il y a seize mois. Il lui semblait que cela faisait tellement plus longtemps... Dès son arrivée en Angleterre, elle écrirait à Toby pour tout lui raconter.

Alex ressortit de la gare la tête basse, le visage baigné de larmes. Il remonta dans sa voiture, courbé en deux comme un vieil homme, et prit lentement la route du retour. Il n'y avait plus rien pour le réjouir, désormais. Personne ne l'attendait chez lui. Il était seul, sans but, et ce serait ainsi jusqu'à la fin de la guerre. Il avait l'impression d'avoir mille ans.

En passant devant le château de Nick, il vit les soldats dans la cour, qui parlaient, entraient, sortaient. Il avisa le colonel, en selle sur Favory, et ralentit pour le regarder. L'officier se tourna vers la voiture, et leurs regards se croisèrent. Alex lui adressa un salut par lequel il lui transmettait ses remerciements. Le colonel lui rendit son geste, et Alex reprit son chemin, songeant à Marianne qui roulait vers la Belgique. Il avait fait une bonne affaire. La meilleure de sa vie.

À la frontière belge, Marianne changea de train, portant toute seule ses deux lourdes valises. Elle eut un instant d'hésitation en cherchant son quai. Après s'être renseignée, elle le trouva rapidement et s'installa dans son compartiment. Elle avait passé la douane sans problème, et ce train était direct pour Ostende. Les choses se déroulaient pour le mieux jusqu'ici. Elle somnola pendant le voyage. À chaque fois qu'elle songeait à son père, à cette douloureuse séparation, elle avait la nausée. Elle revoyait son visage à la gare... Elle s'éveilla plusieurs fois en larmes.

Le train atteignit Ostende dans la soirée. Marianne était épuisée. Il lui fallait encore prendre un taxi pour la gare maritime. D'autres passagers faisaient le même trajet. Il pleuvait, mais la mer ne semblait pas agitée quand elle arriva au port. Elle avait entendu des histoires effrayantes sur les traversées. Par chance, la nuit était calme et claire. Après avoir embarqué, elle resta sur le pont à regarder la Belgique s'éloigner. L'Allemagne lui semblait si loin, déjà... On avait prévenu les passagers que le bateau pouvait être torpillé, même si le risque était faible puisqu'il battait pavillon belge. Comme le recommandait l'équipage, elle portait le gilet de sauvetage qui lui avait été fourni.

Il était près de minuit quand ils accostèrent à Ramsgate. Un douanier tamponna le passeport de Marianne et la laissa passer sans histoire bien qu'elle fût allemande. Il aurait pu lui poser des questions, prendre tout son temps : il ne le fit pas. Deux taxis attendaient ; elle en prit un pour se rendre à la gare, où elle avait une heure d'attente avant son train. Là, pour la première fois de toute la journée, elle avala quelque chose. Malgré l'heure tardive, elle put acheter une tasse de thé. Le temps qu'elle la boive et se rende sur le quai avec ses valises, le train entrait en gare. Elle s'installa dans un compartiment sombre, à peine éclairé par une petite lumière bleue. Une femme était assise, profondément endormie, sur la banquette en face d'elle. Marianne posa ses valises, et un employé des chemins de fer l'aida à les ranger en hauteur. Elle s'assit, tournée vers la fenêtre. Il faisait nuit noire. Elle avait traversé trois pays dans la journée. Quelques minutes plus tard, épuisée, elle s'endormait.

Le contrôleur la réveilla quelques minutes avant l'arrivée. Elle remit son chapeau sans se coiffer ; elle était trop fatiguée, trop triste pour se préoccuper de son apparence. Son père lui manquait affreusement. Elle avait emporté toute une boîte de photos de lui, et quelques-unes de sa mère. Elle n'eut aucune peine à trouver un taxi à la gare. Il était 8 heures du matin. Cela faisait vingt-cinq heures qu'elle avait entrepris ce voyage, lequel s'était déroulé sans encombre grâce aux papiers établis par le colonel en échange de Favory. Sa vie contre un cheval.

Quand elle pria le chauffeur de la conduire à Haversham Castle, il l'observa dans le rétroviseur, mais s'abstint de tout commentaire et ne lui demanda pas d'où elle venait. Il avait dû se rendre compte à sa mine qu'elle n'avait pas envie de faire la conversation. Pendant le trajet, elle regarda défiler le paysage composé de champs et de prés, où paissaient des vaches et des moutons, et de quelques maisons disséminées çà et là. Enfin, ils arrivèrent en vue du château. Il lui sembla dix fois plus grand que celui de son père, et tellement imposant… Terrifiée, elle songea qu'il devait être plein de fantômes et de gens très intimidants. Elle eut envie d'éclater en sanglots.

La grille était ouverte. Le chauffeur avança son vieux taxi jusque dans la cour. Elle le paya, descendit, et il l'aida à décharger ses valises. Puis il repartit, et elle rassembla tout son courage pour aller frapper au gros heurtoir de cuivre de la porte d'entrée. Elle attendit, debout entre ses deux valises, sans avoir aucune idée de la suite. Un majordome en livrée vint lui ouvrir. Elle n'osait même pas imaginer quel tableau elle devait lui offrir, échevelée, les vêtements froissés par le voyage, épuisée, le chapeau de travers.

Elle le regarda et se présenta d'une voix étranglée, à peine audible.

— Marianne von Hemmerle. Je crois que la marquise de Haversham m'attend.

Il prit ses valises et la fit pénétrer dans le vaste et sombre hall, dont les murs étaient recouverts de portraits d'ancêtres de la famille. Puis il la mena dans un petit salon.

Il l'y fit patienter, le temps d'aller chercher la marquise. Il se dirigea vers le jardin, où elle passait presque tout son temps.

— Madame, dit-il, une jeune demoiselle vient d'arriver et demande à vous voir. Miss von Hemmerle. Elle semble avoir fait un long voyage. Elle est venue en taxi de la gare, je crois, avec deux valises. Madame veut-elle que je l'installe dans une chambre au premier ?

Le majordome avait l'habitude de voir du monde aller et venir à Haversham. Très hospitaliers, les Beaulieu recevaient souvent des amis, des enfants d'amis, voire des gens qu'ils connaissaient à peine.

— Mon Dieu ! s'exclama la marquise en abandonnant ses outils de jardinage et en courant vers la maison. Marianne... la pauvre enfant... Où est-elle, Williams ?

— Dans le petit salon, madame, avec ses valises.

Marianne attendait, anxieuse, là où le majordome l'avait laissée, lorsqu'une femme fit irruption dans la pièce. La jeunesse de son visage contrastait étrangement avec ses cheveux blanchis prématurément, qu'elle avait relevés en un chignon d'où s'échappaient quelques mèches folles. Elle portait un vieux tailleur de tweed sur un gros pull-over et des chaussures de jardin.

Mince et sportive, très anglaise, elle était ravissante ; le désordre de sa tenue ne faisait qu'ajouter à son charme.

Avant que Marianne ait eu le temps de dire un mot, elle l'avait serrée dans ses bras. Puis elle se recula un peu pour l'observer en lui caressant doucement les cheveux.

— Mon pauvre petit chat, vous avez dû faire un voyage épouvantable...

Elle n'était que sympathie et gentillesse.

Deux gros chiens de chasse entrèrent à leur tour dans le petit salon en remuant la queue, suivis d'un terrier qui se mit à aboyer.

— Oh, Rupert ! le tança sa maîtresse. Tais-toi !

Elle reporta aussitôt son attention sur Marianne, à qui elle tint à faire servir quelque chose à manger et du thé.

— Williams, demandez à la cuisinière un petit déjeuner convenable et du thé, s'il vous plaît. Je suis désolée, ma chère enfant, nous sommes rationnés depuis deux mois. Mais elle va se débrouiller.

Le majordome disparut, et son hôtesse l'emmena dans un autre salon, où elles s'assirent dans un moelleux canapé de velours bleu. Marianne regarda autour d'elle. La pièce était décorée de chintz aux couleurs vives et de tons plus doux. Le feu crépitait déjà dans l'énorme cheminée. Une bibliothèque couvrait entièrement l'un des murs. Les fenêtres donnaient sur le parc, ses grands arbres et, un peu plus loin, un étang. Dans d'autres circonstances, elle se serait crue dans un rêve. Jamais elle n'avait vu un regard d'une telle bonté que celui de la marquise de Haversham. Jamais elle n'avait rencontré une personne plus accueillante, plus chaleureuse. Elle ponctuait presque toutes ses phrases d'un petit rire de gorge ou d'une plaisanterie, réprimandait ses chiens sans interrompre la conversation. Un somptueux petit déjeuner fit soudain son apparition, disposé sur un grand plateau d'argent, et Marianne ouvrit de grands yeux stupéfaits. Flocons d'avoine, scones, confiture gardée en réserve : la cuisinière avait fait des miracles.

— Merci de votre accueil, madame. Je suis désolée d'arriver ainsi sans prévenir, s'excusa Marianne.

— Nous vous attendions, fit valoir Isabel Beaulieu en souriant de plus belle. Maintenant, mangez. Ensuite, je vous conduirai dans votre chambre pour que vous puissiez vous installer.

Pendant qu'elle parlait, un des chiens de chasse vola un morceau de scone. Isabel le gronda sans beaucoup de conviction, et Marianne et elle rirent de bon cœur. Elle était décidément d'une gentillesse incroyable. Marianne, qui n'avait pas connu sa mère, aurait rêvé d'en avoir une comme elle. Elle n'avait même plus peur, dans ce grand château impressionnant.

— Comment va votre père ? s'enquit Isabel. Charles s'est fait du souci pour vous deux.

— Il va bien, merci, répondit-elle entre deux bouchées.

Les chiens ne la quittaient pas des yeux. Sans doute guettaient-ils un autre morceau de scone. Mais Marianne, qui mourait de faim, ne leur en laissa pas une miette.

— Il a échangé un cheval contre mes papiers pour quitter l'Allemagne, expliqua-t-elle. Un lipizzan.

Son hôtesse la regarda avec une note de surprise, mais ne fit pas de commentaire critique.

— Eh bien, on dirait que cela a marché, puisque vous voilà. Charles va être fou de joie. Nous nous demandions quand vous viendriez. Il était grand temps de quitter l'Allemagne, maintenant que cet épouvantable petit bonhomme s'est mis en tête d'attaquer tout le monde. Nous allons bien vite le remettre à sa place. Mes fils sont dans la RAF, ajouta-t-elle fièrement.

Lorsque Marianne eut fini de déjeuner, les chiens s'éloignèrent, déconfits. Elle fut soudain gênée d'avoir eu tant d'appétit. Elle avait tout dévoré.

— À présent, suggéra Isabel, montons dans votre chambre. Vous pourrez vous reposer.

Elle dit cela comme si Marianne était venue de Londres pour le week-end. Cependant, sachant qu'elle était sans doute là pour un long moment, elle lui avait attribué la plus confortable des chambres d'amis.

Marianne la suivit dans le grand escalier de marbre. Au premier étage, Isabel ouvrit l'une des nombreuses portes, et Marianne découvrit un très grand lit à baldaquin avec un couvre-lit rose à fleurs et de ravissants fauteuils de satin, roses également. C'était une chambre de princesse, de reine, même. Spontanément, la jeune fille serra Isabel dans ses bras et la remercia avec effusion.

— J'ai toujours rêvé d'avoir une fille, avoua cette dernière en lui montrant la salle de bains équipée d'une grande baignoire.

Quelques minutes plus tard, une femme de chambre irlandaise en uniforme noir avec un tablier de dentelle blanche vint lui faire couler un bain. Isabel sortit, non sans l'avoir à nouveau embrassée et lui avoir assuré qu'elle pouvait se reposer aussi longtemps qu'elle le souhaitait. Restée seule, Marianne fit le tour de la chambre et s'arrêta à la fenêtre pour admirer le parc. Jamais elle n'avait vu pareille demeure…

N'empêche, songea-t-elle en regardant nager des cygnes sur la pièce d'eau, son père lui manquait, et même leur vieux château plein de courants d'air.

Celui-ci était splendide, mais ce n'était pas *chez elle*. Alors, malgré la beauté du lieu, malgré l'accueil extraordinaire qu'elle venait de recevoir, malgré l'affection dont l'avait entourée la propriétaire, Marianne se mit à pleurer.

19

Après avoir déjeuné avec Isabel, Marianne rencontra Charles Beaulieu dans l'après-midi. En effet, elle se souvenait très vaguement de lui, maintenant. Le soir, ils dînèrent tous les trois dans la grande salle à manger, les maîtres de maison assis chacun à un bout de l'immense table. Quarante-deux convives pouvaient y prendre place, lui apprit Isabel. Puis Marianne remonta dans sa chambre et écrivit à son père pour lui dire que tout allait bien, que la maison était magnifique et combien ses amis l'accueillaient avec chaleur. Elle le remerciait de l'avoir envoyée chez eux – le tout à mots couverts par crainte de la censure et afin de ne pas lui attirer d'ennuis. Charles expédierait la lettre, toujours par le biais de leur ami de New York. Elle écrivit ensuite à Toby, à qui elle put tout raconter sans crainte. Elle aussi était exilée, dorénavant, résuma-t-elle. La maison où elle habitait était extraordinaire et ses propriétaires d'une grande bonté, elle s'y trouvait en sécurité, mais son père et Altenberg lui manquaient terriblement. Elle n'évoqua pas les soldats installés dans la propriété de son père pour ne pas lui faire de peine. En revanche, elle lui dit qu'elle comprenait désormais combien il avait dû se sentir seul à son arrivée en Amérique, combien les débuts au cirque avaient dû être durs. Il allait de soi que vivre chez les Beaulieu était incomparablement plus facile. N'empêche qu'elle se sentait un peu dans la peau d'Alice descendue dans le terrier du lapin. Plus rien ne lui semblait réel, à part la guerre. Elle lui raconta sa traversée de la Belgique, la veille, l'angoisse qui ne l'avait pas quittée de tout le voyage. Elle le supplia de lui écrire et lui répéta combien elle avait le mal du pays, ce qu'elle n'avait pas dit à son père de crainte de l'inquiéter ou de lui paraître ingrate. Jamais elle ne s'était sentie si peu à sa place. Elle lui apprit également que les Beaulieu avaient deux fils dans la RAF, ce dont ils étaient légitimement fiers, mais qu'elle ne les avait pas encore rencontrés. Elle lui parla même des chiens.

Le lendemain, elle confia ses lettres au majordome.

Toby ne reçut la sienne qu'un mois plus tard. Ils étaient alors à New York. La seconde tournée pour Nick et ses fils venait en effet de commencer. Le courrier leur était expédié de Sarasota dans les différentes villes où ils s'arrêtaient. Les nouvelles que lui donnait Marianne lui firent un choc. L'après-midi, tandis qu'il pansait les chevaux en vue de la représentation du soir au Madison Square Garden, il raconta à son père qu'elle avait, elle aussi, quitté l'Allemagne.

— Alex l'a envoyée en Angleterre ? lâcha ce dernier, étonné.

Les choses devaient aller plus mal encore qu'il n'imaginait, s'il s'était séparé de sa fille adorée. Il ne l'aurait fait qu'en dernier recours, Nick le savait.

— Te précise-t-elle où ? Chez des amis de son père, ou chez des inconnus, à la campagne ?

Alex devait être au désespoir, sans elle. Il était de tout cœur avec lui.

— Elle est dans un château, chez des gens du nom de Beaulieu. Ils ont deux fils et beaucoup de chiens.

Cette description fit rire Nick.

— Oh ! Charles ! s'exclama-t-il en reconnaissant aussitôt le nom. Nous étions pensionnaires ensemble, bien qu'il ait quelques années de plus que moi. Marianne a raison : ce sont des gens charmants. Et ils possèdent un château immense. Il est certain qu'elle ne pourrait pas être mieux que chez eux pour attendre la fin de la guerre. Isabel va l'adorer. C'est une femme délicieuse.

La vie était pleine d'imprévus, songea Nick avec nostalgie. Ses fils et lui travaillaient dans un cirque, Marianne était accueillie en Angleterre chez un de leurs camarades de pensionnat, et Alex était seul à Altenberg… C'était pour lui, maintenant, que Nick s'en faisait le plus. Il allait se sentir si seul ! Lui, au moins, avait ses fils. Et il était heureux avec Christianna. Il n'avait même jamais été plus heureux de sa vie. Pour l'instant toutefois, il n'avait encore rien dit de cette extraordinaire histoire d'amour à son meilleur ami, de crainte qu'il ne comprenne pas.

La semaine suivante, Nick reçut à son tour une lettre d'Alex. Il lui racontait en gros la même histoire, avec moins de détails. Ainsi, il taisait l'échange de Favory. Au moment où il écrivait, il attendait la confirmation de l'arrivée de Marianne par Charles, mais espérait que tout s'était bien passé.

Peu de temps après, en avril, ils apprirent qu'Hitler avait envahi la Norvège et le Danemark. La RAF bombardait les navires allemands sur la côte norvégienne ainsi que les bases aériennes allemandes. La guerre battait son plein. En mai, tandis que le cirque se trouvait en Pennsylvanie, la situation empira encore. Hitler avait envahi la France, la Belgique, les Pays-Bas et le Luxembourg. Cinq jours plus tard, les Pays-Bas se rendaient aux nazis. Hitler dévorait l'Europe. En

Angleterre, Winston Churchill venait d'être nommé Premier ministre.

Il semblait que rien ne pourrait arrêter les nazis. L'Europe se relèverait-elle un jour ? Nick s'inquiétait de plus en plus pour Alex. Que devenait-il ? Que faisait-il, seul, hormis s'occuper de ses chevaux ? Si Toby et Marianne pouvaient s'écrire souvent, désormais, la correspondance avec Alex était de plus en plus difficile. Les lettres mettaient de plus en plus longtemps à être acheminées – surtout, sans doute, celles de sa fille qui devaient passer par New York.

Marianne fit la connaissance de Simon, le fils cadet de Charles et Isabel, en mai, deux mois après son arrivée. Il avait vingt-deux ans, pilotait des avions de combat dans la RAF et était tombé amoureux d'une infirmière militaire canadienne rencontrée à Londres, lors d'une soirée organisée par son régiment. Isabel le disait très épris d'elle. Il se montra fort aimable avec Marianne lors de sa venue, mais ne resta qu'une nuit chez ses parents, pressé qu'il était de rentrer à Londres. Il était en garnison à la base aérienne de Biggin Hill, à l'extérieur de la capitale.

En juin, Edmund, son aîné d'un an, vint passer un long week-end de permission à Haversham. Pilote de la RAF lui aussi, il effectuait des missions spéciales à bord de Wellington. Il en était déjà à sept missions de reconnaissance au-dessus de cibles classées top secret en Allemagne. C'était pour Isabel une inquiétude de tous les instants.

Le premier après-midi, Edmund invita Marianne à se promener avec lui dans le parc. Le jeune homme était d'une beauté saisissante, très élégant dans son uniforme, grand et brun aux yeux verts. Physiquement, il était le portrait de son père, mais il avait la gentillesse et la gaieté de sa mère. Il demanda à Marianne si elle ne se sentait pas trop seule à Haversham. Jamais elle ne l'aurait avoué à sa mère, mais il avait vu juste. Et puis, surtout, son père lui manquait.

— Nous devons vous sembler bien étranges, concéda-t-il. Ce ne sont pas votre maison, ni votre langue, ni votre façon de vivre. Il est normal que vous ayez le mal du pays. Et puis cette vieille baraque pleine de courants d'airs..., ajouta-t-il en désignant le magnifique château familial.

— Si vous saviez comme je me sens coupable d'être triste, confia-t-elle. J'ai beaucoup de chance, je suis merveilleusement accueillie, je suis en sécurité, mais je ne peux m'empêcher d'être triste...

Elle trouvait très facile de lui parler. Dans les quelques jours qui suivirent, ils passèrent beaucoup de temps ensemble. Il la traitait comme une amie. Il l'emmena à la pêche, ils se promenèrent dans la campagne, il lui apprit même à traire une vache, ce qu'elle n'avait jamais fait chez elle. Ils avaient été élevés un peu de la même manière, même si Altenberg était un château bien plus modeste que Haversham Castle. Edmund était malgré tout le moins prétentieux des hommes, et il avait les pieds sur terre, deux qualités qu'elle appréciait beaucoup chez lui. Il lui rappelait un peu Toby, si ce n'est qu'il avait quatre ans de plus qu'elle et non deux de moins, de sorte que c'était lui qui la traitait parfois comme une petite fille.

— J'ai dix-neuf ans ! protestait-elle. Pas douze !

De fait, ils s'amusèrent comme des gamins tout le temps de sa permission. Il fit même la course avec elle dans une allée du parc après avoir parié qu'il était le plus rapide.

— Vous avez triché ! l'accusa-t-elle en reprenant son souffle.

— Pas du tout !

Ensuite, il l'égara dans le labyrinthe. Au bout de une heure à cuire au soleil, elle menaça de le tuer s'il ne la tirait pas immédiatement de là. Il finit par avoir pitié d'elle et lui montra le chemin de la sortie.

Isabel fit remarquer à Charles combien cette petite était charmante et combien Edmund se plaisait en sa compagnie. C'était pour lui le meilleur des exutoires après la tension des missions. Isabel se faisait une joie de le voir aussi décontracté. Quant à Marianne, si triste depuis son arrivée, elle semblait enfin heureuse.

— Ce n'est pas une « petite », corrigea son mari. C'est une jeune femme. Une *ravissante* jeune femme, qui plus est. Notre fils n'est pas aveugle, vous savez. Je suis certain qu'il s'en est aperçu, lui aussi.

— J'en doute, objecta-t-elle. Cela fait deux jours qu'ils jouent comme des enfants.

Et cela leur avait fait un bien fou à l'un comme à l'autre. Le moment de la séparation n'en fut que plus douloureux.

— Avec qui vais-je m'amuser quand vous ne serez plus là ? dit Marianne tristement.

Il avait remis son uniforme et semblait soudain beaucoup plus adulte. Elle l'aimait bien mieux en camarade de jeu.

— Il va falloir vous amuser toute seule, je le crains, repartit-il avec un sourire gamin. Vous n'aurez qu'à courir avec les chiens autour de l'étang. Ou aller traire les vaches.

Rien de tout cela ne serait aussi distrayant sans lui. Même s'ils avaient eu quelques conversations sérieuses à propos de la guerre, ils avaient vraiment passé de bons moments ensemble. Il avait aussi été ému d'apprendre qu'elle avait grandi sans l'amour d'une mère, et épaté de la découvrir aussi bonne cavalière. Il promit de revenir dès sa prochaine permission.

La maison sembla bien vide, après son départ. Marianne ne put s'empêcher de le faire remarquer à Isabel, qui la régalait d'anecdotes savoureuses sur l'enfance de ses fils et leurs bêtises. Elle convint que, sans leurs bouffonneries, l'atmosphère était trop calme et trop sérieuse.

Dans les jours qui suivirent la visite d'Edmund, l'Italie entra en guerre contre la Grande-Bretagne et la France, et cette dernière tomba aux mains des Allemands. Marianne était partie à temps. La Belgique étant désormais occupée, son voyage aurait été beaucoup plus difficile, voire impossible. Le colonel n'aurait probablement pas pu lui accorder ce laissez-passer, même en échange d'un étalon lipizzan. Son père lui avait écrit que le colonel se pavanait dans toute la région sur Favory et qu'il souriait en pensant à elle à chaque fois qu'il le voyait.

Isabel répétait sans cesse qu'elle était horrifiée de savoir Paris occupé par les Allemands. C'était une si belle ville... Fin juin, la presse reproduisit des photographies d'Hitler défilant dans les rues de la capitale française, ce qui ne fit qu'attiser sa colère. Elle considérait le maréchal Pétain et le gouvernement de Vichy comme des traîtres. Heureusement que le général de Gaulle était là pour organiser les Forces françaises libres depuis Londres.

Isabel, Charles et Marianne espéraient voir les garçons en juillet, mais la bataille d'Angleterre avait commencé. Ils enchaînaient les missions de représailles et n'eurent pas de permission. En août, les Allemands bombardèrent les bases aériennes. Il y avait des raids de jour et des bombardements sur toute l'Angleterre. Fin août, pour la première fois, la Luftwaffe pilonna le centre de Londres. Simon put téléphoner chez lui et, la voix brisée par le chagrin, apprit à sa mère que la jeune infirmière dont il était amoureux avait été tuée. Marianne en fut bouleversée pour lui.

Deux jours après le bombardement de Londres, la RAF bombarda Berlin. Cela ne leur fut pas confirmé, mais Isabel eut le pressentiment qu'Edmund faisait partie de la mission. Il put enfin rentrer à Haversham après cela, pour la plus grande joie de tous. Leur soulagement fut immense de le retrouver entier. Quoique fatigué – il avoua qu'il avait très peu dormi ces derniers temps –, il était d'excellente humeur.

Marianne et lui se baignèrent dans l'étang. Cette fois, leurs conversations furent plus sérieuses. Ils parlèrent de la guerre, de la mort, de la constante incertitude dans laquelle ils vivaient. Il lui dit qu'il était heureux qu'elle ne soit pas à Londres, que la ville était horriblement dévastée. Après avoir vu tous ces blessés, il lui était plus facile d'effectuer des missions de bombardement en Allemagne. Toutefois, l'idée de blesser des civils, des femmes et des enfants, et de ne pas toucher uniquement des cibles militaires, lui faisait horreur. Marianne le trouva plus grave qu'en juin. Mais que cette maturité était chèrement acquise…

— Et vous ? lui demanda-t-il, toujours plein de sollicitude ? Avez-vous toujours le mal du pays ?

Elle était chez eux depuis six mois, maintenant, et elle s'habituait peu à peu à cette nouvelle vie. Surtout, elle aimait énormément Isabel.

— Quelle femme bonne et merveilleuse, commenta-t-elle sans cacher son admiration et son affection pour elle. Je suis désolée qu'elle m'ait ainsi sur le dos. Il risque de se passer des années avant que je puisse repartir. Il faut que vous vous dépêchiez de gagner cette guerre pour que je rentre au plus vite chez moi, conclut-elle pour taquiner Edmund.

— Pour tout vous dire, Marianne, cela me plaît de savoir que vous êtes ici, répondit-il en la regardant. Cela me plaît beaucoup. D'ailleurs, je crois que je ne vais pas trop me presser de la gagner, cette guerre.

Il lui prit la main et la garda dans la sienne un long moment. Marianne en fut un peu étonnée, mais elle mit cela sur le compte des épreuves qu'il traversait, du danger qu'il courait à chaque instant. Il avait besoin de réconfort, sans doute. Il n'était pas le seul à être usé nerveusement par la guerre. Isabel ne cessait de s'inquiéter pour ses fils. Quant à Marianne, elle s'en faisait énormément pour son père.

Avant de partir, Edmund l'emmena une dernière fois dans le parc. Il la regarda sérieusement.

— S'il m'arrivait quelque chose, je voudrais que vous vous occupiez de ma mère, Marianne, s'il vous plaît. Elle vous aime énormément. S'il nous arrivait quelque chose, à Simon ou à moi, ce serait extrêmement dur, pour elle, et elle aurait besoin de votre soutien.

Le jeune homme baissa les yeux, hésita quelques secondes avant de poursuivre :

— Marianne, je crois qu'il faut que vous sachiez, avant que je parte, que ma mère n'est pas la seule à vous aimer. Moi aussi, je vous aime ; je crois que je suis tombé amoureux. Je n'ai pas cessé de penser à vous depuis le mois de juin.

Marianne resta un instant interdite. Jusqu'à présent, elle n'avait vu Edmund que comme un ami, un peu à l'image de Toby. Pourtant, il la regarda si intensément qu'elle ressentit à son tour comme un trouble... Une seconde plus tard, elle était dans ses bras, et ils s'embrassaient à perdre haleine.

— Je vous en prie, Edmund, restez en vie, lui dit-elle quand ils se séparèrent. Je crois que, moi aussi, je vous aime.

C'était arrivé si soudainement... Il était très beau, certes, mais c'était surtout son côté gamin qui l'avait conquise, son goût pour le jeu, sa joie de vivre, son sens de l'humour, sa gentillesse. Toutes ces qualités qu'il tenait de sa mère.

— Je ferai de mon mieux, promit-il. Bien, maintenant que j'ai sauté le premier pas, il faut que je vous le dise : je ne *crois* pas que je vous aime. Je le *sais*. J'en suis sûr et certain. Seulement, je n'ai pas voulu vous faire peur en vous le disant de but en blanc.

— Merci, fit-elle avec un sourire timide. Moi aussi, je vous aime. Et je suis très sérieuse : je veux que vous restiez en vie. J'ai besoin de vous.

Elle avait déjà perdu trop d'êtres auxquels elle tenait. Elle ne voudrait pas le voir disparaître, lui aussi, alors qu'elle venait de le trouver.

— Je ne vais pas mourir, affirma-t-il doucement. Je ne vous ferais pas un coup pareil.

Il lui prit le bras, et ils se dirigèrent vers le château.

— C'est promis ?

— Promis, juré, répondit-il en la regardant dans les yeux.

— Je vous prends au mot, alors !

— Parfait.

Il l'embrassa encore et l'étreignit une dernière fois.

— À très vite, Marianne, j'espère. On ne nous accorde pas beaucoup de permissions, ces temps-ci, mais je reviendrai dès que possible.

Depuis la fenêtre du château, le père d'Edmund les observait. Il ne fut pas dupe un instant de leur air innocent quand ils rentrèrent. Il dit au revoir à son fils avec un petit clin d'œil. Isabel, elle, était déconfite.

— Elle est tellement jolie, se plaignit-elle à Charles après son départ. Et tellement charmante. Je ne comprends pas qu'il ne s'intéresse pas à elle. Il la traite comme sa petite sœur.

À ces mots, il éclata de rire.

— Ma chère, je vous aime infiniment, mais il vous arrive d'être aveugle. Je crois au contraire qu'il est fou d'elle. Simplement, il n'a pas envie que nous le sachions.

— Ah bon ? fit-elle, stupéfaite. Vous pensez ? Et elle, le sait-elle ?

— J'en suis convaincu. Je n'ai jamais vu Edmund autant s'intéresser à vos jardins. Il s'y promène avec Marianne à la moindre occasion. Cela m'étonnerait qu'ils ne fassent qu'admirer vos roses.

— C'est vrai ? Eh bien, tant mieux. J'espère que vous avez raison. Autrement, je serai très déçue. Ils formeraient un très beau couple, n'est-ce pas ? Leurs enfants seraient superbes.

— Vous allez un peu vite en besogne, tout de même, la reprit-il. J'ai dit qu'il était amoureux d'elle. Pas qu'ils allaient se marier la semaine prochaine.

— Du moment qu'il l'aime, cela me suffit pour l'instant. Mais je dois dire que cela me conviendrait à merveille. Elle ne repartirait pas en Allemagne. Elle resterait ici et me tiendrait compagnie. Et, après la guerre, ils pourraient s'établir à Haversham.

— Je vois que vous avez déjà tout organisé, dit-il, taquin. Il faut peut-être les laisser faire à leur idée, au moins au début...

— Bien, peut-être..., concéda-t-elle, pensive. Ce qu'il y a, c'est que je ne voudrais pas laisser passer une occasion pareille. Marianne est une jeune fille merveilleuse.

— Edmund est de votre avis, ne vous inquiétez pas. Il n'est pas idiot, vous savez. Il la voit et il parle avec elle, lui aussi. En tout cas, je vous l'accorde : elle est charmante. Ce pauvre Alex doit se sentir bien seul, désormais. Et ce ne doit pas être drôle, en Allemagne.

— Au moins, il est à la campagne, comme nous. En ville, la vie est épouvantable partout, avec ces bombardements.

Deux semaines plus tard, les Allemands bombardaient Londres, Southampton, Bristol, Cardiff, Liverpool et Manchester. Pour la Grande-Bretagne, le coup était rude.

L'Europe presque entière était à feu et à sang ; l'inquiétude, chez les artistes du cirque, était quasi générale. L'atmosphère s'en ressentait, et la dernière semaine de la tournée fut particulièrement pesante.

En novembre, quand ils rentrèrent à Sarasota, cela faisait deux ans que Nick et ses fils vivaient en Amérique. Et, aussi fou que cela puisse paraître, il était amoureux de Christianna depuis presque aussi longtemps. À dix-sept ans, Toby avait désormais tout d'un jeune Américain, jusqu'à son anglais, presque parfait. Quant à Lucas, aujourd'hui âgé de huit ans, on aurait dit qu'il était né au cirque. Il se rappelait à peine leur vie d'avant. Il arrivait parfois que Nick lui aussi ait cette impression. Il avait pris ses marques, dans cet univers si particulier. Et Christianna et lui connaissaient toujours le même succès.

La tournée avait été une réussite. Néanmoins, tout le monde était content d'être de retour en Floride pour l'hiver. Les garçons avaient repris le chemin de l'école, et il tardait à Nick d'avoir un peu de temps libre à consacrer à Christianna. Il l'avait invitée à passer un long week-end avec lui à New York, et elle s'en faisait une joie. Comme d'habitude, elle avait demandé aux Ukrainiennes de les couvrir.

— Vous n'auriez pas aussi vite fait de vous marier, plutôt que de continuer à vous cacher ? avait suggéré une des filles.

— Nous ne sommes pas prêts, avait répondu Christianna en haussant les épaules avec insouciance.

N'empêche que l'idée lui avait également traversé l'esprit. Sans doute Nick ne s'estimait-il pas encore en mesure de lui assurer la vie et la sécurité matérielle qu'il souhaitait.

Cette année-là, ses fils et lui passèrent Noël avec les Markovitch. Pour le dîner, il apporta deux bouteilles de vodka. Il savait désormais que les frères de Christianna étaient capables d'en absorber une grande quantité.

Nick profita de la trêve hivernale pour tenir sa promesse et emmener Christianna passer quelques jours à New York entre Noël et le Nouvel An.

Ils descendirent dans un petit hôtel près du Madison Square Garden et allèrent se promener à Times Square. Il l'emmena voir les Rockettes au Radio City Music Hall ; elle adora le spectacle. Il neigea pendant leur séjour, et Nick songea à l'Allemagne. Ils firent un tour en traîneau dans Central Park... On eût dit un paysage de carte postale. La fin de ce voyage merveilleux arriva trop vite. Ils rentrèrent avec un petit pincement au cœur.

Edmund parvint à obtenir trois jours de permission au moment de Noël et s'empressa de rentrer dans le Buckinghamshire. Simon, lui, combattait en Allemagne. Charles et Isabel se réjouirent tout de même d'avoir un de leurs fils auprès d'eux. Marianne était au comble du bonheur. À peine arrivé, il courut vers elle, la souleva de terre et la fit tournoyer.

— Vous m'avez manqué ! Vous m'avez manqué ! Bon sang, ce que vous m'avez manqué ! s'exclama-t-il.

Elle rit de joie. Sa dernière visite, qui remontait à un mois, avait été tout aussi romantique que la précédente. Ils avaient passé tout leur temps à s'embrasser et à faire des projets d'avenir. Cette fois, le jour de son retour, après le déjeuner, Edmund passa un moment en tête à tête avec sa mère. Marianne ne sut pas de quoi il avait été question, mais il parut extrêmement satisfait de cet entretien. Il s'entendait très bien avec ses parents ; il avait avec eux des rapports plus proches que son frère, lequel était plus indépendant et plus distant. Edmund était d'une nature chaleureuse et affectueuse comme sa mère, alors que Simon avait la réserve de son père.

Il neigea la nuit du retour d'Edmund. Le lendemain matin, il emmena Marianne faire une promenade dans le parc. Quand elle lui lança une boule de neige, il riposta en s'abritant derrière une haie pour la bombarder.

— Arrêtez ! Ce n'est pas du jeu ! s'écria-t-elle. Je suis une fille !

Le feu aux joues, de la neige plein les cheveux, ils riaient à gorge déployée quand il jaillit de derrière la haie pour l'embrasser.

— Vous faites bien de me le rappeler, murmura-t-il entre deux baisers. J'allais l'oublier.

Il y avait tant de tendresse, tant d'amour dans son étreinte qu'elle en oublia tout le reste, l'Allemagne, son père, les Noëls chez eux. Dans ses bras, rien n'existait plus que la force de ses sentiments pour lui. Il avait tenu sa promesse : il était en vie. Elle s'inquiétait pour lui chaque jour et priait sans cesse pour qu'il rentre sain et sauf de ses missions.

— Je vous aime, Marianne, fit-il doucement en lui souriant.

Sur ce, il mit un genou à terre, lui prit la main et la regarda avec une infinie tendresse.

— Marianne von Hemmerle, dit-il d'un ton solennel, me ferez-vous l'honneur de m'accorder votre main ? Vous feriez de moi le plus heureux des hommes.

Elle le regarda, ébahie, et ne put qu'acquiescer d'un hochement de tête, les larmes aux yeux. À sa joie se mêla une pointe de douleur. Son père lui manquait. Elle aurait tant voulu partager cet événement avec lui, autrement que par une lettre qui allait mettre des siècles à lui parvenir – si elle lui parvenait jamais. Mais elle savait qu'il s'en réjouirait, parce qu'elle connaissait ses liens avec les Beaulieu et son affection pour eux. Il ne pourrait qu'être heureux qu'elle épouse leur fils, même si elle n'avait que dix-neuf ans. À cause de la guerre, ils grandissaient tous plus vite.

— Oui, articula-t-elle le souffle coupé par l'émotion, tandis que des flocons de neige s'accrochaient à ses cils et se prenaient dans ses cheveux. Oui !

Alors, il se releva pour l'embrasser, plus passionnément qu'il ne l'avait jamais fait.

— Quand ? lui demanda-t-elle.

— Bientôt, promit-il.

Ils rentrèrent à l'intérieur. Et là, il sortit de sa poche la petite boîte de velours noir que sa mère lui avait donnée un peu plus tôt dans l'après-midi quand il lui avait fait part de ses intentions. Il avait également informé son père, qui lui avait accordé sa bénédiction. L'un et l'autre approuvaient entièrement son choix et ne s'inquiétaient nullement du jeune âge de sa fiancée. Ils l'appréciaient énormément et la jugeaient d'une grande maturité. Ce serait pour lui l'épouse idéale.

Marianne ouvrit délicatement l'écrin et poussa un cri d'émerveillement. La bague était magnifique. C'était un solitaire qui avait appartenu à l'arrière-grand-mère d'Edmund. Il la lui glissa au doigt : on aurait dit qu'elle avait été faite pour elle. Elle contempla sa main avec ravissement. Mais son bonheur se mêlait d'une tristesse qu'Edmund ne fut pas long à remarquer.

— Ma chérie, qu'est-ce qui ne va pas ? lui demanda-t-il avec inquiétude.

— J'aurais tant aimé pouvoir le dire à mon père, murmura-t-elle les larmes aux yeux. J'aurais tant aimé qu'il assiste à notre mariage.

Néanmoins ils ne souhaitaient ni l'un ni l'autre attendre la fin d'une guerre qui pouvait durer encore des années. Edmund l'étreignit longuement avant d'aller chercher dans le cellier une bouteille de champagne dont il leur servit à chacun une coupe.

— À ma si belle fiancée, ma future épouse, dit-il en lui donnant la sienne. À nous.

Ils burent une gorgée, puis ils s'installèrent dans la bibliothèque pour parler de l'organisation de leur mariage. Edmund voulait une cérémonie dans l'intimité, dans la chapelle du château, en présence uniquement de sa famille proche. Cela correspondait tout à fait au mariage qu'elle avait imaginé pour elle autrefois, à Altenberg.

— Quand voudriez-vous que nous nous mariions ? s'enquit-elle.

— Il faudra que je reparte début février, répondit-il, hésitant, comme s'il ne voulait pas brusquer les choses. Serait-ce trop tôt, pour vous ?

Certes, ils ne s'aimaient que depuis six mois ; mais, en temps de guerre, tout allait plus vite. Elle lui sourit. Non, ce n'était pas trop tôt. Elle non plus n'avait pas envie d'attendre.

— Pas du tout, c'est merveilleux, assura-t-elle. De toute façon, je n'ai besoin que d'une robe, fit-elle valoir sur le ton de la plaisanterie.

Puis, à nouveau grave, elle ajouta :

— Pensez-vous que votre père acceptera de me conduire à l'autel ?

Edmund ne doutait pas que ce serait pour lui un honneur et une joie.

— Bien entendu. De mon côté, j'aimerais que Simon soit mon témoin, s'il peut obtenir une permission. Ah, si seulement Hitler nous laissait quelques jours de trêve…

Ils restèrent à bavarder jusqu'à ce que le feu s'éteigne, puis Edmund accompagna Marianne à sa chambre. Il entra un instant mais ne resta pas longtemps, de crainte d'aller trop loin. Ils se mariaient dans six semaines, et il leur tardait à tous deux infiniment d'y être.

Restée seule, Marianne écrivit à son père, non sans verser quelques larmes. Le plus dur, c'était de savoir qu'il faudrait des semaines pour que la nouvelle lui parvienne.

Le lendemain matin, au petit déjeuner, elle remercia sa future belle-mère avec effusion pour la bague et lui montra sa main gauche. Il lui semblait déjà qu'Isabel était de sa famille, et cela ne faisait qu'ajouter à son bonheur.

— Oh, qu'elle vous va bien ! s'exclama Isabel avec un plaisir manifeste. Tous mes vœux de bonheur, mon enfant chérie. Dire que je vais enfin avoir une fille ! s'exclama-t-elle en battant des mains.

Marianne se jeta dans ses bras et la serra fort.

Quand Edmund descendit, il était plus rayonnant encore, si c'était possible, que sa fiancée. Ce fut un Noël idyllique pour tous, à Haversham Castle. On dîna dans la grande salle à manger en parlant avec animation du mariage. Isabel allait emmener Marianne chez sa couturière, au village, pour qu'elle lui fasse une robe de mariée. Elle était très habile, assura-t-elle. Ils sortaient de table quand Simon appela. Il félicita son frère et lui promit de faire son possible pour être là. Tous convinrent que, malgré la guerre et leurs inquiétudes, malgré l'éloignement du père de Marianne, ils avaient passé un merveilleux Noël.

À Altenberg, en l'absence de Marianne, Alex ne se donna pas la peine de faire un arbre de Noël. Cela n'aurait servi qu'à attiser son chagrin, il le savait. Les neuf derniers mois avaient été très durs. Un de ses chevaux était mort, un grand cheval de chasse, auquel il était particulièrement attaché. Il faisait un temps épouvantable, et la maison était glaciale. Sans sa fille pour égayer les journées, la vie était d'une tristesse sans nom. Ce Noël fut assurément le plus sombre de sa vie, avec celui qui avait suivi la mort de sa femme. Par certains aspects, la situation était même pire, car, aujourd'hui, il n'avait plus personne. Ni amis ni enfant.

Il ne restait pas grand-chose à manger dans la maison. De toute façon, il n'avait plus goût à rien et réduisait ses repas à leur plus simple expression. Il était en train de faire cuire des carottes et des pommes de terre du potager quand on frappa à la porte de service. Il n'attendait personne, surtout de ce côté-là. Il alla ouvrir. C'était un de ses fermiers qui soutenait un homme blessé à la jambe. Ils restèrent là, sans rien dire.

— Excusez-moi de vous déranger, monsieur, lâcha finalement le fermier.

Alex se rendit compte que les deux hommes grelottaient.

— Entrez, leur dit-il en s'effaçant pour les laisser passer.

Il n'avait aucune idée de ce qu'ils pouvaient vouloir. Le second homme avait l'air très inquiet et regardait régulièrement par-dessus son épaule.

— Que puis-je faire pour vous ? demanda-t-il au fermier.

— J'aurais besoin de vous emprunter un cheval, répondit-il. Je n'ai pas voulu en prendre un sans vous demander.

— Vous avez bien fait, lâcha Alex en ôtant sa casserole du feu. D'autant que vous ne pourrez aller nulle part avec un cheval cette nuit. Le sol est gelé ; il se blesserait et serait boiteux au bout de cinq minutes. Pourquoi vous faut-il un cheval ?

Le fermier regarda tour à tour son compagnon et son propriétaire, qu'il connaissait depuis toujours et en qui il avait entière confiance.

— Pour amener mon ami à la frontière suisse.

— C'est loin d'ici. Faut-il que je vous demande pourquoi ?

Le fermier fit non de la tête, et le blessé se laissa tomber sur une chaise en gémissant. Il avait l'air de souffrir beaucoup.

— Il me semble que votre ami n'est pas en état de voyager, observa Alex.

Il s'aperçut que du sang gouttait sur le sol. L'inconnu devait avoir reçu une balle.

— Êtes-vous recherché ? s'enquit-il en s'adressant directement à l'intéressé.

— Pas ce soir, je pense. Demain, probablement. Ils doivent me croire mort. Ils attendront demain matin pour le vérifier.

— C'est rassurant, fit Alex avec une pointe d'ironie.

Dans quoi s'embarquait-il ? Soudain, il comprit.

— Êtes-vous juif ?

L'homme hésita, puis hocha la tête. Le fermier avait dû le convaincre qu'il pouvait avoir confiance en Alex.

— Ils ont emmené toute ma famille il y a deux mois. J'étais parti à l'étranger, afin de vendre un cheval pour les nourrir. Quand je suis rentré, il n'y avait plus personne. Ma femme, mes deux enfants, ma mère, ma tante : tout le monde avait disparu. Rien que des femmes et des enfants.

— Savez-vous où ils sont ?

— Ils ont été envoyés dans un camp. Je ne sais pas où. Depuis, je me cache et je fais mon possible pour rester éloigné des gens que je connais, souligna-t-il en les regardant tour à tour. Une patrouille m'a vu il y a deux jours, dans les bois. Les soldats ne savent pas qui je suis. Mais ils m'ont revu ce soir. L'un d'eux m'a tiré dessus. Si cela se trouve, mon sort ne les intéresse pas suffisamment pour qu'ils reviennent. Je voulais essayer de m'enfuir cette nuit, si vous m'aviez donné un cheval.

Il souffrait horriblement.

— Y a-t-il une balle dans cette plaie ? s'enquit Alex avec circonspection.

Si c'était le cas, il faudrait l'extraire.

— Le tireur m'a à peine effleuré, certifia l'homme.

Alex hocha la tête tout en se demandant que faire. Le château n'avait jamais été fouillé, mais rien ne permettait d'affirmer que cela n'arriverait pas. Surtout s'il y avait un fugitif dans le secteur. Et même si personne n'avait de raison de soupçonner Alex – pour le moment.

— Il faudrait désinfecter la plaie, observa-t-il. Faute de mieux, du whisky fera l'affaire.

Il sortit la bouteille.

— Le mieux, ce serait de vous cacher quelques jours et d'attendre de pouvoir marcher pour partir. J'ai une cave à vins, en bas. Ensuite, nous réfléchirons à un moyen de vous faire parvenir à la frontière, mais pas à cheval. Il n'est pas question que je tue un de mes chevaux pour vous, déclara-t-il d'un air sombre.

Il n'était pas ravi de se trouver mêlé à cette affaire. Mais il ne refuserait certes pas de venir en aide à un homme, surtout le soir de Noël. Du reste, il n'avait rien de mieux à faire. Il pria le blessé d'ôter son pantalon et versa du whisky sur la plaie, qui n'avait pas l'air si vilaine que cela. Puis il le conduisit en bas. Si la cave n'était pas trop humide, il y faisait froid. Il remonta chercher une couverture et repassa par la cuisine, où il mit dans une assiette une pomme de terre et quelques carottes. Il redescendit avec le tout, plus la bouteille de whisky.

— Tenez, dit-il, ça va vous faire du bien.

Il remonta avec son fermier. La cave n'était pas éclairée, mais le fugitif avait avant tout besoin de sommeil.

— Assurez-vous qu'il n'y a pas de traces de sang dans la neige, en repartant, enjoignit Alex au fermier. Et revenez dans deux jours : il devrait aller mieux.

— Je ne m'attendais pas à ce que vous le gardiez chez vous, répondit ce dernier d'un air confus. Je suis désolé, monsieur. Tout ce que nous voulions, c'était un cheval.

— Ne vous en faites pas, soupira Alex d'un ton las. J'aime mieux me faire tuer pour un homme que pour un cheval. Nous allons trouver comment faire. Joyeux Noël, au fait.

— Joyeux Noël, monsieur, fit le fermier avant de disparaître.

Alex redescendit voir comment se portait cet hôte inattendu. Il avait fini son assiette et vidé une partie de la bouteille de whisky, et dormait déjà à poings fermés.

Il ignorait s'il avait dit la vérité, mais il avait confiance en son fermier ; c'était pourquoi il avait proposé son aide. L'histoire qu'il avait racontée était déchirante. Perdre toute sa famille d'un coup, c'était atroce. Et il ne s'agissait hélas pas d'un cas isolé. Beaucoup d'autres subissaient le même sort. Tous ceux qui n'avaient pas eu la chance de pouvoir partir avant la guerre. L'Allemagne marchait sur la tête, songea-t-il en éteignant avant de monter se coucher. Il s'efforça de ne pas se laisser engloutir par le chagrin, comme tous les soirs, quand il passa devant la chambre vide de Marianne. Dans son lit, il resta éveillé des heures durant, à se demander comment aider cet homme.

Le lendemain matin, il redescendit le voir. La plaie était nette, et il se sentait mieux. Personne ne vint fouiller la maison. En cette période de fêtes, il y avait moins de soldats dans la région. Et il avait accordé deux jours de congé à sa gouvernante.

Il redescendit à manger à l'inconnu, le fit monter pour lui permettre d'aller aux toilettes et le raccompagna à la cave. Ils ne parlèrent pas. L'inconnu le remercia seulement d'une voix émue, avant qu'Alex referme la cave. Le lendemain, le fermier revint.

— Comment va-t-il ? s'enquit-il dès qu'Alex l'eut fait entrer.

— Ça a l'air d'aller.

Dans l'intervalle, Alex avait décidé quoi faire. Il avait empli le réservoir de sa voiture de toute l'essence qu'il possédait et calculé jusqu'où il pouvait aller. Presque jusqu'à la frontière suisse, mais pas tout à fait. Néanmoins, cela suffirait si l'homme était malin, prudent et assez rapide.

— J'ai un ami qui l'aidera, dit le fermier avec une certaine circonspection, si vous le conduisez à Kempten, à la basilique Saint-Laurent. Il habite tout près et s'occupera de lui sur la fin du parcours.

C'est alors qu'Alex comprit. Tout ceci n'était pas le fruit du hasard. À l'évidence, son fermier aidait des Juifs à s'enfuir. Il avait entendu dire qu'ils étaient quelques courageux à faire ainsi ce qu'ils pouvaient.

— Ma voiture est dans le garage, dit Alex. Il peut y accéder depuis la cave sans être vu. Qu'il se cache dans le coffre ; et nous partirons tout de suite, de jour, c'est moins suspect que de voyager de nuit. Je le conduirai jusqu'à votre ami, puis nous oublierons ce triste épisode.

Le fermier hocha la tête d'un air reconnaissant.

— Emmenez-le à la voiture, ajouta Alex. Je serai au garage dans dix minutes.

Il monta se changer pour mettre un costume et un chapeau. Avant de sortir, il enfila un manteau. Il était vêtu comme pour rendre visite à des amis. Le fermier l'attendait au garage.

— Il est installé ? demanda-t-il.

L'autre hocha la tête et, sans rien dire, lui tendit un pistolet.

— Vous en aurez peut-être besoin.

Alex hésita, puis le prit et le glissa dans sa poche.

— Merci.

Sur quoi, il s'installa au volant de l'Hispano-Suiza et mit le contact. Le fermier lui ouvrit la porte et rentra chez lui à pied, l'air de rien.

Alex partit par la grand-route, sans se cacher, et passa devant chez les von Bingen à vitesse normale. Le soldat qui l'arrêta le reconnut aussitôt.

— Bonjour, monsieur le comte, dit-il d'un ton respectueux. Tout va bien ?

— Très bien, merci. Je vais voir des amis.

Le soldat lui fit signe de poursuivre son chemin, sans contrôler ses papiers ni la voiture. Alex roula toute la journée et jusqu'à la nuit. Au passage d'un point de contrôle, un soldat demanda à un autre s'il fallait fouiller le coffre. Alex parvint à dissimuler son angoisse, et la réponse fut miraculeusement négative ; il put repartir sans être inquiété. Néanmoins, il eut pendant de longues minutes des sueurs froides à l'idée de ce qui serait arrivé si le soldat avait ouvert le coffre. Il sentait le poids du pistolet dans sa poche intérieure, mais ne voulait pas avoir à s'en servir.

Il se rendit à l'adresse convenue, descendit de voiture et frappa à la porte. L'homme qui lui ouvrit parut surpris de voir cette belle voiture et cet homme élégant. Il hocha la tête sans faire de commentaire, puis ils échangèrent le mot de passe qu'avait donné le fermier. La petite route de campagne était déserte. L'homme ouvrit le coffre et aida le blessé à sortir. Ce dernier dit au revoir à Alex et le remercia d'une voix rauque. Ce point de rendez-vous n'était peut-être pas aussi proche de la frontière qu'il aurait pu le souhaiter, mais le passeur se chargerait de la lui faire franchir. Il était mieux équipé qu'Alex et connaissait sans doute les écueils à éviter.

Alex reprit la route sans un mot de plus et rentra comme il était venu, stupéfait que tout ait été aussi facile. Il passa devant le château des von Bingen au petit matin. Le colonel revenait d'une sortie à cheval. Favory dansait sur place, les naseaux fumants. Le colonel salua Alex, qui ralentit et lui sourit.

— Êtes-vous toujours satisfait de votre lipizzan, mon colonel ?

— Extrêmement.

— Il semble en pleine forme.

Le colonel flatta l'encolure de son cheval, et Alex redémarra. Quelques minutes plus tard, il était de retour chez lui, comme si de rien n'était. Sa gouvernante arriva quelques minutes plus tard et lui fit une tasse de thé, qu'il but dans son bureau après avoir rangé son manteau et son chapeau. Une fois seul, il sortit le pistolet de sa poche et le rangea dans un tiroir qu'il ferma à clé. Il était satisfait d'avoir mené cette mission à bien. C'était la première, songea-t-il en buvant son thé, mais sans doute pas la dernière. Une porte s'était ouverte pour lui, cette nuit. Il avait choisi de la franchir. Maintenant, il ne pouvait plus revenir en arrière.

20

Le mariage d'Edmund et Marianne se déroula comme ils l'avaient souhaité. Simon obtint une journée de permission pour être le témoin de son frère, et Charles conduisit Marianne à l'autel. Elle portait la robe confectionnée par la couturière du village et le voile que sa belle-mère avait elle-même porté vingt-cinq ans plus tôt. On eût dit une jeune déesse. Une vingtaine d'amis des Beaulieu assistait à la cérémonie, ainsi qu'une poignée des plus proches camarades de régiment d'Edmund, tous en uniforme. À la demande expresse d'Isabel, personne n'évoqua la guerre de toute la journée. Le mariage fut célébré dans la chapelle du château, qu'Isabel avait magnifiquement décorée avec les fleurs de ses serres. C'était également elle qui avait confectionné le bouquet d'orchidées blanches de la mariée. Même le beau temps était de la partie.

Marianne était rayonnante. Edmund ne touchait plus terre. Le déjeuner fut servi dans la grande salle à manger. Il n'aurait pas été possible d'asseoir beaucoup plus de monde autour de la longue table, décorée elle aussi de fleurs fraîches. À la fin de la journée, les jeunes mariés prirent la route de Brighton pour un voyage de noces de trois jours qu'ils passèrent au Grand Hotel, un établissement délicieusement désuet même s'il avait beaucoup changé. Edmund, qui y avait des souvenirs d'enfance, voulait le faire découvrir à Marianne malgré les sacs de sable et les précautions rendues nécessaires par la guerre. Ils n'avaient d'yeux que l'un pour l'autre et la vie qui les attendait. Ils auraient été aussi heureux sous une tente, ou même à la belle étoile, du moment qu'ils étaient ensemble. Rien d'autre ne comptait, tant ils s'aimaient. La promenade en planches était fermée, mais ils coururent sur la plage, se poursuivirent comme des enfants – et se retirèrent souvent dans leur chambre pour faire l'amour. Lorsque Edmund ramena sa jeune épouse à Haversham, elle paraissait détendue et heureuse. Il passa une dernière nuit avec elle dans la grande chambre d'amis rose. Le lendemain matin, elle ne put retenir ses larmes.

— Vous savez que je reviendrai, Marianne. Vous savez que je reviendrai toujours.

Il l'embrassa pour la dixième fois en autant de minutes et finit par s'en aller. Tout avait été tellement parfait que, malgré la douleur de la séparation, elle flotta plusieurs jours dans un état de béatitude absolue. Elle écrivit à son père pour lui raconter le mariage, puis à Toby.

Le jeune homme fut stupéfait d'apprendre la nouvelle. Ils n'avaient que deux ans d'écart. Quoique toujours très épris de Katia, il ne se voyait pas l'épouser avant dix ans au moins. Marianne était devenue adulte, alors que lui, à dix-sept ans, restait un gamin. Lorsqu'il fit part du mariage à son père, celui-ci sourit et secoua la tête.

— Voilà qui me fait prendre un sacré coup de vieux, commenta-t-il. Je me souviens de sa naissance comme si c'était hier. Il ne faudrait pas que cela te donne des idées !

Toby fit la grimace.

— Pas question, assura-t-il. Je suis bien trop jeune.

Marianne avait-elle eu raison de se marier aussi jeune ? Il l'ignorait. Sans doute était-ce un peu différent pour les filles. Quoi qu'il en soit, il avait peine à croire que cela faisait deux ans et demi qu'ils ne s'étaient pas vus. Le temps était passé si vite, et leur vie avait tant changé… Désormais, son amie d'enfance était vicomtesse et installée en Angleterre, dans un château bien plus grand que les leurs, tandis que lui était reparti en tournée avec le cirque, dans leur petite caravane. Tel était son sort, et il s'y était habitué. Il s'était fait à l'exiguïté de leur logis et à la routine quotidienne, dans laquelle il trouvait pour tout dire un certain confort, même si les fréquents changements de ville lui pesaient un peu.

En juillet, lorsqu'ils furent en Californie, Nick emmena de nouveau Christianna à Santa Ynez – à bord d'une voiture convenable, cette fois-ci. Ils descendirent dans la même auberge, et les Ukrainiennes couvrirent encore une fois Christianna. Nick avait l'impression que son père n'était pas dupe mais préférait fermer les yeux. Ils s'entendaient très bien, tous les deux, et Sandor s'était rendu compte au fil du temps que c'était du sérieux, entre lui et sa fille. Nick l'aimait, profondément, et c'était réciproque.

Ils retournèrent sur le promontoire, et il regarda longuement les terres qu'il espérait acheter un jour : « mon ranch », disait-il. Christianna se moquait gentiment de lui quand elle vit qu'il la regardait avec une tendresse grave.

— J'ai réfléchi, avança-t-il prudemment…

Il voulait être certain que cela lui convienne aussi.

— Et si nous nous mariions à notre retour en Floride, à la fin de la tournée ? Qu'en dirais-tu ?

— C'est une demande en mariage ? fit-elle, taquine.

Croyait-elle qu'il plaisantait ? Il faut dire qu'il répétait toujours qu'il ne l'épouserait que quand il aurait mis suffisamment d'argent de côté. Or leur salaire au cirque ne leur permettait ni à l'un ni à l'autre de beaucoup épargner. Ses quelques économies étaient loin de lui permettre d'acheter un ranch…

— Pas encore, répondit-il.

Sur ce, il se mit à genoux, sur le promontoire.

— Mais maintenant, si, ajouta-t-il en lui souriant. Christianna, veux-tu m'épouser ?

Elle ouvrit de grands yeux.

— Tu es sérieux ? Maintenant ?

— À la fin de la tournée.

Il voulait l'emmener faire un vrai voyage de noces, ce qui ne serait possible que pendant la trêve hivernale.

— Je veux dire : maintenant, tu me demandes en mariage ?

— Oui. Je t'aime et je veux me réveiller avec toi chaque matin jusqu'à la fin de ma vie.

Ils se cachaient depuis deux ans. Il en avait plus qu'assez.

— Oui, fit-elle dans un souffle. Oui… oui !

Elle aurait voulu le crier à tue-tête sur la colline. Il se releva et l'embrassa. Puis il lui fit la surprise de sortir de sa poche une bague de fiançailles ornée d'un petit diamant. Il avait prévu depuis longtemps de lui faire sa demande ici, à l'emplacement de leur futur ranch. L'auraient-ils jamais ? Rien n'était moins sûr. Mais c'était le lieu idéal et un site très romantique. Il lui glissa la bague à l'annulaire et l'embrassa à nouveau avant de la porter jusqu'à la voiture et de la ramener à l'auberge, où ils firent l'amour pour célébrer ce moment, deux ans pratiquement jour pour jour après leur première fois.

— Si nous nous marions sur le champ de foire, nous ne pourrons éviter un mariage immense, songea-t-elle tout haut, peu après.

— Oui, je ne vois pas comment faire autrement, observa-t-il, pragmatique. Le cirque va vouloir marquer le coup.

Voilà ce que c'était, que d'être des vedettes ! Nick était prêt à l'accepter.

La nouvelle de leurs fiançailles se répandit dans tout le cirque comme une traînée de poudre. Ils reçurent même un télégramme de félicitations de John Ringling North. Ce dernier leur proposait d'organiser la réception à Ca' d'Zan, la première maison de John et Mabel Ringling à Sarasota, un véritable palais. L'événement promettait d'être grandiose ! Nick songea que les Ringling voulaient en profiter pour faire un maximum de publicité.

À leur retour à Sarasota début novembre, la date fut fixée : ce serait le samedi après Thanksgiving. John Ringling North allait faire imprimer des affiches du couple pour les vendre sous le chapiteau. Nick et Christianna étaient réellement les stars du cirque, avec tout ce que cela comportait. Ils allaient donc avoir un mariage princier. Tous les artistes étaient invités. Ils attendaient huit cents personnes.

Le jour J, une immense tente fut dressée pour le dîner et la soirée dansante. Toby était le témoin de Nick ; quant à Lucas, il porta les alliances, même si, à neuf ans, il avait un peu passé l'âge. En tout cas, il prit son rôle très au sérieux. Au cours du dîner, Joe Herlihy fit un discours. La mariée était rayonnante, et Nick plus beau que jamais en jaquette. Ce fut un événement somptueux, avec tout le décorum et la fantaisie du cirque. Les affiches se vendirent si bien qu'il fallut en faire aussitôt réimprimer. Ils acceptèrent de donner une représentation le lendemain du mariage, et Christianna porta son voile de mariée avec son tutu et son justaucorps blancs. Le jour suivant, Nick l'emmena à Palm Beach, au Breakers, pour leur voyage de noces. C'était un magnifique hôtel, où ils furent traités comme des stars de cinéma.

— Alors, madame von Bingen, lui dit-il au troisième matin, au réveil. Vous n'êtes pas encore lassée de moi ?

— Jamais je ne me lasserai de toi, Nick, répondit-elle solennellement. Jusqu'à ma mort.

— Qui arrivera probablement longtemps après la mienne..., remarqua-t-il.

Mais leurs vingt et un ans de différence ne comptaient pas. Leur union était parfaite.

À leur retour à Sarasota, tout le monde les félicita à nouveau. C'étaient les héros du moment. Dès le lendemain, Nick alla trouver Sandor.

— Je viens pour mon cadeau de mariage, annonça-t-il à son beau-père.

— Ah bon ? Mais quel cadeau ? repartit Sandor sur le ton de la raillerie. Vous avez déjà ma fille : cela ne vous suffit pas ?

— Non. Je vous ai dit que je souhaitais pour cadeau de mariage un filet pour son numéro. Je vous l'ai demandé il y a deux ans, et vous me l'avez promis. Désormais, donc, elle se produira avec un filet.

Nick parla très fermement, et Sandor vit qu'il ne plaisantait pas. Il eut l'air inquiet.

— Cela ne va pas plaire au public, prévint-il.

— Il s'y fera. Je vous ai dit que je l'épouserais, et j'ai tenu parole. À vous d'en faire autant, Sandor. Nous nous sommes serré la main pour sceller cet engagement. Un filet, ou elle arrête la haute voltige. Aujourd'hui.

Sandor le fixa longuement.

— Ce soir, appuya Nick.

L'autre lâcha un soupir qui tenait presque du grognement.

Quelques heures plus tard, la représentation débutait. Nick suivit Christianna jusqu'au bord de la piste. Et il vit le filet, tendu sous la corde par huit hommes. Elle se tourna vers lui d'un air étonné.

— Mon père est au courant ?

— C'est son cadeau de mariage pour nous deux, répondit-il avec un grand sourire avant de l'embrasser. Maintenant, en piste, ma chérie !

En découvrant le filet, le public applaudit de plus belle comme pour manifester son approbation. Pour la première fois en trois ans, Nick allait profiter pleinement du numéro de Christianna sans craindre de la voir tomber, sans l'imaginer paralysée ou morte.

Deux semaines plus tard, Nick et Christianna étaient en train d'écouter la radio, tout à leur plaisir de leur nouvelle vie conjugale. Nick, qui ne pouvait s'empêcher d'embrasser son épouse à tout bout de champ, fut gentiment sommé de se tenir tranquille, car il la gênait dans ses travaux de couture. Soudain, l'émission qu'ils écoutaient fut interrompue, et le présentateur annonça que les Japonais avaient bombardé Pearl Harbor, à Hawaii. Ils se figèrent et tendirent l'oreille.

— Qu'est-ce que ça veut dire ? demanda Christianna.

Elle doutait d'avoir bien compris.

— Je sais, ça semble incroyable, mais tu as entendu comme moi : les navires de la flotte américaine ont été bombardés et coulés par les Japonais à Pearl Harbor.

Qui aurait pu prévoir une chose pareille ? Attaquée sur son propre territoire, l'Amérique allait être contrainte d'entrer en guerre.

Des gens sortaient déjà des caravanes pour annoncer la nouvelle. En quelques minutes, celle-ci se répandit dans tout le cirque ; un véritable tohu-bohu s'empara du camp. Certains commencèrent même à faire leurs bagages, de crainte que la Floride ne soit attaquée à son tour. D'autres restaient collés à leur poste de radio. John Ringling North fit annoncer que la représentation du soir était annulée. Nick, Christianna et les garçons passèrent la soirée à écouter la radio dans leur caravane.

Le lendemain, les États-Unis et la Grande-Bretagne déclaraient la guerre au Japon. Trois jours plus tard, ce fut au tour d'Hitler d'entrer en guerre contre les États-Unis. Le bombardement de Pearl Harbor avait fait deux mille quatre cent trois morts et mille cent soixante-dix-huit blessés.

Les spectacles du mois de décembre furent tous annulés ; le grand chapiteau restait dans le noir. Nick commençait à se demander si la vie redeviendrait normale un jour. Il en parlait avec ses beaux-frères un après-midi quand Toby rentra avec un air penaud qui intrigua son père. Une demi-heure plus tard, quand ils furent seuls, le jeune homme lui révéla, à la fois fier et inquiet de sa réaction :

— Je me suis engagé, papa...

— Quoi ? s'exclama ce dernier, horrifié. Mais tu ne peux pas faire une chose pareille, Toby !

— Si, papa. J'ai dix-huit ans. De toute façon, j'aurais été incorporé.

— Mais tu n'es même pas américain ! lui rappela-t-il.

L'idée de voir son fils partir à la guerre lui faisait horreur.

— Ils m'ont pris, dit Toby d'un air déterminé. Et puis, je n'ai plus la citoyenneté allemande non plus. Je pars pour le camp d'entraînement dans deux semaines.

— Mais c'est de la folie !

Nick sortit en trombe de la caravane, les larmes aux yeux. Il ne voulait pas que son fils risque sa vie pour un pays, quel qu'il fût. Ni l'ancien ni le nouveau. Christianna tenta de le réconforter.

— Il a peut-être raison, dit-elle doucement. De toute façon, ils l'auraient sans doute enrôlé.

— Mais il est allemand..., objecta-t-il.

Le problème ne tarda pas à se soulever. Deux jours plus tard, les services de l'immigration américains vinrent au champ de foire interroger les Allemands qui travaillaient au cirque. Des hommes de piste, pour la plupart, mais aussi des artistes dont certains des plus importants : tous les écuyers, deux dompteurs, Nick, de nombreux clowns, plusieurs gymnastes et le contorsionniste vedette. Ils furent interrogés un par un et durent choisir leur camp. Pour les Juifs, la question ne se posait pas, et il leur fut aussitôt permis de demander l'asile. Aux autres, il fut proposé de rentrer chez eux s'ils le souhaitaient. Certains, enfin, dont Nick, avaient un statut plus compliqué. Considéré comme juif par les Allemands, il avait le droit de demander l'asile, de même que ses enfants. Cependant, il était aussi marié à une Américaine. Il avait donc le choix entre demander l'asile et opter pour la nationalité de sa femme.

— Que décidez-vous, Mr. Bing ? lui demanda le fonctionnaire de l'immigration, un porte-bloc à la main.

Nick n'hésita qu'un instant.

— J'aimerais devenir américain, dit-il.

Par cet acte, il renonçait pour toujours à l'Allemagne. Le fonctionnaire en prit note.

— Nous reprendrons contact avec vous dans les semaines qui viennent, annonça-t-il. Et pour votre nom ? Je vois que celui qui est inscrit sur votre passeport n'est pas le même que votre nom de piste. Lequel voulez-vous voir figurer sur vos documents de citoyenneté ?

— Nicolas Bing, articula-t-il clairement.

Il abandonnait son titre et sa particule, pour un nom qui lui convenait et ne le reliait plus aucunement à l'Allemagne.

— Entendu, dit le fonctionnaire avant de passer au suivant.

Nick se tourna vers Christianna.

— Cela ne t'ennuie pas, au moins ?

Elle secoua la tête.

— Bien sûr que non. Et puis, cela ne regarde que toi.

Elle estimait néanmoins qu'il avait pris la bonne décision.

Au cours des jours qui suivirent, ils apprirent que plusieurs artistes, surtout des Allemands non juifs, avaient décidé de rentrer en Europe de crainte notamment d'être soupçonnés d'espionnage.

Mais Nick y prêta à peine attention. Tout ce qui le préoccupait, désormais, c'était le prochain départ de Toby pour le camp d'entraînement.

Si vite après avoir vécu le plus beau jour de sa vie – son mariage avec Christianna –, il était confronté à l'une de ses plus grandes angoisses : son fils partait à la guerre.

21

Toby rejoignit le camp d'entraînement de Fort Mason, à San Francisco, juste avant Noël. Les jours qui précédèrent, Katia et lui ne se quittèrent pour ainsi dire pas. Néanmoins, tout le monde quémandait un peu de son temps. Nick et Lucas, bien sûr, et Christianna, tout aussi bouleversée qu'eux. Mais aussi de nombreux artistes du cirque, qui venaient lui dire au revoir, car Nick et sa famille étaient très appréciés, et Toby était un garçon charmant. Pierre, le clown, mima ses adieux d'une façon si comique qu'il parvint à faire rire Nick, ce qui était un exploit. Depuis que Toby lui avait fait part de sa décision, au lendemain de Pearl Harbor, il ne se déridait plus. Le matin du départ, il pleura même ouvertement. Katia elle aussi était inconsolable.

Toby devait revenir en février, avant le départ en tournée prévu pour fin mars ou début avril. Ensuite, il serait envoyé Dieu sait où…

Ce Noël fut bien sombre, pour Nick et les siens. Il n'avait pas le cœur à acheter un sapin ni à le décorer, mais Christianna s'en chargea. Lucas et elle décorèrent la caravane, mais Nick restait grave et triste. Rien ne le distrayait de la peur de perdre son fils.

Ceux qui avaient décidé de rentrer en Allemagne étaient partis, dans l'intervalle. C'était notamment le cas des écuyers, ce qui donnait encore plus d'importance au numéro de Nick. Ce dernier ne souriait plus qu'en piste, parce qu'il n'avait pas le choix. Christianna, très inquiète, finit par s'en ouvrir à Gallina.

— Songe à tout ce qu'il a déjà perdu, fit valoir son amie avec douceur. Il a peur. Sois patiente. Cela va s'arranger.

Christianna eut beau s'efforcer de détendre l'atmosphère, les fêtes de fin d'année furent d'une tristesse infinie. Nick ne se joignit pas au traditionnel dîner de Nouvel An des Markovitch au restaurant polonais. Il n'était pas d'humeur à s'amuser. Elle s'y rendit seule avec Lucas, mais sa famille comprit.

En janvier, Nick reçut une lettre d'Alex. Elle avait cheminé par des moyens rendus plus compliqués encore par l'entrée en guerre de l'Amérique, *via* un ami de Genève. À cause de la censure, Alex ne lui disait rien des conditions de vie en Allemagne ni de son sort à lui. Il lui apprenait en revanche que Marianne et son mari attendaient un bébé pour la fin du printemps. Il était fou de joie à la perspective d'être grand-père. Sa fille lui manquait terriblement, et il lui tardait de la revoir, de faire la connaissance de son mari et de son futur enfant. En reposant la lettre, Nick sourit tristement à Christianna.

— Maintenant, je me sens vraiment vieux, avoua-t-il. Mon ami Alex va être grand-père. Il a quatre ans de plus que moi, mais cela aurait pu m'arriver tout aussi bien.

Nick avait quarante-six ans, et Alex venait de franchir le cap de la cinquantaine, ce qui lui paraissait stupéfiant. Hier encore, lui semblait-il, ils étaient des enfants, de jeunes adultes insouciants qui s'imaginaient que rien ne pouvait les atteindre, que leur vie ne changerait jamais. Et voilà que tout s'était envolé. Nick travaillait dans un cirque. Alex était seul et n'avait pas vu sa fille depuis plus d'un an. Toby partait à la guerre.

Nick et Christianna n'avaient pas reparlé d'avoir un bébé. Depuis Pearl Harbor et la décision de Toby de s'enrôler, il ne pouvait penser qu'aux enfants qu'il avait déjà. Pas à ceux qu'il n'avait pas.

La visite de Toby après le camp d'entraînement de San Francisco fut un moment à la fois doux et terriblement amer. La moindre seconde était précieuse pour Nick, qui ne le quittait pas des yeux. Il voulait passer avec lui le plus de temps possible. Ils firent une dernière représentation ensemble, Toby ayant revêtu son uniforme de caporal. À la fin du numéro, le public – que Monsieur Loyal avait informé du prochain départ du garçon – se leva et applaudit à tout rompre. Sur les joues de Nick, les larmes coulaient.

Toby n'était pas seul dans son cas, loin de là, au cirque comme partout ailleurs. Tous les jeunes garçons d'Amérique portaient l'uniforme et étaient devenus des hommes du jour au lendemain. Toby était revenu du camp d'entraînement plus fort, en pleine santé. Même Lucas semblait avoir grandi et mûri. Les cinq jours durant lesquels Toby resta au cirque passèrent bien trop vite. La veille de son départ, il annonça que Katia et lui s'étaient fiancés. Le soir, après l'avoir raccompagnée à sa caravane, Toby se coucha comme toujours dans le même lit que Lucas, dans leur petite chambre. Son frère l'étreignit de toutes ses forces en lui disant combien il allait lui manquer. Toby le serra dans ses bras et se rendit compte qu'il pleurait.

Au matin, toute la famille de Christianna vint lui dire au revoir. Sandor l'appela son petit-fils et lui dit combien il était fier de lui, quel Américain formidable il était. Katia et sa famille arrivèrent sur ces entrefaites pour l'accompagner jusqu'au train qui l'emmènerait en Californie. Personne ne pouvait plus retenir les larmes de la jeune fille.

Après le départ de Toby pour Fort Mason, Nick s'efforça de se distraire en travaillant ses chevaux. Il mettait au point un nouveau numéro, sans Toby. Maintenant, plus que jamais, Christianna et lui étaient au centre de l'attention des spectateurs.

Nick avait écrit à Alex pour lui annoncer que Toby s'était engagé. Toutefois, il savait qu'il faudrait une éternité pour que sa lettre lui parvienne, et plus longtemps encore pour espérer une réponse, *via* la Suisse. Dire que son garçon était soldat et que la fille de son ami allait avoir un bébé... Le temps filait beaucoup trop vite.

En avril, Toby apprit à son père qu'il partait. Dans le Pacifique, put-il préciser, mais il n'avait pas le droit de dire où. Deux autres Allemands appartenaient à la même compagnie que lui ; aucun d'eux trois n'était envoyé en Europe. Au moins, concluait-il, il avait le droit de se battre pour son pays d'adoption. Nick, lui, aurait bien préféré qu'il ne soit pas envoyé au front. Pendant ce temps, beaucoup d'Américains d'origine japonaise étaient internés dans des camps dans l'Ouest. Le gouvernement souhaitait ainsi s'assurer qu'ils ne trahiraient pas.

Toby terminait sa lettre en promettant d'écrire le plus souvent possible. Nick glissa la missive dans une petite boîte, où elle rejoignit celles qu'il lui avait déjà écrites du camp d'entraînement. Il les gardait précieusement.

En mai, pendant la tournée, ils reçurent une lettre en provenance de Hawaii. Toby paraissait heureux et tout excité, même s'il ne disait pas ce qu'il faisait ni où il allait. Entre les restrictions qui limitaient ce qu'il avait le droit de divulguer et la censure allemande, Nick avait l'impression de ne rien savoir de la vie des êtres qu'il aimait. Et le bébé de Marianne…, était-il né ?

Le petit était attendu pour les premiers jours de juin. Marianne avait eu une grossesse facile, même si, sans Edmund, elle trouvait le temps bien long. Pour l'occuper et la faire bouger, Isabel lui demandait son aide au jardin. Elle appréciait énormément la compagnie de sa belle-fille et se réjouissait de la voir s'épanouir telle une belle fleur. Quelle joie d'avoir bientôt un petit-enfant… Edmund aussi était au comble du bonheur. Il rentrait aussi souvent que possible, même si cela leur semblait bien peu à tous. Il passait alors doucement les mains sur le ventre de son épouse, s'émerveillant de le voir s'arrondir un peu plus à chaque fois. Il adorait sentir les coups de pied du bébé. Il n'était sûr de rien, mais il s'efforcerait d'obtenir quelques jours de permission la première semaine de juin. Sa mère le prévint que les aînés étaient presque toujours en retard. Lui-même était né trois semaines après le terme, lui apprit-elle. D'ailleurs, elle avait failli changer d'avis et ne plus vouloir d'un enfant aussi peu ponctuel, avait-elle ajouté en plaisantant. Bien entendu, elle lui avait pardonné dès qu'elle l'avait vu.

Edmund avait aussi promis, s'il était à la base au moment où le travail commençait, d'essayer d'échanger sa garde avec un autre – et même sa mission, si on l'y autorisait – et de rentrer le plus vite possible à Haversham. Marianne savait qu'il ferait de son mieux. Elle avait décidé d'accoucher à Haversham Castle, avec l'aide du médecin de famille et de sa belle-mère, car les hôpitaux étaient pleins de blessés, et elle se serait sentie coupable d'occuper un lit et l'attention des infirmières pour une chose aussi normale et naturelle. Avec de la chance, Edmund serait présent ou viendrait très vite après la naissance du bébé. Elle souhaitait un fils, pour lui, puisque c'était ce que l'on attendait d'eux. Néanmoins, il lui avait avoué en secret qu'il rêvait d'une petite fille en tout point semblable à elle. De toute façon, ils voulaient beaucoup d'enfants, l'un et l'autre – cinq ou six si c'était possible.

Par miracle, Edmund parvint à obtenir cinq jours de permission, à cheval sur fin mai et début juin. Restait à espérer que le bébé arriverait à l'heure, avant que son père doive repartir. Isabel promit de faire courir Marianne dans le jardin. Il y eut en outre une vague de chaleur, et elle ne doutait pas que, si le jardinage et la marche ne suffisaient pas, le climat accélérerait les choses. Marianne, elle, se demandait si elle ne ferait pas mieux de rester tranquille en attendant Edmund. Il ne s'agissait pas non plus que le bébé naisse en avance. Elle était énorme, ce qui faisait dire à Isabel que ce devait être des jumeaux, même si le médecin n'avait entendu battre qu'un seul cœur. Comment croire qu'un bébé pût être aussi gros ? Marianne avait conservé un visage et des membres fins. Seul son ventre avait incroyablement grossi. Maintenant, Edmund se moquait gentiment d'elle à chaque fois qu'il la voyait, prétendant qu'elle avait volé le ballon d'un enfant pour le cacher sous sa robe. Elle souffrait de la chaleur et pouvait à peine bouger. Elle avait même renoncé à porter des bas que, de toute manière, elle était devenue incapable d'enfiler. C'était sa belle-mère qui le lui avait conseillé, d'autant qu'il n'y avait personne à Haversham pour la voir. Du reste, beaucoup de jeunes femmes n'en portaient plus, tant il était devenu difficile de s'en procurer.

La veille du jour prévu pour son retour, Edmund appela Marianne de la base. On venait de l'affecter à une mission de première importance. Il était impossible qu'il se fasse remplacer, et il devait donc retarder sa permission de deux jours. Il allait faire au plus vite, assura-t-il. Il fallait qu'elle se retienne d'ici là ! Elle le lui promit. Il raccrocha vite. D'autres pilotes voulaient téléphoner pour annoncer eux aussi l'annulation de leur permission. Elle n'eut que le temps de lui dire qu'elle l'aimait et qu'il fallait qu'il se dépêche de rentrer. Il lui répondit qu'il l'aimait aussi et raccrocha. Elle s'en fut prévenir Isabel de ce contretemps. Certaine que le bébé ne naîtrait pas avant plusieurs jours, celle-ci prit la chose très calmement.

Le soir suivant, ils les entendirent. Des centaines d'avions survolaient la Grande-Bretagne en direction de l'Allemagne. Ils sortirent pour les regarder. Ils n'auraient pu dire combien ils étaient, mais le ciel en était plein. Ils volaient inexorablement vers leur but, et Marianne sut aussitôt qu'Edmund était du nombre. Elle regarda le ciel en souriant et chuchota qu'elle l'aimait.

— Je comprends qu'il n'ait pas eu sa permission, dit Isabel tandis qu'ils regagnaient la maison. Il doit y avoir des centaines d'appareils. Peut-être même un millier.

Ils continuèrent de les entendre bien après qu'ils eurent disparu. C'était le même vrombissement qui les emplissait d'angoisse quand l'aviation allemande venait bombarder les villes britanniques. Sans doute la population allemande éprouvait-elle en ce moment la même détresse, songea Marianne. Dans les deux pays, les villes avaient été lourdement touchées. Londres était sous les décombres, paraissait-il. Marianne n'y était pas allée depuis son arrivée. On était plus en sécurité à la campagne, et, par chance, elle s'y trouvait bien.

Ce soir-là, ils dînèrent tranquillement tous les trois. Il fut question du bébé et de la folle activité à laquelle il s'adonnait dans son ventre. Le petit semblait bien à son aise là où il se trouvait. Cela leur évita de trop songer à Edmund. Marianne se répétait tout de même que ce n'était qu'une mission comme les autres et qu'il serait bientôt là. Le lendemain, peut-être, ou au plus tard le surlendemain. Il avait promis d'appeler dès qu'il le pourrait. Dans la nuit, ils entendirent rentrer les avions. Il y en avait trop pour que ce fût une attaque allemande. Marianne était couchée. Elle sourit, profondément soulagée. Edmund serait bientôt là. Le bébé aussi sans doute. Les contractions étaient un peu plus fortes que ces dernières semaines, sans plus. Le lendemain, elle descendit déjeuner, fatiguée et toujours enceinte.

— Vous avez bien dormi, ma chérie ? lui demanda sa belle-mère tandis qu'elle prenait un toast et un œuf.

Cela faisait un an qu'ils n'avaient pas vu la couleur du bacon. En revanche, les poulaillers du château fournissaient volailles et œufs à profusion.

— J'ai entendu rentrer les aviateurs, cette nuit, ajouta Isabel.

— Moi aussi, répondit Marianne.

Elle avait été rassurée, mais il lui tardait qu'Edmund appelle. Pourquoi ne l'avait-il pas encore fait ? Probablement devait-il encore dormir. Ou il attendait d'avoir obtenu sa permission afin de pouvoir lui dire quand il arriverait. Après le petit déjeuner, Isabel emmena Marianne au jardin, assurant qu'elles avaient à faire.

— Mes rosiers sont dans un triste état ! se plaignit-elle.

Charles, au même moment, lisait le journal dans son bureau quand Williams, le majordome, vint le prévenir qu'un visiteur demandait à le voir. Un général, voisin et ami de longue date.

— Faites-le entrer, dit-il, ravi d'avoir de la compagnie masculine.

Il se lassait quelque peu d'entendre Isabel parler sans arrêt du bébé. Elle ne pensait plus à rien d'autre. Il se leva pour aller à la rencontre du général.

— Bernard ! Quel plaisir de vous voir, mon cher ! Nous attendons la naissance d'un petit-enfant d'un jour à l'autre, et ces dames ne parlent plus de rien d'autre. Je n'en peux plus. Vous tombez à point nommé.

Son ami s'assit face à lui, l'air grave. Il le regarda droit dans les yeux. Le cœur de Charles fit un bond dans sa poitrine.

— J'ai une mauvaise nouvelle pour vous, mon ami, lâcha-t-il.

— L'un de mes garçons ?

Le général hocha la tête.

— Edmund. La nuit dernière. Il a été abattu au-dessus de Cologne. Nous avions envoyé plus de onze cents avions. Tous sont revenus, sauf quarante-trois. Dont Edmund. Je suis profondément désolé, assura-t-il avec une réelle empathie.

Charles parvint à prendre sur lui au prix d'un énorme effort. Il se leva et se mit à arpenter la pièce, égaré. Quand il s'arrêta devant la fenêtre, le général s'approcha de lui et lui tapota doucement l'épaule. Lui-même avait perdu deux fils depuis le début de la guerre. Il savait la douleur que c'était, et c'était pourquoi il était venu en personne. Le chef d'escadrille d'Edmund l'avait appelé, sachant que c'était un ami personnel du père du jeune pilote et qu'ils habitaient la même région.

— Mon Dieu..., gémit Charles en proie à un mélange de panique et de désespoir. Que vais-je dire à sa mère ?

Comme tous les parents, en Angleterre et ailleurs, ils n'avaient cessé de redouter ce moment, de prier pour qu'il n'arrive jamais.

— C'est son enfant que nous attendons d'un moment à l'autre, ajouta-t-il. Aujourd'hui même, peut-être.

Le général savait bien qu'il n'y avait pas pire épreuve dans la vie d'un parent, quelles que soient les circonstances dans lesquelles cela arrivait. La seule chose qu'ils pouvaient se dire, c'est qu'Edmund était mort pour une noble cause, en défendant l'Angleterre contre ses ennemis. Mais c'était une piètre consolation.

— J'aimerais pouvoir faire quelque chose, dit le général avec gentillesse.

Hélas, il n'y avait rien à faire. Encore était-il venu lui annoncer la nouvelle en personne, avec le plus de compassion possible. D'autres l'apprenaient par un coup de téléphone du ministère de la Guerre ou par un télégramme apporté par un messager. Au moins, le général leur avait épargné cela. Charles lui en était profondément reconnaissant.

Ses pensées allèrent alors vers la pauvre Marianne, et la tristesse qu'il éprouva pour elle s'ajouta à la sienne. Comment survivraient-ils tous à cette épreuve ? Il l'ignorait, mais ils y parviendraient, sans doute. Ils n'avaient pas le choix.

Le général prit discrètement congé. Sous le choc, Charles sortit dans le jardin rejoindre les deux femmes. Le soleil brillait d'un éclat trop vif. Les oiseaux chantaient trop fort. Il avait les jambes en coton. Pour lui, c'était la fin du monde.

— Vous avez eu de la visite ? s'enquit gaiement Isabel. Qui était-ce ?

Elle lui souriait. Pourtant, à l'instant où elle vit ses yeux, elle sut. Et elle se figea sur place. Charles hocha la tête, et elle laissa tomber ses outils de jardinage, portant instinctivement la main à sa poitrine, comme si elle avait pu arrêter la douleur. Mais c'était impossible. Il lui sembla qu'on venait de lui tirer une balle en plein cœur.

— Edmund ? demanda-t-elle.

Charles acquiesça et fit les deux derniers pas qui la séparaient d'elle pour l'étreindre, tout en passant un bras autour de Marianne. Elle ne savait pas encore. Elle n'avait pas saisi la communication à demi-mot entre les deux époux.

— Comment cela, Edmund ?

Soudain, serrée entre ses deux beaux-parents, elle fut prise de panique. Elle ne pouvait plus respirer.

— Il va bien ?

Charles fut aussi franc avec elle que le général l'avait été avec lui.

— Son avion s'est écrasé sur Cologne la nuit dernière. Il appartenait bien à la mission que nous avons vue partir. Ils étaient un millier de bombardiers. Il n'est pas rentré.

— Il a été blessé ? Fait prisonnier ? suggéra-t-elle désespérément.

— Ils l'ont descendu. Son avion s'est écrasé, répéta-t-il avec le plus de douceur possible pour l'aider à accepter l'évidence.

Mais elle ne pouvait pas.

— Quelquefois, les pilotes survivent, plaida-t-elle. Comment savent-ils s'il est vraiment mort ?

Charles ne voulait pas lui dire ce que le général lui avait précisé en partant, que l'avion avait explosé, que cela avait été instantané, qu'il n'y avait pas de survivant.

— Ils le savent, assura-t-il calmement, tandis qu'Isabel se cramponnait à lui, le regard vitreux, muette.

— Il m'avait promis de ne jamais mourir, s'écria Marianne avec colère. Il disait qu'il reviendrait toujours !

Elle ravala un sanglot puis s'effondra dans les bras de ses beaux-parents, en proie à une violente crise de larmes. Isabel prit sur elle pour l'emmener à la maison avec beaucoup de douceur. Elle la fit s'étendre.

— Il disait… il avait promis… ce n'est pas vrai… ils mentent… il va rentrer tout à l'heure…

Elle pouvait tout essayer, rien ne changerait ce qui était arrivé. Elle aurait beau nier, supplier, crier, souffrir, rien ne lui rendrait son mari.

Isabel s'efforça de la bercer de murmures apaisants tout en pleurant elle aussi. Elle alla lui chercher un verre d'eau. Charles entra dans la pièce tel un fantôme, ne sachant que faire pour elles. Finalement, ils restèrent tous les trois là, à pleurer ensemble. Simon appela dans la matinée, brisé lui aussi par le chagrin. On venait de lui apprendre la nouvelle. Souffrant d'une otite, il n'avait pu participer à la mission, contrairement à ce qui était prévu. Isabel remercia le ciel de ce contretemps. Si elle avait perdu ses deux fils, elle en serait morte.

Marianne sanglota toute la journée, incapable d'admettre ce qui était arrivé. Quand, enfin, elle tomba dans un sommeil agité, Isabel sortit de sa chambre pour aller rejoindre son mari. Elle le trouva dans son bureau, le visage défait.

— Je suis désolé, dit-il à la mère de son premier-né.

Elle vint le prendre dans ses bras et pleura avec lui.

— C'était un si bon fils…

Elle se reprit aussitôt.

— Simon aussi. Nous avons bien de la chance de l'avoir.

Il lui faisait énormément penser à Charles, même si, ces dernières années, elle s'était sentie plus proche d'Edmund, qui exprimait davantage ce qu'il ressentait.

— Que faire, pour cette pauvre petite ? ajouta-t-elle tandis qu'ils s'asseyaient côte à côte.

Elle se moucha dans le mouchoir qu'il lui tendit ; il en avait toujours un sur lui.

— Il n'y a rien à faire, répondit-il avec honnêteté, hormis nous occuper d'elle et de l'enfant. Elle restera chez nous, bien sûr, précisa-t-il comme en écho aux pensées d'Isabel. Il est impossible qu'elle rentre en Allemagne maintenant. Mon Dieu, quels salauds ! Je les hais, dit-il avec feu, oubliant que sa belle-fille était allemande, de même que le père de celle-ci, à qui il était lié par une profonde amitié.

Charles n'éprouvait plus que détestation pour le pays ennemi et, surtout, pour le responsable de cette guerre qui avait déjà fait tant de morts – dont son fils.

— J'espère qu'elle ne nous quittera pas, après la guerre, fit Isabel tristement. Cet enfant, ce sera un peu de lui qui nous restera. Et si c'était un petit garçon qui lui ressemblait ?

Isabel se raccrochait désespérément aux moindres bribes de réconfort.

Il fallait cependant penser à organiser une messe de souvenir. Simon avait dit qu'il se débrouillerait pour rentrer. Mais comment préparer cela avec l'arrivée imminente du bébé ? C'était trop cruel pour Marianne. Le cerveau brouillé par le chagrin, Isabel monta voir comment allait sa belle-fille et la trouva toujours endormie. Elle alla s'étendre elle aussi dans sa chambre et s'assoupit sans avoir dîné. Ils avaient été incapables de rien avaler depuis le petit déjeuner. Un peu plus tard, Charles vint la rejoindre. Il lui prit la main, et ils restèrent ainsi, étendus, en silence. Il n'y avait rien à dire, rien à faire, si ce n'est être ensemble.

Le lendemain matin, Marianne ne descendit pas déjeuner. Elle avait pourtant l'habitude de se lever tôt. À 10 heures, Isabel monta la voir. Elle frappa discrètement à la porte puis, n'entendant pas de réponse, entra. Elle la trouva dans la salle de bains, à genoux sur le carrelage, en train de vomir dans les toilettes. La jeune fille tourna vers elle un regard éteint. Heureusement qu'elle n'avait pas accouché hier en apprenant ce qui était arrivé, songea soudain Isabel. Si l'anniversaire de la mort d'Edmund avait coïncidé avec celui de la naissance de son enfant, cela aurait été chaque année un trop douloureux rappel.

Isabel portait déjà le deuil et avait prié Williams de mettre un crêpe à la porte d'entrée et le drapeau de la famille en berne. Le soir venu, tout le voisinage était au courant, et les mots de condoléances commençaient à arriver : chacun se désolait ; ce genre de drames touchait beaucoup trop de familles. Isabel se répétait que son fils était mort en héros, mais cela n'y changeait rien. Elle avait perdu son bébé, son tout-petit.

Allons, il fallait se ressaisir, s'enjoignit-elle intérieurement. Marianne était vivante et elle avait besoin d'elle. Elle se força à se concentrer et appliqua un linge humide sur le front de la jeune femme qui continuait de vomir affreusement. Elle avait le teint gris, presque verdâtre. L'épreuve l'avait anéantie.

— Comment va le bébé ? lui demanda-t-elle doucement.

— Il ne bouge pas, répondit Marianne d'un ton égal, comme si cela n'avait pas d'importance.

— Des contractions ?

— Pas vraiment. J'ai mal au dos et la nausée.

Elle n'avait pas achevé sa phrase qu'elle rendit à nouveau. Isabel tira la chasse et lissa les cheveux de sa belle-fille en arrière tout en lui baignant le visage avec de l'eau fraîche. Allongée sur le carrelage de la salle de bains, Marianne était trop mal pour retourner dans son lit ou simplement bouger. Elle voulait mourir. Il lui avait menti. Il n'était pas revenu, alors qu'il le lui avait promis. Il n'avait pas tenu parole, et elle lui en voulait.

— Venez, Marianne, je vais vous aider à vous recoucher, dit Isabel.

À peine debout, la jeune fille se plia en deux, et un torrent d'eau qui semblait arrivé de nulle part se déversa sur le sol de la salle de bains. Isabel sut tout de suite de quoi il s'agissait.

— Je ne peux pas avoir ce bébé maintenant, hurla Marianne, affolée. Je suis trop mal !

Isabel l'aida à ôter sa chemise de nuit et lui en sortit une autre de l'armoire. Marianne se cassa de nouveau en deux et se cramponna à elle en sanglotant. La pauvre enfant était dans un état épouvantable. Isabel prit une pile de serviettes qu'elle disposa sur le lit avant de l'aider à s'allonger.

— Je reviens tout de suite, assura-t-elle en s'appliquant à rester calme.

En sortant, elle tomba sur Charles.

— Appelez le médecin, lui enjoignit-elle vivement.

Aussitôt, il s'inquiéta.

— Ça va ?

— Non. Oui. Elle est désespérée, mais elle va accoucher. Elle vient de perdre les eaux et elle est assez malade. Dites-lui de venir aussi vite que possible.

Quand Isabel rentra dans la chambre, Marianne était en proie à de violentes contractions. Elle posa sur sa belle-mère un regard plein de tristesse et murmura :

— Je ne veux pas de ce bébé. Edmund ne reviendra plus jamais.

Elle avait le visage baigné de larmes.

— Je sais, ma chérie. Je sais…

Isabel lui caressa doucement la main, et Marianne se cramponna à la sienne. Les douleurs avaient réellement commencé au moment où la poche des eaux s'était rompue. Que sa mère le fût ou non, le bébé était prêt. Le moment était venu.

La demi-heure qui suivit, Marianne eut de plus en plus mal. Isabel alla chercher d'autres serviettes en priant pour que le médecin se dépêche. Elle ne voulait pas mettre ce bébé au monde toute seule. Elle ne l'avait jamais fait. Elle n'était pas sage-femme. Marianne poussa un gémissement puis un long hurlement. Au même instant, la porte s'ouvrit, et le médecin entra, son sac à la main, l'air grave et plein de sympathie.

— Je suis désolé, dit-il rapidement à Isabel avant de porter toute son attention à la veuve d'Edmund.

Isabel en avait pris conscience la veille ; sa belle-fille était veuve à vingt et un ans. Quel cruel début dans la vie…

Le médecin examina Marianne : les choses allaient vite. La jeune femme lui jeta un regard désespéré tout en se cramponnant au bras de sa belle-mère.

— Je ne peux pas avoir ce bébé, gémit-elle. Je ne suis pas prête.

— Peut-être, répondit-il en lui souriant gentiment, mais je crois que lui, si…

S'il y avait deux moments de la vie sur lesquels on n'avait aucun pouvoir, c'était bien la naissance et la mort, songea-t-il. Le bébé allait naître aujourd'hui, que la mère fût prête ou non.

Marianne poussa un nouveau hurlement. Isabel alla chercher les draps usés qu'elle avait gardés en prévision de la naissance et demanda à une femme de chambre d'apporter d'autres serviettes. Quand elle revint, Marianne vomissait. Chaque contraction la mettait au supplice.

— C'est atroce ! cria-t-elle. Sans Edmund, je n'y arriverai pas.

— Il est là, avec vous, Marianne, lui dit Isabel calmement. Il sera toujours avec vous. Il ne vous laissera jamais seule. Écoutez-le dans votre tête, dans votre cœur. Il est là.

Marianne la regarda et s'apaisa d'un coup. Elle cessa de crier. Sans doute était-ce ce qu'elle avait besoin d'entendre. Le médecin, qui lui palpait le ventre, fit un hochement de tête approbateur. Le bébé descendait bien. Soudain, Marianne écarquilla les yeux, en proie à une force extraordinaire qui la traversait. Elle s'arc-bouta sur ses jambes, et le médecin lui enjoignit de pousser. Tout allait si vite qu'elle prit peur et se remit à crier, puis elle se laissa retomber en arrière sur les oreillers et abandonna.

— Je ne peux pas, je ne peux pas, lâcha-t-elle en pleurant.

Elle fut prise d'un spasme et poussa un long hurlement terrifiant qui s'acheva dans un vagissement bref, mais vigoureux. Marianne les regarda tour à tour, étonnée, puis découvrit la petite tête qui apparaissait entre ses jambes.

— Oh, mon Dieu ! fit-elle en souriant à travers ses larmes.

Le bébé avait les cheveux bruns d'Edmund. C'était son portrait, songea Isabel.

— Continuez à pousser, l'encouragea le médecin.

Et le bébé sortit en émettant un second vagissement avant de se mettre à crier à pleins poumons. C'était une fille, comme l'avait espéré Edmund. Marianne se laissa aller contre les oreillers, un sourire victorieux aux lèvres tandis que les larmes ruisselaient sur ses joues.

— Elle ressemble énormément à Edmund, lui chuchota Isabel, qui pleurait elle aussi de joie, d'émotion et de tristesse mêlées.

Marianne lui semblait soudain si adulte et si mûre…

Le médecin coupa le cordon et enveloppa le bébé dans une petite couverture préparée par Isabel avant de le poser contre le sein de sa mère. La petite avait les yeux lavande de Marianne, mais, pour le reste, c'était son père.

Ils s'extasièrent tous les trois sur sa beauté, puis ils l'installèrent dans un couffin. Isabel aida à faire la toilette de la mère puis lava le bébé, l'emmaillota et le rendit à Marianne. Le médecin était satisfait ; tout s'était bien passé. L'accouchement avait duré quatre heures en tout et pour tout. Sans doute le travail avait-il commencé dans la nuit sans que Marianne s'en aperçoive, supposa Isabel. Elle laissa sa belle-fille seule avec le médecin un petit moment et alla trouver Charles pour lui annoncer la nouvelle. Il était dans son bureau, en train de boire un whisky sec. Elle sourit en le voyant ; il l'avait bien mérité.

— Vous avez une bien belle petite-fille, lui apprit-elle en faisant le tour de sa table de travail pour venir l'embrasser et prendre une gorgée de scotch au passage.

Il sourit à son tour. Quelle femme merveilleuse et courageuse il avait… Ces deux derniers jours, elle s'était montrée admirable en tout point. Comme toujours. En vingt-cinq ans, elle ne l'avait pas déçu une seule fois.

— Elles se portent bien toutes les deux ? s'enquit-il, inquiet.

Un nouveau drame en si peu de temps aurait été trop pour eux.

— À merveille. C'est un gros bébé, mais Marianne va très bien. La petite est le portrait d'Edmund.

Il en parut heureux, quoique légèrement déçu que ce soit une fille.

— Elle a pourtant poussé des cris à glacer le sang.

— C'est toujours comme cela, les accouchements. Vous avez oublié, c'est tout. Moi aussi, j'ai hurlé à tout casser. Mais vous étiez sans doute trop saoul pour vous en rendre compte.

— Je crois que j'étais parti à la chasse.

Il lui sourit vraiment pour la première fois depuis deux jours. La naissance de cette petite fille était un grand bonheur. Et puis, c'était un peu d'Edmund qui continuerait de vivre à travers elle.

— Avez-vous envie de la voir ? lui proposa-t-elle.

C'était encore un peu tôt pour lui. Il n'était pas très à l'aise.

— Laissons au moins quelques heures à cette pauvre Marianne pour se remettre, répondit-il.

Isabel hocha la tête et remonta voir la jeune accouchée et le bébé. Le médecin partit peu de temps après, non sans promettre de revenir le lendemain. Il avait dû effectuer une petite suture, ce qui n'avait rien d'étonnant avec un si gros bébé, et prévenu Marianne qu'elle allait avoir un peu mal. C'était d'ailleurs déjà le cas. Mais elle couvait sa fille d'un regard émerveillé et sourit à Isabel quand elle entra.

— Elle est si belle…, murmura-t-elle en effleurant ses doigts minuscules.

Elle avait sorti ses pieds du lange pour admirer ses orteils. Elle était parfaite. Marianne n'avait jamais rien vu d'aussi exquis que son enfant.

— Comment allez-vous l'appeler ? s'enquit Isabel.

Marianne réfléchit longuement.

— Violette, finit-elle par dire en contemplant les yeux mauves de sa fille. Violette, Edwina, Alexandra, Isabel, Charlotte Beaulieu, précisa-t-elle.

Elle rendait ainsi hommage au père de son bébé et à tous ses grands-parents en une fois, puisque ce serait le seul enfant d'Edmund. Isabel en fut très touchée.

— Seigneur ! fit-elle en riant, il faudra qu'elle épouse un prince, ou au moins un duc, pour avoir un nom à la mesure de ses prénoms.

Elle était enchantée de ce choix.

Marianne reposait paisiblement, sa fille dans les bras. Elle songea à Edmund, qui serait toujours dans sa vie grâce à la petite Violette. Elle le sentit tout proche d'elle, comme le lui avait promis Isabel. Le bébé ferma les yeux, et elles glissèrent toutes les deux dans le sommeil.

Isabel lissa doucement les couvertures et sortit sur la pointe des pieds pour regagner sa chambre. Elle avait beaucoup à faire, mais rien d'aussi joyeux, hélas, que d'accueillir son premier petit-enfant. Il fallait en effet qu'elle prépare la messe de souvenir de son fils. Le voyage de Marianne avec son enfant commençait tout juste, alors que le sien venait de s'achever. Les deux extrémités de la vie s'étaient rejointes trop vite.

22

Au mois de juillet, alors que la tournée les avait conduits en Californie, Nick apprit par Alex que Marianne avait eu une petite fille et perdu son mari en l'espace de deux jours. Son ami, en revanche, ne lui disait rien qui le concernât, lui. Nick supposa que, malgré la guerre qui faisait rage sur le front russe et en Afrique du Nord, il ne devait pas se passer grand-chose à l'intérieur du pays et qu'il menait une vie calme et retirée. Pour sa part, il se tenait constamment informé de la situation dans le Pacifique. Les nouvelles de Toby étaient rares. Cependant, il avait écrit à Katia qu'il voulait se marier avec elle lorsqu'il rentrerait pour Noël ou lors de sa prochaine permission. Elle ne parlait que de cela. Ce projet donnait espoir aux deux jeunes gens, comme une affirmation de la vie.

À la mi-août, Nick suivit passionnément les premières attaques aériennes américaines en Europe, sur la France occupée. Les États-Unis s'allièrent à la Grande-Bretagne pour bombarder l'Allemagne.

Dans l'intervalle, le cirque était arrivé à San Francisco et s'était installé pour deux jours à Oakland. Nick était en train de cirer ses bottes, comme avant chaque représentation. Christianna lui avait proposé à plusieurs reprises de s'en charger, mais il affirmait que c'était l'une des tâches dont un homme devait se charger lui-même. Il s'appliquait à être toujours impeccable, aussi bien dans ses vêtements quotidiens qu'en tenue de gala. Tout en travaillant, il écoutait la radio et n'entendit pas le coursier qui arrivait à bicyclette. Lorsqu'il leva les yeux, un jeune garçon en uniforme de la Western Union lui tendait une enveloppe d'une main tremblante. L'espace d'un instant, Nick voulut ne pas la prendre. Puis il s'en saisit. Il avait les télégrammes en horreur, maintenant. Le messager fila sans demander son reste avant qu'il ait eu le temps de l'ouvrir. Il le lut debout, sur le seuil de la caravane, ses bottes luisantes et la brosse à ses pieds dans la poussière. Il le lut et le relut, sans comprendre. Il refusait de comprendre. *Le ministère de la Guerre a le regret de vous informer que le caporal Tobias Bing... mort au combat... service de son pays... le regret de vous informer... le regret de vous informer*... Les mots flottaient devant ses yeux. Soudain, il laissa échapper un long hurlement animal. Christianna l'entendit de loin et se mit à courir à toutes jambes. Elle trouva Nick hébété, le télégramme froissé dans la main. Elle le lui prit, le lut. Alors, il se mit à sangloter éperdument tandis qu'elle le serrait dans ses bras. Par miracle, Lucas était avec les clowns, en train de prendre une leçon de jonglage. Elle fit rentrer Nick à l'intérieur de la caravane.

— Il est mort... il est mort... mon Dieu, ils l'ont tué..., répétait-il.

Son bébé. Son petit garçon. À même pas dix-neuf ans, sa vie s'était arrêtée. Accablé de désespoir, il pleura des heures dans les bras de Christianna.

La nouvelle fit rapidement le tour du cirque. Toby n'était pas le premier, hélas. Beaucoup de jeunes hommes engagés ou appelés avaient déjà perdu la vie – des hommes de piste, des artistes, des frères, des fils... La liste était longue. Désormais, le cirque consacrait une page de son programme à honorer la mémoire de ceux des siens qui étaient morts au service de leur pays. Dans l'après-midi, les frères et le père de Christianna rendirent visite à Nick. Dans sa détresse, il pleura comme un enfant sur l'épaule de son beau-père, qui joignit ses larmes aux siennes.

— C'était un si bon petit... jamais il ne m'a causé le moindre souci.

Sandor passa un long moment avec lui. En fin de journée, Christianna conseilla à Nick d'annuler la représentation du soir. Il n'était guère en état de se produire en public. Cependant, il savait qu'on comptait sur lui. Il se sentait obligé de faire son numéro, l'un des plus importants du spectacle. Le public les attendait, Christianna et lui ; il serait très déçu de ne pas pouvoir les admirer, quelle qu'en soit la raison. En guise de réponse, il secoua donc la tête.

— Tu es sûr ? insista-t-elle.

Elle s'inquiétait pour lui. Et elle n'était pas la seule : John Ringling North, Joe Herlihy et Monsieur Loyal vinrent le voir. M. North avait fait mettre le drapeau en berne. Tous ceux qui avaient connu et aimé Toby étaient effondrés. Christianna avait entendu Katia hurler de douleur quand Gallina lui avait appris la nouvelle. Le pire fut de l'annoncer à Lucas. Le pauvre petit se jeta sur son lit en sanglotant, terrassé par la perte de ce grand frère qui était depuis toujours son modèle et son meilleur ami.

Nick avait une mine épouvantable quand il sortit pour la représentation du soir. Ils n'avaient pas répété, mais leur numéro était bien rodé. Si leur prestation manquait de brio ce soir, le public ne s'en rendrait sans doute pas compte. De toute façon, les chevaux étaient si impressionnants et Christianna si belle que lui-même pouvait se contenter, pour une fois, de faire de la figuration.

Christianna l'aida à s'habiller. Il la suivit tel un somnambule jusqu'à l'écurie, où des soigneurs préparèrent avec lui les chevaux et les emmenèrent au grand chapiteau, non sans lui faire part de leur sympathie au sujet de Toby.

Monsieur Loyal demanda une minute de silence au public : un courageux garçon du cirque était mort au combat ; il cita même son nom au début de la représentation. Par chance, Nick ne l'entendit pas. Il se serait effondré. Comment aurait-il pu résister ? Lui, pour qui ses enfants étaient tout et qui avait déjà vu partir sa petite fille, il y a neuf ans, venait de perdre son fils aîné. Il ne lui restait plus que Lucas.

Aux premiers accords de leur musique, Nick et Christianna entrèrent en piste sur Pégase et Athéna. Tandis qu'elle souriait plus que jamais – pour compenser –, Nick affichait un rictus crispé. Sa prestation fut pourtant impeccable. Sans doute Christianna fut-elle la seule à se rendre compte qu'il déroulait les gestes machinalement. Elle lui sourit pour l'encourager, mais il était absent. Il ne guidait même pas Pégase, qui exécutait les mouvements de lui-même. Hélas, en sortant de piste rênes longues, Nick ne vit pas une perche qui traînait au milieu du passage ; l'étalon non plus, de sorte qu'il trébucha et faillit tomber. La secousse tira Nick de son état de torpeur, mais trop tard. Le lipizzan boitait bas. Nick mit aussitôt pied à terre, et Christianna l'imita.

— Que s'est-il passé ? demanda-t-elle avec inquiétude en se rapprochant de lui.

Pégase comptait tant pour lui. Ce n'était vraiment pas le jour où il fallait que quelque chose lui arrive. Cependant, c'était précisément l'état de choc et la déconcentration de Nick qui avaient causé cet accident. Pour la première fois, il n'avait pas fait attention à ce qu'il faisait.

— Je crois qu'il s'est fait une entorse, répondit-il. C'est ma faute ; j'aurais dû regarder où il mettait les pieds.

D'ordinaire, il était toujours très vigilant. Mais Toby ne rentrerait pas, ne rentrerait plus jamais, et la sécurité de Pégase avait été la dernière de ses préoccupations, ce soir.

Il demanda une remorque pour ramener le cheval à l'écurie, afin de ne pas aggraver la lésion en le faisant marcher. Il pria ensuite un des soigneurs de faire venir le vétérinaire au plus vite. Hélas, l'étalon posa à peine le pied par terre en descendant de la remorque. C'était une catastrophe. Nick frictionna la jambe de Pégase avec du liniment et posa un bandage. Pourvu qu'il se remette, songea Christianna. Mais rien n'était moins certain. Et, s'il fallait mettre fin aux souffrances de Pégase, Nick ne s'en relèverait pas, lui qui était déjà à moitié mort de chagrin.

Pour la première fois en quatre ans, Nick n'assista pas au numéro de Christianna, ni ne prit part à la parade finale. Il resta sous la tente avec son cheval, à attendre le vétérinaire. Celui-ci fit son apparition après minuit. Il semblait compétent et n'y alla pas par quatre chemins.

— C'est grave, dit-il. Je ne peux pas vous dire le contraire. La jambe n'est pas cassée, mais le ligament est arraché – pas simplement distendu. Il n'est pas certain qu'on puisse le sauver.

C'était un animal très musclé, lourd et puissant, avec des jambes d'une extrême finesse. Ce genre d'accidents n'était d'ailleurs pas rare. Beaucoup de chevaux étaient abattus faute de pouvoir guérir. Nick refusa cependant d'entendre le sombre pronostic du vétérinaire.

— Il n'est pas question que je le fasse abattre.

— Nous pouvons essayer de le soutenir par une sangle pour que son poids ne repose pas sur ses jambes, suggéra le praticien. Mais il ne pourra pas rester ainsi indéfiniment. Il faudrait qu'il se rétablisse vite. Autrement, vous serez obligé d'accepter l'inévitable.

L'idée d'une sangle de soutien parut bonne à Nick. Le vétérinaire lui indiqua une écurie, située à Santa Rosa, où l'on maîtrisait cette technique. Nick passa toute la nuit avec Pégase. Le lendemain à la première heure, il appelait le ranch de Santa Rosa. La propriétaire, Peggy Taylor, promit de venir voir Pégase dans l'après-midi. Nick eut l'impression rassurante d'avoir affaire à une femme intelligente et très qualifiée. Elle lui apprit que, l'année précédente, elle avait réussi à sauver un cheval grâce à ce type de sangle et qu'elle disposait de l'équipement nécessaire.

Par chance, le cirque restait cinq jours dans la région. Nick allait donc avoir le temps de prendre une décision avant le départ. Il prévint Monsieur Loyal que Pégase ne pourrait pas participer au spectacle du soir. Il proposa de le remplacer par un pur-sang arabe noir, qui, sans être du niveau de Pégase, loin de là, formerait un beau tableau avec Athéna. Monsieur Loyal accepta ; il n'avait guère le choix.

Peggy Taylor vint à 14 heures. Elle examina Pégase. Elle inspirait toute confiance à Nick et assura qu'ils avaient un très bon vétérinaire. Une heure plus tard, Nick conduisait son cheval chez elle. À 17 heures, le vétérinaire du ranch avait vu Pégase, et la large sangle suspendue destinée à le soutenir était en place. Pour le moment, il n'y avait rien de plus à faire. Christianna, qui était plus inquiète encore pour Nick que pour l'étalon, l'avait accompagné. Désespéré, épuisé, il n'avait pas fermé l'œil de la nuit.

À 19 heures, ils étaient de retour à San Francisco. Ils arrivèrent au champ de foire juste à temps pour le spectacle, sans avoir eu le temps de répéter avec le nouveau cheval. Malgré la fatigue, Nick parvint à se concentrer, et le pur-sang arabe noir fit une très bonne prestation. Quant à Athéna, elle exécuta son numéro à la perfection, sous les ordres de Nick, Christianna en selle, pour la plus grande satisfaction du public.

Les trois jours qui suivirent, Nick se rendit quotidiennement à Santa Rosa pour voir Pégase, accompagné de Christianna et Lucas. Il ne décrochait pas un mot pendant les trajets ; il ne songeait qu'à Toby. Au ranch, cependant, il s'efforçait de se concentrer sur Pégase. Pour l'instant, rien n'avait changé. Le vétérinaire lui annonça qu'il faudrait des semaines, voire des mois pour espérer une guérison et que l'issue restait pour l'instant plus qu'incertaine. Cela n'était pas pour alléger le poids qui lui pesait sur le cœur. Il prit la décision de laisser Pégase à Santa Rosa pour le moment et de poursuivre la tournée. Il reviendrait plus tard, seul, après Seattle.

Cette dernière nuit, il ne dormit presque pas. Lucas se glissa dans le lit à côté de lui, et ils se serrèrent l'un contre l'autre en pleurant.

En quittant San Francisco le lendemain pour faire route vers le nord, Nick était d'humeur morbide. C'était tout juste s'il adressait la parole à Christianna et Lucas. Les deux semaines suivantes, il téléphona au ranch de Santa Rosa deux fois par jour. Il n'y avait aucune évolution. Il décida de laisser Pégase là-bas un mois de plus. À ce moment-là, ils seraient de retour dans le Midwest. Il irait chercher Pégase dès que le vétérinaire et Peggy Taylor le jugeraient prêt.

— Comment va-t-il, aujourd'hui ? demanda Christianna comme il raccrochait le téléphone.

— Toujours pareil, répondit-il, découragé.

C'était le week-end de la fête du Travail. Ils se trouvaient dans le Nevada et devaient jouer à Las Vegas le lendemain. Nick passa la nuit au casino à jouer et à boire, ce qui ne lui était jamais arrivé. Il ne parvenait pas à sortir de son désespoir. À plusieurs reprises, il avait rembarré Lucas, ce qui ne lui ressemblait pas davantage. Il parlait à peine à Christianna, et ils n'avaient pas fait l'amour depuis la mort de Toby. Ajoutée à ce deuil terrible, la boiterie de Pégase était la goutte d'eau en trop. Christianna en venait à se demander s'il redeviendrait jamais lui-même. Il avait tellement changé... Elle n'aimait pas celui qu'il était devenu. Elle ne le reconnaissait même pas. Elle se garda d'en souffler mot à sa famille, mais finit par s'ouvrir à Gallina. Elle était malheureuse et, malgré tous ses efforts, elle ne parvenait pas à aider Nick.

— Laisse-lui du temps, lui conseilla son amie. C'est le deuxième enfant qu'il perd, en plus de sa femme. Imagine comme c'est dur. Prie seulement pour que Pégase se rétablisse.

Gallina avait raison, Christianna le savait.

Un mois plus tard, le 1er octobre, alors qu'ils se trouvaient dans l'Illinois, Peggy Taylor appela.

— Il faut que vous veniez, Nick, dit-elle tristement. Il ne mange plus. Il doit en avoir assez d'être suspendu comme cela. Il est en train de perdre espoir.

Nick aussi. Cependant, il ne voulait à aucun prix que Pégase meure. Il prit donc deux semaines de congé, pour la première fois depuis son arrivée au cirque. Ses beaux-frères acceptèrent de s'occuper des chevaux avec Lucas et de conduire le van qui les transportait, ainsi que la caravane, pour suivre la tournée. Il promit de les rejoindre au plus vite.

Il emprunta une voiture. Il leur fallut deux jours et deux nuits, à Christianna et lui, pour se rendre de l'Illinois à Santa Rosa, en roulant sans relâche et en s'arrêtant sur le bord de la route pour dormir dans le véhicule quand ils n'en pouvaient plus. Quand ils arrivèrent au ranch et virent Pégase, Christianna sut que c'était fini. L'étalon semblait à demi mort. Il avait perdu toute sa fougue, toute étincelle de vie. Selon les consignes du vétérinaire, il était régulièrement mis en appui sur sa jambe. Bien qu'elle fût plus forte, il n'avait aucune volonté de se tenir debout. Le vétérinaire ne parvenait pas à déterminer s'il souffrait encore ou s'il était affaibli par le manque d'exercice, mais il ne cherchait qu'à se coucher. Pour éviter cela, il était toujours maintenu par la sangle, alors que son accident remontait à six semaines. En principe, il avait eu largement le temps de se rétablir.

Nick se mit à le caresser en lui parlant affectueusement, et le cheval sembla revivre un peu en sa présence. Il encensa, hennit doucement et parut également reconnaître Christianna. Le voir ainsi leur serra le cœur. On aurait dit un vieux cheval à bout de forces, alors qu'il n'avait que huit ans, ce qui était assez jeune. En principe, il lui restait au moins quinze ou vingt ans à vivre. Pourquoi était-il décidé à se laisser mourir ?

Peggy leur proposa de passer la nuit au ranch, dans la chambre d'amis de sa maison, ce dont ils la remercièrent vivement. Elle ne dit rien, mais il faudrait bien que Nick prenne une décision rapidement. Il était cruel de laisser dépérir Pégase s'il ne devait jamais guérir. Obsédé par cette pensée, il retourna à l'écurie dans la soirée et y resta si longtemps que, deux heures plus tard, inquiète, Christianna le rejoignit.

Elle le trouva affaissé contre le mur du box de Pégase, en train de lui parler d'une voix grave et douce. Il évoquait leur traversée en bateau, quatre ans auparavant, quand il avait failli mourir.

— Il faut que tu trouves le même courage aujourd'hui, que tu prennes la même décision de vivre, lui dit-il en levant les yeux vers lui.

L'étalon le considérait avec attention, comme s'il comprenait. Christianna les observa de loin, sans signaler sa présence.

— Sur le bateau, reprit Nick, tu as décidé de te relever. J'avais besoin de toi. Aujourd'hui encore, j'ai besoin de toi. Tu ne peux pas abandonner la partie, et moi non plus. Toby ne le voudrait pas. C'était un garçon formidable... Je crois que nous le décevrions beaucoup, si nous laissions tomber.

Christianna sentit les larmes couler sur ses joues.

— Si tu essaies encore une fois, si tu te bats de toutes tes forces pour vivre, je te promets de rester avec toi toujours, de m'occuper de toi du mieux que je pourrai. Nous sommes embarqués dans la même aventure depuis tant d'années maintenant.

Pégase eut un mouvement de tête comme pour acquiescer. Nick se redressa pour le caresser et avisa alors sa femme.

— Je ne savais pas que tu étais là, dit-il, gêné qu'elle ait pu l'entendre.

Il avait répugné à lui avouer la profondeur de son désespoir. Pourtant, elle le connaissait et l'aimait suffisamment pour l'avoir perçu, il le lisait dans ses yeux.

— Qu'as-tu fait cette nuit-là, sur le bateau ? lui demanda-t-elle.

C'était une question qui lui trottait dans la tête depuis plusieurs jours sans qu'elle ait osé la lui poser.

— Je suis resté auprès de lui toute la nuit, à le supplier de se relever.

Il lui sourit, touché qu'elle soit venue le rejoindre. Il savait combien elle l'aimait et combien elle était attachée à Pégase. Dire que, depuis six semaines, il avait été incapable de lui témoigner son amour tant son cœur était vidé par le chagrin. Toutefois, elle était toujours là, à faire tout ce qu'elle pouvait pour lui.

— Je lui ai dit que ma vie était fichue s'il ne se relevait pas, reprit-il. Que notre avenir dépendait de lui.

Ce n'était plus aussi vrai aujourd'hui, mais en partie tout de même, dans le sens où Nick ne semblait pas en mesure de supporter encore une perte.

— Si nous restions avec lui, cette nuit, suggéra Christianna en entrant à son tour dans le box. Soutenons-le, disons-lui combien nous l'aimons et combien nous avons besoin de lui.

Nick la prit dans ses bras.

— Tu es une femme extraordinaire, murmura-t-il. Je t'aime tant…

— Moi aussi, je t'aime, Nick. Et toi aussi, Pégase, je t'aime. Alors dépêche-toi de guérir. Tu manques à tout le monde, au cirque, et ce petit étalon noir est ridicule, comparé à toi. Nous avons besoin que tu reviennes.

Elle s'adressait à lui comme à un enfant. Pégase s'ébroua en secouant la tête comme s'il riait. Christianna et Nick s'assirent dans le box, et il lui passa un bras autour des épaules. Il se sentait soudain beaucoup plus léger, lui qui n'éprouvait rien de positif depuis six semaines. Il eut l'impression de redevenir lui-même. Ils continuèrent de bavarder un moment, puis Christianna posa la tête sur son épaule et s'endormit. Ils furent réveillés le lendemain matin par les rayons du soleil qui entraient dans le box. Pégase les regardait comme s'il se demandait ce qu'ils faisaient là, mais l'étincelle d'autrefois était revenue dans son regard. Nick y décelait même – et Christianna confirma son impression – l'air qu'il avait juste avant les représentations, quand il entendait la musique qui annonçait leur numéro.

— Voyons cela, dit le vétérinaire un peu plus tard en arrivant.

Il baissa la sangle, et Pégase se dégagea à pas prudents, puis il regarda autour de lui et, avec un coup d'œil en coin à Nick, sortit du box au petit trot. Il se promena librement dans la cour quelques minutes, puis Nick l'appela, et il vint aussitôt à lui, apparemment très bien sur ses jambes. Le vétérinaire souriait d'une oreille à l'autre. Nick avait les larmes aux yeux. Christianna aussi.

— Peut-être que vous lui manquiez, tout simplement, avança le praticien d'un air perplexe. Avec les chevaux, c'est impossible à dire, surtout quand ils sont aussi près du sang que celui-ci. Ils ont un tempérament exceptionnel.

— Que me conseillez-vous, docteur ? demanda Nick.

Il ne voulait pas risquer de déclencher une nouvelle boiterie. Le vétérinaire examina la jambe blessée de l'étalon avant de répondre.

— L'entorse me semble guérie, et il s'appuie sur sa jambe sans problème pour marcher. Je crois que vous pouvez l'emmener et le remettre au travail progressivement, sur une quinzaine de jours, pour voir comment ça se passe. Il s'est blessé à un antérieur, ce qui est moins ennuyeux, puisque, dans les exercices que vous lui demandez, il fait porter presque tout son poids sur l'arrière-main.

Il caressa la tête du lipizzan et le regarda en face.

— Et toi, Pégase, dit-il, fini les bêtises. Tu vas arrêter de t'apitoyer sur ton sort. À cause de toi, nous

nous sommes tous fait un sang d'encre. Maintenant, au travail !

Peggy prêta un van à Nick pour qu'ils puissent se mettre en route dans l'après-midi.

— Je vous serai éternellement redevable de tout ce que vous avez fait pour nous, dit-il avec le plus grand sérieux.

Elle ne lui avait facturé que la pension minimum pour Pégase et avait mis tout son cœur dans les soins qu'elle lui prodiguait.

— Il vous doit la vie, ajouta-t-il.

— Non, c'est vous qui l'avez ramené à la vie, la nuit dernière. Je n'ai jamais rien vu de pareil.

Elle fit une caresse à Pégase avant qu'il monte dans la remorque qui le ramènerait chez lui.

— Sois bien sage et ne leur cause plus de souci, lui dit-elle. Ils sont gentils et ils t'aiment.

Elle l'embrassa entre les deux yeux, et Nick le fit embarquer dans le van. Ils étaient prêts à partir.

Il leur fallut quatre jours pour rejoindre le cirque dans le Kentucky. Ils avaient été absents une semaine pile, et non deux comme prévu. Tout le monde se réjouit de revoir Pégase. Beaucoup avaient craint que Nick ne soit contraint de le faire abattre. Mais, quand l'étalon retrouva Athéna et les autres chevaux, il se mit à hennir et à danser, comme autrefois. Il galopa autour de la piste, plein d'énergie. Il lui fallut un peu de temps pour recouvrer toutes ses capacités, mais Nick lui fit un programme de travail adapté et, la troisième semaine d'octobre, à Raleigh, en Caroline du Nord, Pégase fit son grand retour, devant un public plus enthousiaste que jamais.

Ce soir-là, Nick reprit pied, lui aussi. Les deux derniers mois avaient été les plus pénibles de sa vie. Plus, même, que son départ d'Allemagne et son arrivée au cirque. Depuis la mort de Toby, il se noyait, lentement mais sûrement. Or là, sur la piste, il eut l'impression de revivre : Pégase volait, Christianna était plus belle que jamais. Elle rayonnait sur Athéna. Lucas fit une rapide apparition avec un pur-sang arabe. Bien entendu, Toby lui manquait terriblement, et il comprit qu'il lui manquerait toujours. N'empêche qu'il était heureux.

23

Quand ils rentrèrent en Floride pour la trêve hivernale, Pégase avait retrouvé toute sa superbe. Nick avait encore des moments de vide, lorsque l'absence de Toby se faisait plus cruellement sentir, que le manque était plus fort. Toutefois, il reprenait peu à peu goût au bonheur de vivre, grâce à Lucas et Christianna. Katia, en revanche, était inconsolable. Toby était son premier amour. Elle ne parvenait toujours pas à admettre qu'il ne reviendrait pas. Nick pensait parfois à Marianne, qui avait perdu son mari bien trop tôt et se retrouvait veuve à vingt et un ans avec un bébé que son mari n'avait jamais vu. Pourvu qu'elle tienne le coup… Ces derniers temps, les nouvelles d'Alex se faisaient très rares, et cela l'inquiétait. Lui aussi, pourvu qu'il résiste, avec les nazis pratiquement à sa porte. Heureusement qu'ils n'étaient pas restés en Europe, songeait Nick tous les jours. Ils seraient sans doute morts tous les trois, à l'heure qu'il était.

Tandis qu'ils prenaient leurs quartiers d'hiver, il remarqua que Christianna dormait plus que d'ordinaire et qu'elle était tout le temps fatiguée, bien qu'elle refusât de l'admettre. Les trois mois qui s'étaient écoulés depuis la mort de Toby l'avaient éprouvée, elle aussi.

— Ça va ? lui demanda-t-il avec inquiétude un jour qu'elle se réveillait bien plus tard que d'habitude.

— Oui, assura-t-elle en souriant. Un peu fatiguée, c'est tout.

— Tu n'as pas l'âge d'être fatiguée, repartit-il sur le ton de la plaisanterie. C'est réservé aux vieux comme moi.

— Tu n'es pas si vieux, fit-elle valoir en souriant.

À quarante-sept ans, et malgré tout ce qu'il avait traversé ces quatre dernières années, il était toujours aussi beau que lors de leur première rencontre. La seule ombre, c'était cette tristesse dans son regard depuis la mort de Toby, qui, peut-être, ne s'en irait jamais. Seul le temps le dirait.

— Ne change pas de sujet, veux-tu. Tu n'as pas besoin d'autant d'heures de sommeil, normalement. Je m'inquiète pour toi.

Elle fit une réponse vague et assura que tout allait bien, mais il avait l'étrange pressentiment qu'elle lui cachait quelque chose. Ces trois derniers mois, il avait été tellement centré sur lui-même, son deuil, l'accident de Pégase qu'il en avait oublié de faire attention à elle. Il s'en voulait, maintenant. Elle s'était montrée si patiente et si compréhensive… peut-être plus qu'il ne le méritait.

— Je sens que tu ne me dis pas tout, fit-il. Qu'est-ce qui ne va pas ?

Était-elle malade ? Ne voulait-elle rien lui dire pour ne pas ajouter à ses soucis ? Sa longue hésitation à répondre confirma ses craintes. Il la prit dans ses bras, presque terrifié. Mon Dieu !

— Qu'est-ce qui ne va pas ? répéta-t-il avec insistance.

— Rien.

Elle leva la tête et lui sourit.

— Je vais bien, affirma-t-elle.

Elle se rendit compte alors qu'elle ne pourrait pas le lui cacher plus longtemps. Elle avait attendu deux mois car elle imaginait que cela n'aurait fait que le perturber davantage, mais il lui semblait enfin prêt à l'entendre.

— Nous allons avoir un bébé, chuchota-t-elle contre son torse avant de lui lancer un regard plein d'amour.

Il ne répondit pas tout de suite. Il pensa à Toby, à la petite fille qu'il avait perdue. Aurait-il la force de recommencer ? Désormais, l'idée qu'il puisse arriver quelque chose à Lucas l'obsédait. Cependant, il savait qu'il ne pouvait priver Christianna d'un enfant à elle, le leur. Il ferma les yeux et la serra fort dans ses bras. Puis il la regarda avec toute la tendresse du monde.

— Pourquoi ne m'as-tu rien dit ? demanda-t-il bien qu'il devinât la réponse.

— Ce n'était pas le moment.

Oui, c'était vrai, songea-t-il. Il n'aurait pas été prêt à l'entendre plus tôt.

— Depuis combien de temps le sais-tu ?

Il s'en voulait de n'avoir pas été suffisamment disponible pour qu'elle puisse partager avec lui une nouvelle aussi importante.

— Un petit moment. Deux mois environ. Peu après la mort de Toby. Il était trop tôt pour que je t'en parle. Tu n'aurais pas été heureux. L'es-tu, maintenant ? ajouta-t-elle après une petite hésitation.

Il l'embrassa avant de répondre.

— Je suis très, très heureux. Je veux une petite fille qui te ressemble. La naissance est prévue pour quand ?

— Juin. Mais je partirai quand même en tournée. C'est ce que tout le monde fait.

Il la regarda, éberlué, et se mit à rire. Sa précédente épouse avait eu des grossesses difficiles : pendant neuf mois, elle avait vécu au ralenti et requis tout un tas de petites attentions. Christianna, elle, voulait partir en tournée avec le cirque et accoucher en route.

— Tu es folle, fit-il en riant de plus belle.

Soudain, il prit conscience de ce qu'elle avait fait au cours des deux derniers mois : elle avait marché et sauté sur sa corde, tout là-haut, même si elle avait un filet maintenant, elle avait chevauché Athéna, monté des éléphants lors de la parade finale, parcouru des kilomètres en voiture. Était-ce pour cela aussi qu'elle ne lui avait rien dit ? Parce qu'elle voulait continuer à mener sa vie normalement et qu'elle se doutait que cela le mettrait dans tous ses états ?

— Attends un peu, toi. Je ne veux pas que tu poursuives tes acrobaties sur le fil alors que tu es enceinte, ni que tu montes à cheval avec moi. Sois raisonnable, Christianna. Tu imagines ? Si tu perdais ce bébé...

Cette seule idée l'affolait, même s'il savait qu'elle était forte, habituée à faire des efforts physiques intenses, à la différence de sa précédente épouse, par exemple.

— Je ne le perdrai pas, assura-t-elle paisiblement. Je veux continuer à faire mon numéro le plus longtemps possible. Il n'y a personne pour me remplacer. Et, toi aussi, tu as besoin de moi. D'ailleurs, je pourrai sûrement monter à cheval pendant plus longtemps encore.

— Quoi ? Et accoucher sur la piste pendant que tu y es ? Christianna, je ne te laisserai pas faire !

— Si, répliqua-t-elle avec entêtement. De toute façon, tu ne pourras pas m'en empêcher.

— Ah, ça ! Je ne vais pas me gêner ! Ton père est au courant ?

Elle secoua la tête.

— Je ne voulais pas lui en parler avant toi.

Nick fut touché de cet égard.

— Mais il ne s'y opposera pas, ajouta-t-elle aussitôt. Ma mère a continué la corde pendant qu'elle m'attendait – et sans filet, précisa-t-elle fièrement.

— Formidable ! Elle aurait donc pu tomber avant même de t'avoir. Et moi, que serais-je devenu si je ne t'avais pas rencontrée ? Christianna, je t'en prie... je t'en supplie... ne risque pas la vie de notre bébé ni la tienne. Je t'aime trop... Et si nous prenions une année de congé sabbatique ?

— On ne peut pas faire cela, au cirque. Ou alors, on perd sa place.

Elle connaissait mieux que lui les usages du milieu. Et, cette fois-ci, même Gallina ne lui fut d'aucun soutien quand il se plaignit à elle. Elle savait combien le monde du cirque était dur, impitoyable parfois.

— Christianna a raison, déclara-t-elle. Il faut qu'elle travaille le plus longtemps possible, sans prendre de risques excessifs, bien sûr. Et rien ne l'empêche d'accoucher en tournée. Il y a un hôpital dans toutes les villes où nous nous arrêtons.

Ce n'était pas la vie qu'il aurait voulu offrir à sa femme... Nick eut beau faire, il ne parvint pas à lui faire entendre raison. Quoique loyale et aimante, elle était aussi têtue comme une mule – et elle avait sa famille de son côté, et une foule d'exemples pour le contredire.

Elle finit par accepter de renoncer à la corde raide en mars, pendant la préparation de la tournée, parce que sa silhouette commençait à se transformer. Nick obtint également qu'elle monte Athéna avec une selle au lieu de se tenir debout sur son dos. Pour dissimuler son ventre qui s'arrondissait, elle portait des tenues plus amples. Jeune et musclée, elle parvint néanmoins à dissimuler son état longtemps. Fin avril, elle fut tout de même contrainte de s'arrêter. Lorsque Monsieur Loyal annonçait la raison de son absence, le public était touché, et elle venait saluer au début du numéro de Nick. Mais elle trouva horriblement frustrant de ne pas pouvoir continuer à travailler jusqu'au bout.

— Dans ce cas, tu aurais dû devenir clown ou jongleuse, observait-il pour la taquiner.

Lucas se réjouissait d'avoir bientôt un petit frère ou une petite sœur. Un petit frère, plutôt, espérait-il. Nick, lui, était fou de joie. Il s'émerveillait de voir Christianna s'épanouir et ne se lassait pas de caresser son ventre et de la prendre dans ses bras. Cette prochaine naissance lui redonnait espoir. Il avait l'impression qu'il prenait un nouveau départ, qu'un jour neuf se levait. Une seule chose le préoccupait. Il aurait voulu offrir à Christianna, au bébé et à Lucas une vie meilleure. Cela faisait cinq ans, déjà, qu'il faisait partie du cirque. Il se sentait vieux, fatigué. À quarante-huit ans, il rêvait de s'établir dans un ranch, avec sa famille.

En Europe, cependant, la guerre n'en finissait pas. En mai, les Allemands et les Italiens perdirent la bataille de Tunisie, et les positions alliées se renforcèrent. Pendant les derniers jours de la grossesse de Christianna, les regards du monde entier se tournèrent vers la répression brutale de l'insurrection du ghetto de Varsovie. Christianna fut particulièrement affectée de voir les Juifs de son pays natal éliminés avec autant de sauvagerie. C'était d'ailleurs le cas dans toute l'Europe, et Nick doutait de moins en moins que ses fils et lui seraient morts s'ils étaient restés en Allemagne, que sa mère l'était très probablement.

En juin, quand ils arrivèrent à Santa Barbara, Nick emmena Christianna à Santa Ynez, comme chaque année. C'était une sorte de rituel, et une façon pour lui de ne pas abandonner ses rêves. Cette fois, cependant, ils ne descendirent pas à l'auberge. Christianna dormait mal et préférait être chez elle. De toute façon, le terme approchait, et Nick était anxieux, bien plus cette fois-ci que pour la naissance de ses premiers enfants. Était-ce parce qu'il était plus vieux ? Parce que Christianna lui semblait bien menue pour avoir un bébé ? Parce que les deuils qu'il avait subis le rendaient moins confiant dans la vie ? Il était terrifié à l'idée qu'il puisse lui arriver quelque chose. Par chance, elle était si calme, si sereine qu'elle l'apaisait. Et elle ne manquait jamais une occasion de lui rappeler que sa mère, comme Gallina, avait accouché dans sa caravane. Cela ne rassurait nullement Nick, qui la suppliait de ne pas lui faire cela. Il voulait qu'elle aille à l'hôpital, où l'on s'occuperait d'elle au mieux.

— Tout va bien se passer, assurait-elle, confiante.

— Oui. À l'hôpital, avec un médecin et des infirmières. Pas au cirque. Je t'en supplie.

Leurs prochaines dates étaient dans des villes suffisamment importantes pour disposer d'un bon hôpital : Santa Barbara, Portland, Seattle, Spokane… Du reste, Christianna semblait en pleine forme, avec son gros ventre : elle assistait au spectacle tous les soirs, venait saluer, s'occupait de Lucas… Nick se demandait souvent si toute cette énergie lui venait de sa nature ou de sa jeunesse…

Au retour de Santa Ynez, après leur pèlerinage au promontoire, ils dînèrent au restaurant italien puis rentrèrent chez eux. Lucas passait la nuit chez Gallina. Il s'entendait toujours aussi bien avec Rosie, même si, à onze ans, elle devenait plus « fille », ce qui l'agaçait parfois.

Nick sourit à Christianna tandis qu'il l'aidait à monter les marches de la caravane, se retenant de rire de la voir aussi grosse. Elle avait l'air d'un ballon avec des bras et des jambes, affirmait-il. Il adorait la tenir contre lui la nuit et sentir leur bébé donner des coups de pied.

C'était précisément ce qu'il faisait, quand, un peu plus tard, alors qu'ils étaient couchés, le ventre de Christianna se durcit d'un coup. Elle fit la grimace.

— Qu'est-ce qui se passe ? demanda-t-il, surpris.

Elle parut aussi étonnée que lui.

— J'ai dû manger quelque chose qui ne plaît pas au bébé...

Elle n'avait pourtant presque rien avalé. Elle n'avait plus la place, disait-elle.

Le bébé donna encore quelques coups de poing ou de pied qui firent sourire Nick, puis le ventre de Christianna se durcit encore. Cette fois, il s'inquiéta.

— Tu es sûre que tout va bien ? Il ne faut pas que nous allions à l'hôpital ?

Elle se moqua de lui en massant son ventre qui se détendit à nouveau.

— Bien sûr que non. On ne va pas à l'hôpital pour deux crampes d'estomac.

Elle avait beau sourire, il n'était pas convaincu.

— Comment sais-tu que ce sont des crampes d'estomac ? objecta-t-il, dubitatif.

Mais Christianna ne semblait pas inquiète. Elle se tourna sur le côté et l'embrassa.

— Je le sais, c'est tout.

— Je te préviens que ce n'est pas la peine de me faire des avances : je ne te toucherai pas. Tu es sur le point d'accoucher. Je ne veux pas causer un problème ni lui faire mal, ou à toi.

— Je sais, je sais, repartit-elle en riant.

Elle se blottit contre lui, à l'abri entre ses bras, et s'endormit. Il adorait la câliner ainsi. Bientôt, il glissa à son tour dans le sommeil. Puis il fut réveillé par ses gémissements.

— Christianna ? Ça va ?

Il n'était pas certain de ne pas avoir rêvé, mais elle lui répondit d'une voix somnolente.

— Ça va. Mais j'ai mal au dos.

Il la massa, et elle allait se rendormir quand elle sursauta comme sous l'effet d'une vive douleur. Nick la regarda et s'assit dans le lit. Elle souffrait.

— Je crois que tu es en train d'accoucher, ma chérie, dit-il avec un mélange de douceur et d'assurance. Ce ne sont pas des crampes d'estomac : ce sont des contractions. Allez, Christianna, viens. On y va.

— Je veux rester ici, plaida-t-elle d'une toute petite voix.

— Impossible. Je ne veux pas que tu accouches dans la caravane.

Sur ce point, il était catégorique.

— À l'hôpital, tu ne pourras pas rester avec moi, fit-elle d'un ton plaintif. J'ai peur…

Elle n'avait pas fini sa phrase qu'elle se tordit de douleur et se cramponna aux épaules de Nick. Il vit dans son regard l'intensité de sa souffrance.

— Je te promets de tout faire pour rester.

Il se leva, s'habilla et se donna un coup de peigne en vitesse.

— Allez, viens, ma chérie.

Il la souleva dans ses bras et l'enveloppa d'une couverture. Il voulut la poser à terre, mais elle fut incapable de marcher. La panique le prit. Ils avaient trop attendu. Il l'étendit sur le divan du petit salon.

— Je vais chercher la voiture, lâcha-t-il.

Ils s'étaient organisés avec un trapéziste qui avait une voiture et habitait tout près : il était convenu qu'il laisserait les clés sur le siège. Il les y trouva comme prévu, démarra la voiture et revint à la caravane. En proie à de terribles contractions, Christianna parvenait à peine à parler.

— Je ne peux pas… je ne peux pas…, murmura-t-elle dans un halètement. Ça fait trop mal… ne me bouge pas…

Elle poussa un hurlement de douleur.

— Christianna, ne me fais pas cela… ma chérie, je t'en prie. Allons-y.

Mais elle souffrait trop. Il ne pouvait pas la porter dans ces conditions. Elle se cramponna à lui, ne le lâchait pas. Il l'aida à se recoucher et courut réveiller Gallina.

— Gallina ! S'il te plaît, il nous faut un médecin, une ambulance. Quelqu'un. Elle est en train d'accoucher ! s'écria-t-il.

— Je croyais que vous aviez prévu d'aller à l'hôpital, fit-elle, à moitié endormie.

— J'ai l'impression qu'il est trop tard. Elle ne veut pas que je la déplace.

Gallina se leva et promit de faire venir quelqu'un tout de suite, quitte à déranger les pompiers s'il le fallait. Nick rentra chez lui en courant et en priant pour qu'ils aient vite de l'aide. Quand il arriva, Christianna s'était traînée jusqu'à leur lit et se tordait de douleur.

— Je ne peux pas…, répétait-elle en gémissant. Je ne peux pas…

Elle se tut, vrillée par une douleur plus intense encore. Nick ne savait que faire… Il lui prit les mains, la regarda dans les yeux. Et il comprit. C'était exactement comme avec Pégase, quand il avait cessé de se battre.

— Si, tu peux, affirma-t-il. Tu peux, Christianna. Tu es en train de le faire… de réussir… je suis là.

— Non ! cria-t-elle.

Elle avait si mal qu'elle avait l'impression de se noyer. Sa vue se brouillait. Tout devenait flou, sauf cette douleur insoutenable qui ne la quittait plus. Elle entendait Nick, mais elle ne le voyait pas.

En se rendant compte qu'elle était défigurée par la souffrance, il se mit à avoir peur. Puis il se maîtrisa. Il le devait, pour elle. Avec beaucoup de douceur, il la fit s'allonger. Il regarda sous sa chemise et vit que la tête du bébé passait, venait vers lui. Christianna poussa un long hurlement continu. Et puis le bébé fut dans les mains de Nick, et elle cessa de crier. Le silence se fit dans la pièce. C'était une fille. Le cordon était enroulé autour d'elle. Elle n'émettait pas un son, mais elle le fixait, les yeux grands ouverts. Pleurant d'émotion, il la retourna et lui tapota le dos jusqu'à ce qu'elle inspire un grand coup et se mette à hurler. Christianna pleurait aussi.

— Qu'elle est belle, fit-elle, émerveillée. Qu'elle est belle ! Oh, je t'aime, Nick... si tu savais comme je t'aime...

Elle caressait le visage de son époux. Ils se regardaient en riant et en pleurant à la fois.

— Moi aussi, je t'aime.

Ce qu'il venait de vivre réparait tous les drames qu'il avait subis. C'était le plus beau cadeau de la vie. Cette naissance. Christianna. Leur enfant.

Il ignorait comment on coupait le cordon, mais il n'eut pas besoin de le faire. Cinq minutes plus tard, les pompiers étaient là et se chargeaient de tout. Ils proposèrent d'emmener Christianna à l'hôpital, mais elle refusa puisque la petite allait bien et tétait déjà. Nick savait qu'il n'oublierait jamais ce qu'il avait partagé avec Christianna ce soir. Elle avait raison, finalement. À l'hôpital, cela n'aurait pas été possible. Il aurait manqué ce miracle.

Les pompiers examinèrent la mère et le bébé, et firent un peu de nettoyage, aidés par Gallina. Une heure plus tard, ils repartaient en leur présentant tous leurs vœux. Dans l'intervalle, des artistes s'étaient agglutinés autour de leur caravane. Gallina leur annonça la bonne nouvelle, et ils se réjouirent pour eux. Lucas vint voir sa petite sœur quelques instants avant de retourner se coucher chez Rosie.

Christianna tenait leur bébé dans les bras. Nick les contemplait avec adoration.

— Tu as été extraordinaire, dit-il. Et tellement courageuse…

— Pas tant que toi. Je suis tellement heureuse que nous ayons été ensemble.

Nick caressa la joue de sa fille assoupie.

— Moi aussi, reconnut-il. Tu avais raison.

Elle avait presque toujours raison, à vrai dire. Elle savait d'instinct ce qui serait le mieux pour eux. Ils avaient déjà choisi d'appeler leur enfant Chloé si c'était une fille. Nick murmura son prénom avant d'embrasser Christianna. Il éprouvait plus vivement que jamais la volonté de leur offrir mieux que cette petite caravane et une vie perpétuellement sur les routes. Il ne savait pas comment il y parviendrait, mais il était décidé. Pour le moment, toutefois, le miracle qu'ils venaient de vivre suffisait. Il se coucha auprès d'elles, et ils s'endormirent tous les trois.

24

Un an plus tard, au printemps 1944, alors que Chloé allait bientôt souffler sa première bougie, le vent parut tourner. Les Alliés bombardaient l'Allemagne sans relâche et débarquaient en Europe. Les Russes repoussaient les Allemands. La Wehrmacht perdait enfin du terrain. La guerre n'était certes pas finie, loin de là, mais il était permis d'espérer qu'Hitler ne conquerrait pas le monde. Le conflit prenait une tournure plus favorable.

Nick s'inquiétait de plus en plus pour Alex, dont il n'avait pas de nouvelles depuis près d'un an. Le courrier ne passait plus. Il correspondait avec Marianne qui, elle aussi, était sans nouvelles de son père. Ils ne pouvaient que prier pour qu'il soit encore en vie.

La fille de Marianne avait deux ans déjà. Elles vivaient chez ses beaux-parents, à Haversham. La vie y était paisible, disait-elle, mais il sentait dans ses lettres une profonde tristesse. À vingt-trois ans, elle avait perdu son pays, sa maison, son mari et peut-être son père… Le grand bonheur de sa vie, disait-elle tout de même, c'était sa petite fille. Il la comprenait fort bien, car Chloé, née un an plus tard, était leur rayon de soleil, à Christianna et lui.

Alex était toujours en vie. Après avoir aidé l'ami de son fermier à gagner la frontière suisse, il avait caché ou transporté d'autres personnes. Des Juifs, principalement, qui avaient réussi à se cacher ou à passer inaperçus et qui cherchaient à fuir avant d'être envoyés dans les camps. C'était surtout des hommes, suffisamment rusés pour avoir échappé aux Allemands, et qui avaient eu la force de survivre dans les conditions extrêmement dures de la clandestinité. Il y avait toutefois eu quelques femmes, et même deux petites filles dont toute la famille avait été raflée. Elles voulaient aller en France pour rejoindre leur tante.

C'était arrivé sans qu'Alex prévoie rien. Simplement, il était là quand on avait besoin de lui. Il ne s'agissait pas d'un réseau structuré ; seulement d'une poignée d'individus qui avaient le courage d'aider les autres. Il n'y avait plus que cela pour donner un sens à sa vie, maintenant que Marianne se trouvait à l'abri chez les Beaulieu, avec son bébé. Il haïssait les nazis et faisait ce qui lui semblait être son devoir. Son statut d'aristocrate respectable lui fournissait la meilleure des couvertures.

Peu à peu, ces missions étaient devenues sa raison d'être. Il se sentait appelé. Et, à mesure qu'il prenait de l'expérience, il devenait plus hardi. Les officiers supérieurs postés dans la région continuaient pourtant de le traiter avec respect. Ils se rencontraient lors de ses promenades quotidiennes à cheval et étaient dans les meilleurs termes. Il les avait même invités à dîner plusieurs fois ; les autres le trouvaient charmant.

En juin 1944, les Alliés débarquèrent sur les côtes nord de la France. Espérant qu'ils seraient bientôt là et pour leur ouvrir la voie, Alex accepta d'aider un groupe de six hommes et une femme à faire sauter un train de roquettes et de munitions. C'était sa première mission de ce genre, mais il était prêt à aller de plus en plus loin pour contrer les nazis.

Il leur fut étonnamment facile de poser les fils de fer. Le soir, ils devaient rapporter les explosifs en brouette, à la main et en voiture. Alex comptait passer par les bois. Il n'avait pas peur. Il se moquait d'être tué. Marianne était en sécurité chez les Beaulieu, et le monde tel qu'il le connaissait et l'aimait avait été anéanti au cours des cinq dernières années. Rien de ce qui lui était cher n'existait plus. Il était donc prêt à tout pour se venger des nazis.

Alors, ce soir-là, il transporta des sacs à grains remplis d'explosifs et les confia à ceux qui devaient les mettre en place. Ils restèrent cachés dans les bois à attendre le train qui devait passer le lendemain matin. À l'aube, quand il apparut, ils procédèrent à la mise à feu, et le train explosa avec toute sa cargaison. Leur mission accomplie, ils se dispersèrent comme une volée de moineaux. Alex rentra à pied par la forêt.

Il atteignait le chemin du château quand le colonel apparut, semblant sorti de nulle part, en selle sur Favory. L'étalon, qui reconnaissait toujours celui qui l'avait dressé, se mit à gratter le sol de son antérieur. Alex sourit au cheval et au cavalier. Il avait toutes les apparences d'un gentleman en train d'effectuer sa promenade matinale.

— Où allez-vous, de si bon matin, monsieur le comte ? demanda le colonel avec dans l'œil une lueur mauvaise.

— Je fais mon petit tour, mon colonel. Et comment se porte notre ami Favory ? s'enquit-il. Il m'a l'air en pleine forme. Mais il paraît que vous avez eu des ennuis, ce matin ?

On avait entendu l'explosion dans tout le voisinage. Alex ne pouvait pas faire semblant de ne pas savoir.

— Où étiez-vous, il y a une heure, monsieur le comte ?

— Je prenais l'air, répondit-il le plus innocemment du monde.

Alex sentit que l'autre le soupçonnait, mais il n'avait pas peur.

— Le long de la voie ferrée ? répliqua le colonel avec colère. Ça sent la dynamite, par ici.

Cette explosion dans son secteur, sous sa surveillance, c'était mauvais pour lui. Le haut commandement ne tolérait ni les trahisons ni les échecs. Alex devinait que le colonel n'avait aucune envie de voir cette affaire figurer dans son dossier.

— Ah bon ? Vraiment ?

À ce moment-là, le colonel sortit un revolver et le pointa vers la tête d'Alex, à distance.

— Vous imaginez que nous ne sommes pas au courant de vos petites combines ? gronda-t-il. Cacher des Juifs, semer le trouble… Pas la peine de jouer les innocents, avec vos grands airs d'aristocrate, toujours à nous prendre de haut. Vous croyez que vous pouvez faire sauter un train de munitions et vous en tirer à si bon compte ? Cela fait des mois que nous vous avons à l'œil, monsieur le comte !

Il tremblait de rage. Alex se contenta de sourire.

— Ah bon ? Vous avez dû être déçu… Je mène une vie terriblement calme.

Si le colonel espérait l'effrayer, c'était raté. Tout de même, au cas où, Alex glissa la main dans sa poche pour prendre le pistolet que lui avait donné son fermier.

— Pas aussi calme que vous voudriez nous le faire croire. J'ai plutôt le sentiment que, lorsque les Alliés arriveront, vous les accueillerez à bras ouverts.

— Ah ? Parce qu'ils vont arriver ? repartit Alex en feignant la surprise. Je n'ai pas entendu cette information à la radio.

— Qu'avez-vous entendu ?

Le cheval du colonel se mit à danser et il s'approcha de Nick.

— J'ai entendu parler de nos victoires sur le front de l'Est. Il paraît aussi que les Britanniques tremblent de peur sous nos bombes. Tout ne serait donc pas vrai, mon colonel ? Y aurait-il de la propagande ?

— Traître ! cria l'officier en se rapprochant encore. Sale traître ! Je vous hais, vous et vos semblables ! Toujours si dédaigneux... Vous vous estimez supérieurs à tout le monde parce que vous êtes nés avec une petite cuiller en argent dans la bouche. Vous vous croyez tout permis.

— Et vous, vous imaginez que vous pouvez nous la voler, cette cuiller, pour devenir un des nôtres. Mais vous n'y parviendrez pas. Pas plus que le Führer. Ce ne sont pas des choses qui se volent, mon colonel. On les reçoit en naissant. C'est ainsi.

— Espèce de salopard ! glapit le colonel en armant le revolver qu'il braquait sur la tempe d'Alex.

— Vous aurez beau me tuer, vous aurez beau nous chasser d'Allemagne, dit Alex en faisant allusion à Nick, il y aura toujours des milliers d'honnêtes gens comme nous et, à la fin, c'est nous qui gagnerons. La vérité est plus forte que l'épée ; l'honneur aussi. Vous pouvez nous tuer, certes, mais vous ne pouvez pas nous déshonorer.

Le colonel appuya sur la détente avec un regard plein de haine et de rage. Il voulait le faire taire pour toujours. Mais Alex avait eu le temps de pointer son arme vers lui. Il ne visa pas l'homme, mais le cheval. Ainsi, quand Alex s'écroula, Favory tomba aussi, sous le colonel stupéfait. Alex avait choisi la fin la plus élégante. Noblesse oblige.

25

L'été 1944 fut pour le cirque l'été de tous les désastres. La direction avait décidé de changer l'itinéraire de la tournée, si bien qu'ils se rendirent dans le nord les premiers mois, projetant d'aller plus tard dans l'ouest. Début juillet, au lieu d'être en Californie, ils se trouvaient donc à Hartford, dans le Connecticut. Le 6 de ce mois, alors que les fauves étaient en piste pour le premier numéro, un incendie se déclara dans les vingt premières minutes du spectacle. Les flammes ne tardèrent pas à gagner la paroi du chapiteau. L'orchestre attaqua aussitôt *Stars and Stripes Forever*, le morceau choisi comme signal d'alerte pour prévenir le personnel du cirque qu'il y avait un problème sans affoler le public. Alors que Monsieur Loyal essayait de faire sortir les spectateurs sans mouvement de panique, une coupure de courant éteignit son micro de sorte que son message ne fut pas entendu. Au même instant, les gens commencèrent à voir les flammes. Ils se précipitèrent vers les issues, dont deux étaient barrées par les cages des fauves et les tunnels par lesquels ils entraient en piste. Une terrible bousculade s'ensuivit. Les parents se trouvèrent séparés de leurs enfants. Le chapiteau, enduit de paraffine pour imperméabilisation, flamba et s'écroula en huit minutes. Un spectacle cauchemardesque. La bousculade fit place à une lutte acharnée pour secourir les enfants, éloigner les animaux le plus possible, éteindre le feu. Il y eut cent soixante-huit morts et plus de sept cents blessés.

Un drame atroce. Certaines des victimes étaient brûlées si gravement qu'il était impossible de les identifier ; d'autres avaient été piétinées par la foule tentant de fuir. C'était une tragédie telle qu'aucun d'eux n'en avait jamais vécu.

Cinq responsables du cirque furent accusés d'homicide involontaire, et le cirque assuma l'entière responsabilité financière et les dommages et intérêts. John Ringling North n'était pas impliqué puisqu'il ne dirigeait plus le cirque ; il avait passé la main un an plus tôt. Mais ils restaient tous profondément marqués par ce malheur. Ceux qui l'avaient connu et aimé furent particulièrement affectés par le décès de Joe Herlihy lors de l'incendie. Il revenait tout juste d'un voyage de détection de talents et voulait assister aux nouveaux numéros du spectacle. Nick et Christianna pleurèrent amèrement cet ami très cher.

Le cirque ferma pendant toute la durée de l'enquête et rouvrit à Akron, dans l'Ohio, un mois plus tard. Le cœur n'y était pas, cependant. Et travailler sans chapiteau sous la pluie ou par une chaleur écrasante n'arrangeait rien. Ils tinrent jusqu'au Texas, puis décidèrent d'interrompre la tournée. Une fois de retour en Floride, Nick sut que le moment était venu. Il voulait quitter le cirque. Il n'en pouvait plus de cette existence nomade et dangereuse. Il aspirait à une vie normale pour ses enfants. Il le redit à Christianna.

— Mais *c'est* une vie normale, protesta-t-elle.

Sans doute, pour elle qui n'avait rien connu d'autre. Mais pas pour Nick. À défaut de pouvoir offrir à ses enfants le luxe dont il avait joui plus jeune, il désirait au moins leur apporter un peu de stabilité. Il souhaitait pour Chloé et Lucas un autre environnement que celui des phénomènes de foire tatoués, des femmes à barbe, des funambules, des fauves, des jongleurs et des contorsionnistes. Il savait que les clowns et tous les amis qu'il s'était faits au cirque en six ans manqueraient à Lucas, mais il tenait à voir grandir Chloé dans une atmosphère plus calme. Cependant, il eut beau faire, il ne parvenait pas à convaincre Christianna. Elle voulait rester à tout prix.

En novembre, il reçut de Marianne une lettre qui le peina profondément. Elle lui faisait part de ce qu'il redoutait depuis des mois. À la demande de Charles Beaulieu, le service de renseignements et de sécurité militaires avait pu découvrir qu'Alex était impliqué dans des activités subversives en Allemagne. Après avoir sauvé bien des vies et fait sauter un train, il avait fini par être abattu d'un coup de feu. Son corps avait été déposé devant chez lui, et il avait été enterré dans le petit cimetière familial par un de ses fermiers. Bien que Marianne exposât les faits simplement, Nick ressentit au plus profond de lui-même toute la détresse qui devait l'assaillir.

En réponse, il lui adressa une longue lettre de condoléances. C'était, pour lui aussi, un nouveau deuil bien douloureux. Il devint agité, malheureux, triste ; même les pitreries de Chloé ne suffisaient pas à le dérider. La guerre durait depuis trop longtemps pour eux tous. Ils avaient déjà payé un lourd tribut.

Pendant ce temps, en Angleterre, Isabel pensait la même chose. Elle était très inquiète pour Marianne. D'abord parce qu'elle menait une vie de vieille dame, ce qui n'était pas normal à son âge, mais aussi parce que, depuis qu'elle avait appris la mort de son père en octobre, elle avait sombré dans la mélancolie. Veuve depuis deux ans et demi, elle avait beau adorer sa fille, la tristesse que lui causait le décès de son père était plus forte que les joies qu'elle connaissait auprès de son enfant.

— Nous n'y pouvons rien, disait Charles à sa femme d'un air las.

Isabel aurait voulu résoudre les problèmes de tout le monde. Mais comment alléger les souffrances terribles causées par la guerre ? Blessé l'année précédente, Simon était de retour au front. Depuis la mort d'Edmund, ses parents étaient plus inquiets encore. Ils vivaient des temps très durs, c'était certain, mais, selon Charles, ils ne pouvaient que serrer les dents en attendant que la guerre prenne fin.

— Je crois qu'il faudrait envoyer Marianne à Londres, déclara un jour Isabel.

— Quoi ? Pour qu'elle se fasse tuer par une bombe ou qu'elle meure sous les décombres d'un immeuble en flammes ? Vous perdez la raison, ma chère !

— Tout le monde ne se fait pas tuer, à Londres, objecta-t-elle. Je dois dire que l'idée ne me réjouit guère, moi non plus, mais elle a vingt-trois ans et elle ne fréquente absolument personne de son âge, ici. Elle n'a rien à espérer, rien à faire. Comment pourrait-elle échapper à la mélancolie ? Certes, Londres est parfois bombardé, mais il y a des soirées, de jeunes officiers avec qui danser et flirter.

— Pour l'amour du ciel, attendez la fin de la guerre, Izzie.

— Rien qu'un petit séjour, dit-elle avec insistance. Son moral est si bas, depuis la mort de son père. Il faut qu'elle voie autre chose, d'autres gens. Nous garderons la petite ici.

Elle plaida sa cause pendant un mois. Finalement, à Noël, ils envoyèrent la jeune femme à Londres, chez des cousins qui possédaient une très jolie maison sur Belgrave Square, non loin d'un abri antiaérien. Marianne avait d'abord refusé. Cependant, la date du départ approchant, elle devint tout excitée à la perspective de ce voyage. Les cousins en question avaient une fille du même âge qu'elle. Cela la changerait de ses beaux-parents, avec qui elle vivait pratiquement en vase clos depuis quatre ans.

Quand sa cousine Julie l'emmena à des soirées et lui présenta ses amis, elle se rendit compte à quel point la compagnie des gens de son âge lui avait manqué. Julie persuada Marianne de prolonger son séjour et l'aida à s'engager comme bénévole à l'hôpital deux jours par semaine. Le soir, les deux jeunes filles sortaient très régulièrement. Violette lui manquait, bien sûr, mais cette parenthèse lui faisait énormément de bien et l'aidait à se reconstruire.

Elle se sentait revivre, retrouvait peu à peu sa jeunesse et son entrain. Elle appelait régulièrement les Beaulieu, qui s'en rendaient compte et lui enjoignirent donc de rester à Londres autant qu'elle en avait envie. Marianne ne le leur dit pas, mais, lors du Nouvel An, elle avait rencontré un jeune officier américain, originaire de Virginie, du nom d'Arthur Garrison. Depuis, elle le voyait presque tous les jours. Jamais elle ne s'était autant amusée de sa vie. Lorsqu'elle revint à Haversham en février pour voir sa fille, elle était transformée. Charles lui-même fut forcé de reconnaître qu'Isabel avait eu raison. Ses idées en apparence les plus folles étaient souvent frappées au coin du bon sens.

À l'occasion de ce retour, Charles eut avec Marianne une conversation sérieuse à propos de son domaine familial. La guerre n'était certes pas finie, mais, le moment venu, il faudrait qu'elle décide quoi faire d'Altenberg. Voudrait-elle garder le château, ou le vendre ? Une chose était sûre : Marianne ne se voyait pas retourner vivre en Allemagne. Désormais, sa vie était en Angleterre, auprès d'eux. Seule avec sa fille, Altenberg serait trop triste. Sans doute vendrait-elle, donc, même si cela serait douloureux. Jusque-là, elle avait toujours fait le projet de rentrer en Allemagne. Mais, sans son père, cela n'avait plus aucun sens.

— Je m'en doutais, assura Charles, mais il fallait que je vous pose la question. Si vous le souhaitez, je vous aiderai. Bien sûr, ma chère enfant, nous préférons que vous restiez auprès de nous. Vous serez toujours chez vous, ici.

Edmund lui avait légué une somme importante, ce à quoi elle ne s'attendait nullement. Charles savait par ailleurs que son père possédait une fortune considérable et une très grande propriété. Entre l'héritage d'Edmund et celui de son père, Marianne aurait largement de quoi vivre toute sa vie.

Une semaine plus tard, la jeune femme retourna à Londres et revit Arthur Garrison. Ils avaient en commun la passion des chevaux. Il possédait un haras en Virginie, dont il avait hérité avant la guerre, à la mort de ses parents. Elle lui parla des lipizzans de son père. Elle le fascinait, mais il voyait bien qu'elle était réticente à laisser naître une histoire d'amour entre eux. Ils passaient de très bons moments ensemble, s'amusaient, parlaient, mais elle le traitait en ami. Un soir, à dîner, il finit par lui en demander la raison.

— J'ai perdu mon mari il y a deux ans et demi, expliqua-t-elle. Lors d'une attaque aérienne sur l'Allemagne. Et mon père cette année. Je ne l'avais pas vu depuis quatre ans, depuis mon arrivée en Angleterre. Quant à ma mère, elle est morte à ma naissance.

Elle respira profondément, cherchant ses mots pour lui faire comprendre ce qu'elle ressentait.

— Je ne veux plus perdre un être cher. Il ne me reste que ma fille et mes beaux-parents. J'ai peur que, si je m'attache à quelqu'un, il meure aussi, fit-elle les larmes aux yeux.

C'était la réponse la plus franche qu'elle pût lui donner.

— Vous n'avez que vingt-trois ans, Marianne, objecta-t-il. Vous ne pouvez pas vivre le restant de vos jours dans la crainte d'aimer quelqu'un sous prétexte qu'il pourrait mourir. Ce ne serait pas une vie. À la fin de la guerre, nous reprendrons tous le cours de notre existence normale. Finis, les bombardements. Finis, les morts. Nous ne serons soumis qu'aux risques normaux du quotidien.

— Mon père a toujours été ma seule famille, dit-elle tristement. Maintenant, il n'est plus là. Mes amis les plus proches ont quitté l'Allemagne, et je ne retournerai pas m'y installer. Mes beaux-parents aimeraient que je reste ici. Edmund, le seul homme que j'aie aimé, est mort avant même la naissance de notre fille. Je ne sais pas si j'aurai le courage de recommencer autre chose.

Arthur avait cinq ans de plus qu'elle et était d'une grande maturité pour son âge.

— Il est vrai que ce conflit ne vous a pas épargnée, reconnut-il. Il va vous falloir réapprendre à vivre en temps de paix.

— La guerre n'est pas finie, lui rappela-t-elle.

Il se pouvait encore qu'il soit tué, comme tant d'autres gens.

— Cela ne va pas tarder, croyez-moi. Et vous n'allez quand même pas vous enterrer à la campagne pour toujours. Vous êtes bien trop jeune.

— Je m'installerai peut-être à Londres, concéda-t-elle, incertaine.

Elle ne savait pas encore ce qu'elle voulait faire.

— M'accorderez-vous une chance, Marianne ? lui demanda-t-il doucement. S'il vous plaît.

Arthur était un homme bon et prévenant, protecteur, avec qui elle partageait de nombreux centres d'intérêt. Il était aussi très séduisant, et elle l'appréciait réellement.

— Je ne sais pas si je pourrai, répondit-elle honnêtement.

— Essayons ensemble, proposa-t-il avec dans le regard une infinie bonté.

C'était ce qui lui plaisait le plus, chez lui. Sa gentillesse, la douceur avec laquelle il la traitait. En cela, il était semblable à son père, Alex, mais aussi à Edmund, qu'il lui rappelait beaucoup, même si son accent américain du Sud était presque l'opposé de l'accent anglais de son mari. Physiquement, il ne lui ressemblait pas du tout, en revanche. Il était aussi blond qu'Edmund était brun. C'était plutôt heureux. Autrement, elle aurait été terriblement mal à l'aise.

— Je n'insiste pas plus, promit-il.

Il était suffisamment intelligent pour savoir que cela ne servirait pas sa cause. Elle ne répondit pas, mais lui sourit et sembla s'apaiser.

Les semaines qui suivirent, ils continuèrent à dîner ensemble et à voir des amis. Aide de camp d'un général, il ne volait pas. Elle n'avait donc pas à craindre de le voir mourir au combat. Un week-end, il l'accompagna à Haversham. Ses beaux-parents le trouvèrent très sympathique. Il était bien élevé, avec des manières tout aussi aristocratiques que les leurs, à l'américaine. Il fut adorable avec Violette et il semblait fou de Marianne, qu'il traitait avec tous les égards. Néanmoins, le fait qu'il soit américain inquiétait fort Isabel, qui s'en ouvrit à Charles après le départ des jeunes gens.

— Et si elle l'épousait ? dit-elle tristement. Si elle partait en Amérique avec lui ?

— Eh bien, nous lui rendrions visite, et elle reviendrait nous voir de temps en temps, répondit-il. Vous l'avez dit vous-même, elle est trop jeune pour rester enfermée ici éternellement.

— Je pensais à Londres comme échappatoire, pas à la Virginie, fit-elle valoir avec mélancolie.

Violette lui manquerait tant, si elle partait… Toutefois, Charles avait raison, elle le savait, et elle souhaitait avant tout le bonheur de sa belle-fille. Un bonheur qu'elle pourrait bien trouver auprès d'Arthur Garrison…

Cependant, Marianne tenait toujours le jeune homme à distance. Début avril, il perdit courage. Il commençait à croire qu'elle ne se permettrait plus jamais d'aimer, ou en tout cas pas avant très longtemps. Lui, en revanche, était tombé amoureux d'elle. Pour se protéger, il arrêta de l'appeler pendant un petit moment.

Elle en fut surprise. Ces derniers mois, elle avait pris l'habitude de passer beaucoup de temps avec lui. Il lui faisait signe dès qu'il ne travaillait pas. Elle en parla à Julie, et sa cousine émit l'hypothèse qu'elle l'avait fait fuir. Marianne y songea plusieurs jours. Et si c'était vrai ? finit-elle par craindre. C'est alors qu'elle se rendit compte qu'elle lui était bien plus attachée qu'elle ne voulait l'admettre.

Pour son plus grand soulagement, il la rappela peu après.

— Vous m'avez manqué, avoua-t-elle.

— Voilà une excellente nouvelle pour moi, dit-il, fort surpris. Je pensais plutôt que vous seriez soulagée de mon silence.

Il avait pratiquement abandonné la partie.

— Non, Arthur. J'ai peur, c'est tout.

— J'en suis conscient. Vous savez, Marianne, moi aussi, j'ai peur. Mais ce qu'il y a de mieux dans la vie est parfois effrayant, au premier abord. Il faut avoir le courage de se jeter à l'eau.

— Je ne sais pas si je l'aurai, ce courage.

Pourtant, elle savait maintenant qu'elle ne voulait pas le perdre.

Ce soir-là, quand ils dînèrent ensemble, elle se montra plus chaleureuse. Alors, pour la première fois, en la raccompagnant chez elle, il se risqua à l'embrasser. Elle hésita, d'abord, puis elle se laissa aller et lui rendit son baiser avec une passion qu'elle avait oubliée. Il n'insista pas et lui promit simplement de l'appeler le lendemain matin.

Elle était toute rêveuse quand elle rentra.

— Que t'est-il arrivé ? lui demanda Julie.

Marianne sourit d'un air mystérieux, mais ne répondit pas.

— Ne me dis pas que la Belle au bois dormant est enfin réveillée ! Alléluia !

Julie aussi s'était inquiétée pour Marianne. À son arrivée à Londres, elle lui avait paru figée, comme intérieurement morte.

— Peut-être, concéda-t-elle avant de monter se coucher.

Quand elle revit Arthur le lendemain soir, leur relation évoluait déjà doucement.

Deux semaines plus tard, un soir qu'ils étaient allés danser dans un club privé, ils parlèrent de la chute de Berlin, toute proche. Soudain, elle prit conscience que, à la fin de la guerre, il rentrerait en Virginie. À cette idée, la panique la prit, ce qu'il ne manqua pas de remarquer.

— Puis-je y voir un signe d'espoir ? demanda-t-il en souriant avant de l'embrasser.

Ils s'embrassaient souvent, désormais, et elle était beaucoup moins indifférente qu'il n'aurait pu le craindre. Il sentait de la passion, chez elle. Seulement, elle avait beaucoup souffert. Mais il était patient et prêt à passer toute une vie à l'aider à se reconstruire. C'était ce qu'il essayait de lui faire comprendre.

Les semaines suivantes, alors que la guerre se terminait en Allemagne, Arthur continua de faire tout son possible pour la rassurer. Ils étaient ensemble lorsque la capitulation allemande fut annoncée. Ce fut une journée de liesse en Angleterre comme dans toute l'Europe, même si l'absence d'Edmund et de son père lui donnait pour Marianne un goût amer. Arthur lui dit alors qu'il rentrerait sans doute chez lui en juin.

— Et moi, il va falloir que je retourne à Altenberg, en Allemagne, pour décider quoi faire du domaine familial, répondit-elle avec une profonde tristesse. Je suis pratiquement certaine de vouloir vendre. Je ne pourrai jamais y habiter sans mon père, surtout sachant qu'il y est mort. Je crois qu'à la fin de ses jours il en était venu à haïr l'Allemagne. Je ne veux plus vivre là-bas. Charles, mon beau-père, m'a proposé de m'aider à le vendre.

— Et les chevaux ? s'enquit-il, compatissant.

— Il n'y en a plus. Les Allemands les ont tous pris. Les écuries sont vides, comme la maison. Au moins, l'armée ne s'y est jamais installée. Ils ont dû trouver qu'il y avait trop de courants d'air et qu'elle était impossible à chauffer convenablement, ajouta-t-elle en souriant.

Il rit. D'après ce qu'il avait vu, c'était le cas de beaucoup de châteaux, en Europe. Elle songea à la propriété de Nick… Vendrait-il, lui aussi ? Il était peu probable qu'il y retourne, maintenant qu'il avait vécu sept ans en Amérique, estima-t-elle. Pour eux, l'Allemagne, c'était fini.

Deux semaines plus tard, Arthur lui annonça qu'il rentrait chez lui fin juin. Elle hocha tristement la tête.

— J'aimerais vous demander quelque chose, Marianne, ajouta-t-il doucement. Sachez que je comprendrai votre refus, si refus il y a. Me feriez-vous l'honneur d'accepter de m'épouser ? Je sais que ce n'est pas facile, pour vous, et qu'il faudra vous habituer à une tout autre vie en Amérique. Mais je vous aime, et j'aime la petite Violette. Je voudrais tant que vous deveniez ma femme…

Elle hésita si longtemps qu'il fut persuadé que sa cause était perdue. Pourtant, elle finit par faire oui de la tête. Il faillit tomber à la renverse et ravala tout juste un grand cri de joie. Au lieu de cela, il lui promit de prendre soin d'elle le restant de ses jours.

De son côté, elle ne lui fit pas promettre de ne pas mourir. Elle savait maintenant que c'était une promesse que, avec les meilleures intentions du monde, on ne pouvait pas forcément tenir. On n'y pouvait rien. L'amour n'était pas toujours plus fort.

— Moi aussi, je vous aime, Arthur, assura-t-elle. Et je m'efforcerai d'être une bonne épouse.

— Soyez vous-même, dit-il en l'embrassant. Je ne souhaite pas autre chose.

— En revanche, je ne pourrai pas venir avec vous tout de suite. Il faut que j'aille en Allemagne régler les affaires de mon père et mettre le domaine en vente…

— Ne vous inquiétez pas. Vous viendrez quand vous serez prête, répondit-il d'un ton paisible. Je vous attendrai.

26

Arthur rentra en Amérique fin juin. Il fut démobilisé et regagna son haras en Virginie. En juillet, Marianne se rendit en Allemagne. C'était la première fois qu'elle y retournait depuis cinq ans. Elle trouva le pays en ruine, et cela lui brisa le cœur. Altenberg était vide, triste et abandonné… Elle se fit accompagner du notaire de son père et demanda à deux fermiers et leurs épouses de l'aider. Il lui fallait se débarrasser des affaires de son père et de beaucoup des siennes. Décider que donner, que garder et que vendre ne fut pas une mince affaire. Elle voulait expédier quelques biens familiaux en Amérique. L'argenterie, par exemple, et la vaisselle de sa grand-mère, ainsi que quelques meubles auxquels elle tenait et un portrait de son père. Elle passa tout un après-midi à fouiller dans les trésors de son enfance. Mais tous ces souvenirs ne faisaient que l'attrister. Elle ne conserva finalement que peu de choses. Elle allait vendre presque tout le mobilier, et même la plupart des portraits d'ancêtres, avec le château. Elle n'en avait jamais vraiment raffolé, de toute façon, et, aujourd'hui, ils ne lui servaient plus à rien.

Aux écuries non plus, elle ne trouva rien à garder. Les chevaux avaient disparu, de même que les voitures de son père, y compris sa chère Hispano-Suiza.

Le Troisième Reich avait tout volé. Elle fixa avec le notaire le prix du château et des meubles qu'il contenait. Mais ces biens matériels ne signifiaient rien. Son père lui manquait. Elle était venue lui dire au revoir.

Elle se rendit sur sa tombe, près de la chapelle du domaine. Enterré à la va-vite, il n'avait même pas de pierre tombale, et elle chargea le notaire d'en faire faire une. Elle alla aussi voir les fermiers et les remercia pour les longues années passées au service de son père. Elle s'attachait à faire preuve du sens de l'honneur et des responsabilités qu'il lui avait transmis par son exemple.

En repartant, le notaire et elle passèrent devant chez les von Bingen. Le château semblait tout aussi vide et abandonné. Elle frémit en songeant à ceux qui l'avaient occupé et fut submergée de tristesse à l'idée que ses amis n'y reviendraient sans doute jamais.

Sur le chemin du retour à Haversham, Marianne eut l'impression qu'elle venait de traverser en quelques jours des siècles d'histoire. Elle espérait bien ne jamais avoir à revenir dans son pays natal. Sa vie là-bas était finie. Elle fut soulagée de retrouver les Beaulieu, sa seule famille, désormais, avec Violette. Elle partirait aux États-Unis en septembre, pour y épouser Arthur, ce dont Charles et Isabel se réjouissaient pour elle. Elle allait passer l'été avec eux et leur avait promis de revenir le plus souvent possible.

Le jour de son retour d'Altenberg, Isabel et elle se promenèrent dans le jardin, comme elle le faisait autrefois avec Edmund. Elle avait fait bien du chemin, en cinq ans. Les Beaulieu avaient été si bons avec elle... Elle avait mûri. Violette grandissait à toute vitesse. Quant à eux, ils avaient perdu un fils... Marianne sourit à Isabel. Dire qu'elle était terrifiée, le jour de son arrivée ! Aujourd'hui, elle considérait les Beaulieu comme ses propres parents. En entrant dans le salon, elle sentit presque la présence d'Edmund. Elle y trouva Violette, qui jouait avec son grand-père. C'était décidément le portrait de son père.

Marianne allait bientôt commencer un nouveau chapitre de sa vie, dans un autre pays. Elle était prête. Et elle savait qu'Edmund lui donnait sa bénédiction.

Nick, lui aussi, eut à prendre une décision difficile. Il avait en Allemagne un château, des terres, des fermiers. Le domaine lui appartenait encore, maintenant que le Reich était tombé. Toutefois, il n'avait nullement envie de remettre les pieds dans son pays natal, même le temps d'un bref séjour. L'Allemagne l'avait trahi. Y retourner, revoir la maison où son père était mort de chagrin ne pourrait que le terrasser.

Il décida donc de tout vendre et de faire pour de bon sa vie aux États-Unis, ce pays qui l'avait accueilli à bras ouverts. Quand il fit part de sa décision à Christianna, elle n'en fut pas étonnée. Elle l'avait toujours cru quand il lui disait qu'il ne retournerait pas en Allemagne. Ce pays l'avait trop fait souffrir.

Par ailleurs, il prit contact avec la Croix-Rouge et une association de réfugiés juifs pour essayer de retrouver la trace de sa mère. Au mois de septembre, ses craintes se confirmèrent. Elle avait péri, lui apprit-on, avec son mari, ses quatre enfants et des membres de sa famille, dont ses parents. Comme tant d'autres, hélas. Nick en fut bien plus triste que surpris. Ainsi, elle avait eu d'autres enfants, tandis que, lui, elle ne l'avait jamais connu. Il eut l'impression de la perdre une deuxième fois en apprenant sa mort.

Après qu'ils eurent échangé quelques lettres, l'ancien notaire de son père lui écrivit, au cours de l'été, pour lui faire part de l'offre d'un comte autrichien, qui souhaitait acquérir son domaine et en offrait un prix correct.

Après une nuit de réflexion, Nick accepta. C'était sans commune mesure avec leur fortune d'avant-guerre, mais c'était tout de même une très belle somme… Cela lui permettrait de faire ce qu'il voulait. En l'occurrence, acheter un ranch à Santa Ynez comme il en rêvait depuis des années. Il allait pouvoir commencer à chercher et voir s'il trouvait quelque chose d'existant ou s'il préférait faire construire. En tout cas, le moment était venu. Il venait d'avoir cinquante ans et désirait une vraie maison pour eux et leurs enfants.

Il annonça à Christianna qu'à la fin de la tournée il quitterait le cirque et achèterait un ranch en Californie. Elle fut consternée. Elle avait toujours prié pour que ce jour n'arrivât jamais. Mais il avait les moyens de mener à bien son projet, maintenant, et de leur offrir la vie à laquelle il aspirait. C'en était fini de la pauvreté et des privations – et, pour lui, c'en était fini du cirque.

— Je ne peux pas partir, dit Christianna d'une voix étranglée.

— Quoi ? fit-il, ébahi. Mais nous avons les moyens de vivre autrement, maintenant. Adieu caravane et vie de romanichels.

— Je ne connais que cette vie-là, Nick, fit-elle valoir, affolée.

À vingt-huit ans, elle avait toujours appartenu au cirque. C'était justement ce qu'il voulait éviter, pour Chloé – que le cirque devienne tout son univers. Il savait que sa décision ne plairait pas à Sandor ni aux frères de Christianna, mais cela lui semblait trop important pour qu'il y renonce. Pour Lucas, également, qui, à treize ans, avait besoin d'une bonne école et devait songer à un avenir sans clowns ni femme à barbe.

Christianna fut tellement secouée par cette annonce qu'elle refusa même d'en parler avec lui. Elle ne dit rien à sa famille non plus. Mais, à chaque fois que

Nick essayait d'aborder le sujet, elle répétait qu'elle ne quitterait pas le cirque.

Il accepta d'attendre janvier ou février, voire mars ou avril et le début de la tournée suivante. Mais sa décision était prise. Il ne pensait plus qu'à réaliser son rêve : acheter ou faire construire un très beau ranch pour y élever des chevaux de race – et pourquoi pas des lipizzans, d'ailleurs. Il avait recouvré la liberté d'agir à sa guise – et, dans l'intervalle, appris énormément de choses.

À Noël, il reçut une charmante lettre de Marianne et eut la surprise et la joie d'apprendre qu'elle vivait désormais en Virginie, où elle avait épousé un éleveur de chevaux et attendait déjà un bébé. Altenberg n'était pas encore vendu, précisait-elle, mais cela ne tarderait sans doute pas. Surtout, surtout, elle était heureuse, en paix, et paraissait très amoureuse de son mari. Elle invitait Nick et sa famille à leur rendre visite. Elle avait très envie de le revoir et lui proposait de venir en janvier.

Nick en parla à Christianna, lui rappelant combien Marianne comptait à ses yeux : il la considérait presque comme sa fille. Il ne l'avait pas vue depuis sept ans, mais se rappelait d'elle comme si c'était hier. Lucas, en revanche, ne gardait d'elle que des souvenirs très flous. Christianna accueillit la proposition avec enthousiasme. Après tout, elle n'avait que quatre ans de plus que Marianne, et sa petite Chloé, un de moins que Violette. Ils s'entendraient probablement tous très bien.

Le week-end qui suivit le Nouvel An, ils se rendirent donc en Virginie comme convenu. Nick et Christianna furent charmés de faire la connaissance d'Arthur, un homme merveilleux et le mari idéal pour Marianne. Violette fut adorable. Le haras d'Arthur était magnifique. Issu d'une vieille famille du Sud, c'était un homme de cheval averti. Intimidée en arrivant, Christianna passa finalement un merveilleux séjour tant leurs hôtes étaient chaleureux et accueillants. Quant à Lucas, il se souvint très bien de Marianne dès qu'il la vit. Malgré l'absence de Toby et d'Alex, qui se faisait cruellement sentir maintenant qu'ils étaient réunis, ils passèrent un moment idyllique.

Sur le trajet du retour, Nick rappela à Christianna qu'il donnait son congé, qu'il ne repartait pas en tournée. Il allait quitter le cirque et élever des chevaux. Comme Arthur. C'était inévitable : la discussion se transforma en dispute.

Le froid dura des semaines, et Nick ne parvint pas à l'emporter. Elle y mêla son père et ses frères, et eux aussi argumentèrent contre lui. Nick déclara qu'il était trop vieux pour continuer à tourner avec le cirque. Il voulait un ranch. Il voulait élever des chevaux. Point final.

En mars, ils parvinrent à la conclusion qu'il avait espéré éviter. Ils allaient se séparer. Lui partirait en Californie avec Lucas pour créer un ranch. Christianna resterait au cirque avec sa famille et garderait Chloé. Il était profondément malheureux de les perdre toutes les deux, mais il n'avait pas le choix. Il viendrait voir Chloé le plus souvent possible et, quand elle serait plus grande, elle pourrait séjourner avec lui au ranch. Quoique aussi affectée que lui, Christianna accepta. Leurs chemins se séparaient, puisqu'ils pensaient ne pas pouvoir être heureux en suivant le choix de l'autre. Ils n'allaient pas divorcer, mais ils se séparaient.

Cette nouvelle porta un coup terrible à Gallina quand elle l'apprit. Lucas aussi était très triste. Ses amis allaient lui manquer, et plus encore Christianna, et sa petite sœur, qu'il adorait. Mais Nick en était persuadé : ce départ était ce qu'il y avait de mieux pour eux. Il ne flancha pas.

Il donna sa démission avant le départ en tournée. John Ringling North vint le voir en personne pour essayer de l'en dissuader. Toutefois, à la fin de leur entretien, il avait compris ses raisons et le remercia d'être resté aussi longtemps chez les Ringling Brothers.

— Vous m'avez sauvé la vie, dit Nick avec reconnaissance. Je ne l'oublierai jamais.

Ils se serrèrent la main.

Nick décida de partir en Californie le jour où le cirque quittait Sarasota pour entamer sa tournée. Il n'y avait entre Christianna et lui aucune animosité, rien que la tristesse de voir leurs chemins se séparer.

Nick avait passé la semaine à dire au revoir à ses amis. La veille du départ, il chargea son matériel dans le van tout neuf qu'il venait d'acheter. Tout était prêt. Il n'y aurait plus qu'à faire embarquer les chevaux le lendemain matin. Christianna et lui passèrent leur dernière nuit ensemble dans la caravane. Il aurait aimé lui faire l'amour mais s'en abstint. Il passa la nuit à la regarder dormir. Il l'aimerait toujours, il le savait. Elle lui dit la même chose à son réveil.

Peu après, elle l'accompagna à la tente des chevaux et pleura en caressant Pégase pour la dernière fois. Athéna et lui allaient lui manquer.

Nick et Lucas firent monter les chevaux dans le van ; elle les regarda faire, en larmes. Elle sourit tristement à Nick, qui lui donna un rapide baiser sur la tête avant de se détourner pour qu'elle ne voie pas ses yeux humides. Voilà. Ils étaient prêts à partir. Nick alla embrasser Chloé puis se tourna vers Christianna.

— Prends bien soin de toi, ma chérie, lui enjoignit-il. Ne range pas ce filet sous prétexte que je ne regarde pas.

Elle secoua la tête. Elle savait qu'elle n'y renoncerait plus jamais, maintenant. Nick avait amélioré tant de choses dans sa vie.

L'un de ses frères démarra le moteur de leur caravane et fit un signe d'adieu à Nick. Le convoi des véhicules en tout genre du cirque se mit en branle. Nick et Lucas prirent place dans la file pour quitter le champ de foire. Ils étaient à peine sortis que Nick s'arrêta, l'air affolé. Il regarda Lucas et se gara sur le bas-côté.

— Qu'est-ce que tu fais, papa ?

— Ne t'inquiète pas. Attends-moi là.

Il sauta à terre et remonta en courant la file des véhicules. Il courut, courut, et, soudain, il la vit, au bord de la route, avec ses valises, Chloé dans les bras. Peter portait le reste de ses sacs. Avec ses grands yeux terrifiés, elle avait l'air d'une réfugiée en temps de guerre.

— Chérie, je laisse tomber. On reste. On reste avec toi. Je t'aime, dit-il, près de défaillir d'émotion.

Sans elle, son rêve ne valait rien. Il l'aimait bien plus que tous les ranchs de la terre.

— Non, c'est nous qui venons avec vous, dit-elle d'une voix tremblante. Je quitte le cirque.

Ainsi, ils étaient prêts l'un et l'autre à renoncer à ce qui comptait le plus pour eux par amour. Le frère de Christianna sourit et posa les bagages.

— Vous êtes fous, tous les deux. Rien ne vous séparera jamais. Alors, vous allez où ?

— En Californie, déclara-t-elle d'une voix nette en souriant à son mari.

— Tu es sûre ? demanda Nick. Si tu veux, je reste. Tout ce qui compte pour moi, c'est d'être avec toi. Le reste est sans importance.

— Si, c'est important. Pour nous tous. Ce sera bien mieux pour Lucas et Chloé. Je ne veux pas qu'elle devienne funambule… Si ça se trouve, elle aura peur, comme ma sœur.

Ils marchèrent bras dessus, bras dessous jusqu'au van, suivis de Peter qui portait les valises. Il les embrassa tous les deux, et Nick ouvrit la portière.

— On avait oublié quelque chose, dit-il à Lucas d'un ton neutre.

— Ah ? Quoi ?

— Christianna et ta sœur. Elles viennent avec nous !

Un sourire radieux se peignit sur le visage de son fils. Christianna installa Chloé sur la banquette arrière avec un sac de jouets et se glissa à l'avant à côté de Lucas.

Après un dernier signe d'adieu à Peter, ils démarrèrent, direction la Californie.

Le voyage était long. Ralentis par les chevaux, ils mirent dix jours. Mais ils ne jetèrent pas un regard en arrière.

27

Après six mois de quête sans relâche, Nick et Christianna trouvèrent enfin la propriété idéale. Elle était sise dans la vallée de Santa Ynez, sur le fameux promontoire qu'ils aimaient tant et sur lequel ils revenaient chaque année lors de leur pèlerinage dans la région. Trouver un ranch précisément à cet endroit, c'était le rêve de Nick qui se réalisait.

Ils louèrent une maison le temps de rénover celle du domaine. À la fin de l'année, le ranch de Pégase était en activité. Nick avait racheté six lipizzans et quelques pur-sang arabes. Ainsi qu'il avait toujours projeté de le faire, il élèverait des lipizzans en Amérique, en utilisant Pégase comme étalon chef de race.

Le cirque et les clowns manquaient à Lucas, mais il se plaisait dans sa nouvelle école et s'y était déjà fait beaucoup d'amis. Chloé était en pleine forme. Même Christianna finit par convenir que la vie sédentaire, dans une maison normale, leur faisait du bien à tous.

Nick et Marianne s'écrivirent à Noël. Son bébé, un garçon, était né en juillet, et elle était à nouveau enceinte. Elle était heureuse de garder contact avec Nick, le dernier lien qui lui restait de sa vie d'avant-guerre, avec son père.

Toute la famille de Christianna vint leur rendre visite au ranch pendant les fêtes, et l'été suivant, lorsque la tournée passa en Californie. À partir de là, les Markovitch prirent l'habitude de venir deux fois par an. Lors de leurs séjours, la maison était pleine à craquer. On faisait la cuisine, on riait, on se promenait à cheval dans les prairies... Sandor regrettait que sa fille ait quitté le cirque, mais au moins menait-elle une vie stable avec un homme bien. Malgré ses réticences, Mina avait dû remplacer Christianna sur le fil ; elle n'avait pas eu le choix. Toutefois, elle ne se plaignait pas et semblait avoir gagné en assurance. Elle sortait avec un gymnaste roumain, et son frère pensait qu'ils allaient se marier. Au moins, il était du cirque. Seul Nick avait eu le droit de s'enfuir avec sa femme.

Bientôt, pour Nick, et même pour Christianna, le souvenir du cirque commença à s'estomper tel un rêve. Ils étaient très heureux, au ranch. Jamais elle n'aurait osé imaginer une telle vie. Ils avaient une belle maison, des amis, les enfants s'épanouissaient... Christianna adorait aussi leurs chevaux. Nick ne tarda pas à avoir les plus beaux lipizzans de l'État. Son objectif était d'élever les meilleurs du pays, et il n'allait pas tarder à y arriver. Les premiers poulains de Pégase naquirent ; ils étaient magnifiques...

Cela faisait maintenant plus de quatre années qu'ils étaient installés à Santa Ynez. À chaque premier de l'An, ils recevaient une carte de vœux de Marianne, qui leur annonçait la naissance d'un nouvel enfant. Elle avait avec Arthur trois garçons et une fille, en plus de Violette, bien sûr. Dans ses lettres, elle disait que les Beaulieu venaient les voir à Garrison Farm une fois par an et qu'Arthur, elle et les enfants allaient à Haversham tous les étés. Elle précisait que c'était de merveilleux grands-parents pour ses autres enfants aussi. Elle était très heureuse avec Arthur. C'était le meilleur des hommes, et ils menaient ensemble une vie merveilleuse. Comme Nick et Christianna chez eux. Après les années tumultueuses de la guerre, chacun avait trouvé sa place et réalisé ses rêves.

Dix-neuf ans s'écoulèrent ainsi. Tous étaient très occupés, entre l'élevage des chevaux et l'éducation des enfants. Marianne passait son temps à conduire les siens à des concours hippiques, car c'étaient d'excellents cavaliers. Les deux familles ne parvinrent donc pas, en l'espace de toutes ces années, à se rendre visite l'une à l'autre.

Nick s'en voulait. Et Marianne aussi s'en désolait, mais le temps passait trop vite. En 1965, cependant, elle vint à Santa Barbara avec Violette pour une compétition de préparation pour les jeux Olympiques. C'était l'occasion pour elles de leur rendre enfin visite à Santa Ynez, ne fût-ce que pour une journée. Cela faisait si longtemps qu'ils ne s'étaient pas vus…

Aujourd'hui, la fille d'Alex était une femme, avec de grands enfants. Nick avait soixante-dix ans, et Christianna quarante-huit. Chloé avait fêté son vingt-deuxième anniversaire et finissait ses études universitaires à Florence, dans le cadre d'un échange avec Stanford. Elle parlait couramment italien – du moins l'affirmait-elle.

À trente-trois ans, Lucas, qui travaillait au ranch avec son père, était marié depuis un an avec une fille formidable, originaire de la vallée. Ils n'avaient pas encore d'enfants, mais cela viendrait, supposait Nick. Ils n'étaient pas pressés. Il aimait beaucoup Sally, sa belle-fille. Ses parents possédaient aussi un ranch dans les environs ; elle adorait les chevaux et, très compétente, aidait Nick et Lucas. Nick avait invité Marianne avec sa famille à leur mariage, mais ils n'avaient pas pu s'absenter à ce moment-là. Elle tenait donc au moins à faire la connaissance de Sally maintenant – et surtout à revoir Nick et Lucas, qu'elle considérait comme faisant partie de sa famille.

Marianne n'avait pour ainsi dire pas changé, songea Nick en la voyant descendre de voiture. À quarante-quatre ans, elle était la même qu'à vingt-cinq... Toujours aussi belle, grande, aristocratique et mince. Comme Nick et Lucas, elle avait opté pour la nationalité américaine au moment de son mariage. Quant à Violette, c'était aujourd'hui une ravissante jeune femme de vingt-trois ans.

Marianne fut très émue de voir les lipizzans de Nick, qui lui rappelèrent ceux de son père. Elle se réjouit de retrouver Pégase, encore vivant à trente et un ans. Elle alla le saluer dans son box, comme le vieil ami qu'il était pour elle. Quoique assagi par les ans, c'était encore un magnifique cheval ; il avait toujours de la superbe du jeune étalon que son père avait offert à Nick alors qu'elle n'était qu'une adolescente. Grâce à lui, Nick avait établi une excellente souche pour son haras. Violette fut ravie de le voir, ainsi que les autres lipizzans. Elle avait hérité la passion des chevaux de son grand-père que, pourtant, elle n'avait pas connu. Elle avait l'exubérance et la légère excentricité britannique de sa grand-mère paternelle, Isabel Beaulieu, avec qui elle passait tous ses étés. Arthur n'avait pas adopté Violette par respect pour la mémoire de son père et pour les Beaulieu, mais ils étaient très proches, tous les deux.

Marianne, Violette et les Bing passèrent ensemble un week-end fabuleux. Nick fit faire le tour du ranch à Marianne à cheval ; ils évoquèrent son père, certains souvenirs auxquels Nick s'interdisait de songer. Alex lui manquait – et Toby, bien sûr. Même s'il ne les oubliait pas, pas plus que son père, Paul, le reste de sa vie en Allemagne s'effaçait peu à peu de sa mémoire, s'enfonçait dans le brouillard.

Bien que Violette ait dix ans de moins que Lucas et Sally, leur passion commune des chevaux les rapprocha, et ils en parlèrent pendant tout le week-end, ainsi que de son entrée dans l'équipe nationale et de sa préparation en vue des jeux Olympiques.

Ils ne furent guère surpris, trois ans plus tard, de la voir à la télévision remporter l'or olympique. Elle était radieuse, pendant la cérémonie de remise des médailles, et Nick éprouva une pointe d'émotion. Alex aurait été si fier de sa petite-fille…

Lucas et Sally avaient tant à faire au ranch qu'ils n'eurent leur premier enfant qu'au bout de six ans de mariage. C'était le premier petit-enfant de Nick, qu'ils prénommèrent Alex, en hommage à son grand ami. Lucas écrivit à Marianne pour le lui annoncer. Très touchée, elle envoya comme cadeau de naissance une toute petite paire de bottes de cheval. Les deux familles restaient profondément liées.

À cette époque-là, Violette étudiait la médecine vétérinaire à Davis, pour la plus grande satisfaction de ses parents.

Quatre ans plus tard, cependant, les Bing reçurent une bien triste nouvelle. Violette leur annonçait que Marianne avait été tuée dans un accident de voiture en se rendant à un concours. Elle avait cinquante-quatre ans. Nick fut bouleversé par ce drame ; pour lui, c'était la fin d'une époque. Marianne était avec lui la seule survivante d'un monde perdu, hormis Lucas, mais lui était trop jeune pour se rappeler leur vie d'avant les

États-Unis et le cirque. C'était aussi sa nièce de cœur, et le dernier lien avec Alex.

Violette entretint les liens avec eux pendant les années qui suivirent. Elle avait repris l'élevage de son beau-père. Ses frères et sa sœur ne s'y intéressant pas particulièrement, Arthur le lui avait transmis à la mort de Marianne. Il souhaitait voyager, depuis son veuvage, et ne voulait plus assumer la responsabilité du haras.

Violette se maria à un éleveur de chevaux voisin, et eut un bébé – une petite fille – au bout de un an. Elle l'appela Nicola, en hommage à Nick. Il avait alors quatre-vingt-deux ans et fut très touché, à son tour, de cette attention. Il restait en bonne santé et très actif, même si Lucas avait pris la direction du ranch. Il accompagnait encore son fils aux ventes aux enchères, car son œil était infaillible. Son choix se portait toujours sur des animaux magnifiques, dont les origines complétaient parfaitement celles des leurs. Lucas apprenait énormément de lui, de même que Nick, autrefois, avait tout appris d'Alex.

Le petit Alex, le fils de Lucas, avait six ans au moment de la naissance de Nicola, la fille de Violette. C'était la prunelle des yeux de son grand-père. Nick lui racontait les histoires du cirque, lui parlait des clowns avec lesquels son père était ami quand il était un petit garçon comme lui… Alex savait tout sur Pégase, le bel étalon, pourtant mort avant sa naissance, qui était enterré au ranch.

Nick et son petit-fils montaient à cheval ensemble tous les après-midi, généralement juste avant le coucher du soleil. Nick lui parlait souvent de son oncle Toby qui était mort à la guerre, de son père quand il était petit, de son ami Alex, en Allemagne, celui dont il portait le prénom. Celui-ci avait les plus beaux chevaux au monde et les dressait merveilleusement. Pendant la guerre, il avait été d'un courage extraordinaire. Un jour qu'ils se promenaient ainsi et qu'Alex écoutait, fasciné, les récits de son grand-père, Nick se tut brusquement et parut se reposer dans sa selle. Le lipizzan qu'il montait, un des fils du grand Pégase, prit calmement le chemin du retour, suivi par le cheval d'Alex.

— Grand-père dort, annonça le petit garçon à son père en arrivant à l'écurie.

Lucas jeta un coup d'œil à son père et comprit aussitôt ce qui s'était passé. Nick était mort comme il en aurait rêvé, en selle sur un lipizzan, après un galop dans les prairies de son ranch en compagnie de son petit-fils, à profiter de l'existence et de son univers tandis que le soleil se couchait derrière ces montagnes qu'il aimait tant. Il était resté actif et plein d'énergie jusqu'au bout, amoureux de la vie, fou de ses chevaux.

Lucas envoya son fils retrouver sa mère à la maison, puis descendit son père de cheval en douceur.

Il fut enterré dans un coin tranquille du ranch, non loin de la tombe de Pégase, sur le promontoire où il était venu si souvent avec Christianna. Il y fut conduit dans une voiture à cheval tirée par deux lipizzans, tandis que son étalon favori suivait le convoi, sellé et bridé, sans cavalier, Christianna marchant à côté de lui.

Après sa mort, elle continua de venir voir Nick tous les jours pour lui parler. Parfois, elle se rendait sur le promontoire à cheval. Et elle songeait à la vie merveilleuse qu'elle avait eue avec lui. Jamais elle n'avait regretté de l'avoir suivi dans son rêve de ranch. Ils s'étaient aimés jusqu'au bout.

28

Les enchères montaient à toute vitesse. Cette vente, qui avait lieu près de Haversham, dans le Buckinghamshire, en Angleterre, attirait chaque année des aficionados du monde entier. Les plus grands professionnels venaient y acquérir des pur-sang arabes, des chevaux de show, de chasse ou de compétition et, parfois, des lipizzans. Ce fut le second lipizzan du catalogue, un étalon, qui attira les plus grosses enchères. Une jeune femme, dont on disait qu'elle était de la famille Beaulieu et qu'elle séjournait au château, semblait déterminée à l'acheter. Elle levait le doigt presque imperceptiblement, sans quitter des yeux le commissaire-priseur. Toutefois, elle avait de la concurrence, et notamment un homme de grande taille coiffé d'un chapeau de cow-boy qui se tenait un peu à l'écart, apparemment très décontracté. Il observait le cheval d'un regard acéré, et le crieur qui le surveillait continuait de transmettre ses enchères.

— C'est la dame au chemisier rose, annonça le commissaire-priseur, contre vous, monsieur.

Il n'avait pas fini sa phrase que le crieur du côté reprenait la main pour lui. Les autres enchérisseurs abandonnèrent la partie. Finalement, l'homme au chapeau de cow-boy renonça à son tour, et la jeune femme au chemisier rose eut un sourire de triomphe et fut félicitée par les jolies femmes qui l'accompagnaient. C'était une grande blonde qui devait avoir tout juste la trentaine. Elle remplit le formulaire que lui présentait un crieur et le signa. Tandis que le lot suivant passait sous le marteau, elle se rendit dans les bureaux pour payer le cheval qu'elle venait d'acheter. L'homme au chapeau de cow-boy vint la trouver et lui tendit la main.

— Je tenais à vous féliciter, mademoiselle, dit-il avec un grand sourire. C'est un magnifique cheval.

Il aurait préféré l'emporter, bien sûr, mais il avait senti que la jeune femme ne l'aurait laissé partir à aucun prix. De toute façon, la dernière enchère qu'il avait faite était déjà bien supérieure à la limite qu'il s'était fixée. Il avait acheté deux autres chevaux aujourd'hui, de magnifiques pur-sang arabes dont il était très satisfait, même si c'était avant tout pour le lipizzan qu'il avait fait le déplacement.

— Merci, répondit aimablement la jeune femme blonde avec un sourire un peu gêné. Je suis désolée, j'ai un faible pour les lipizzans.

— Moi aussi. Vous l'avez acheté pour faire de la compétition ?

— Oui.

— Moi, je le voulais plutôt pour l'élevage, dit-il. Peut-être aurons-nous l'occasion d'en discuter un jour ? Je représente le ranch de Pégase, en Californie.

Elle en avait très probablement entendu parler, d'autant que son accent indiquait qu'elle était américaine.

— Et moi, Garrison Farm, en Virginie.

Il voyait très bien.

— Je suis descendue chez mes cousins, dans la région, ajouta-t-elle.

Elle s'abstint de dire qu'ils possédaient Haversham Castle de peur de passer pour snob, surtout en face d'un homme aussi décontracté.

— Pour être tout à fait franche, je l'ai acheté pour des raisons sentimentales. Les lipizzans font partie de l'histoire de ma famille.

Elle éprouvait le besoin d'expliquer pourquoi elle avait lutté avec tant d'acharnement pour l'avoir. Mais il ne semblait pas lui en vouloir. Beau perdant, il parut s'intéresser à son explication.

— C'est vrai ? De la mienne aussi, remarqua-t-il.

Il y avait dans son regard quelque chose qui lui semblait familier. Il n'aurait su dire quoi, au juste, mais c'était comme s'ils s'étaient déjà rencontrés.

— Mon arrière-grand-père, reprit-elle, a offert deux lipizzans à son meilleur ami, avant la guerre, ce qui lui a permis de fuir l'Allemagne et d'échapper au sort qui allait s'abattre sur les Juifs. Depuis, ils nous ont toujours porté chance.

Elle sourit. Il se rendit compte qu'elle avait les yeux aussi bleus que les siens. En revanche, elle était aussi blonde qu'il était brun.

— Figurez-vous, mademoiselle, que mon grand-père à moi a justement reçu en cadeau de son meilleur ami deux lipizzans qui lui ont permis de s'engager dans un cirque, dit-il, un peu hésitant.

Ils portaient les deux moitiés d'une même histoire qui s'emboîtaient parfaitement pour former un tout.

— Oh, mon Dieu ! s'exclama-t-elle en le regardant, éberluée. Ce sont les mêmes, alors ! Mon arrière-grand-père, votre grand-père étaient ces deux grands amis. Ma mère m'a raconté l'histoire du cirque, mais elle ne m'a pas dit grand-chose à ce sujet, et ma grand-mère est morte avant ma naissance, ce qui fait que je n'ai jamais pu lui demander.

— Si nous parlons bien des deux mêmes hommes, la partie qui concerne le cirque est vraie. Mon grand-père a quitté l'Allemagne avec deux lipizzans et six pur-sang arabes dans un wagon de chemin de fer en 1938 pour s'engager dans un cirque en Amérique. Comment vous appelez-vous ?

Il était aussi sidéré qu'elle. Comment se pouvait-il que deux êtres liés par cette histoire commune se retrouvent en Angleterre à enchérir sur le même cheval ? Ce devait être le destin.

— Nicky Steele. Le nom de jeune fille de ma grand-mère est von Hemmerle. Marianne von Hemmerle. Son père s'appelait Alex. Il l'a envoyée en Angleterre chez des amis en 1940 pour la mettre à l'abri. Elle y a épousé un pilote de la RAF – mon grand-père – pendant la guerre. Il est mort. C'est par son remariage qu'elle est partie en Amérique. Ma mère, Violette Beaulieu Steele, est la fille de son premier mari. Elle est donc à moitié anglaise, et nous avons des cousins ici.

— Eh bien, je porte le prénom de votre arrière-grand-père, alors. Je m'appelle Alex Bing. Mon grand-père était un von Bingen – Nicolas von Bingen. Au cirque, il se faisait appeler Nick Bing, et il a gardé ce nom, plus simple et plus américain.

Elle le regarda, médusée.

— Vous savez, je crois que, moi aussi, j'ai été prénommée d'après votre grand-père. Nicola – mais on m'appelle Nicky. C'est complètement fou.

Elle en avait la chair de poule.

— Si seulement ma grand-mère était encore en vie pour que je puisse lui raconter… En tout cas, il me tarde de le dire à ma mère ! Je m'occupe du haras de la famille, en Virginie.

— Mon père, Lucas Bing, est toujours de ce monde. Il avait six ans quand ils sont venus d'Allemagne et se sont engagés dans le cirque, avec mon grand-père et mon oncle Tobias, qui a été tué dans le Pacifique en 1942. À quatre-vingt-deux ans, mon père a toujours bon pied, bon œil. Quant à mon grand-père, Nick, il est mort il y a trente-sept ans, quand j'en avais six, alors que nous étions en train de nous promener tous les deux à cheval, dans le ranch. Il s'est endormi tout en parlant. Toutes les souches de notre élevage sont issues du fameux Pégase, l'étalon qu'ils avaient amené d'Allemagne juste avant la guerre.

— J'ai entendu parler de votre ranch et de votre famille. Tous ces noms me disent quelque chose. Le coup du cirque m'a toujours un peu désarçonnée. Cela me paraissait tellement bizarre que j'avais peine à croire que ce soit vrai, avoua-t-elle, l'air un peu gêné.

Il rit.

— Moi aussi, cela m'a toujours paru bizarre. Et drôle, en même temps. Mon grand-père me racontait des histoires extraordinaires. Ma grand-mère était une funambule, qu'il a connue au cirque, justement, vous vous rendez compte ? Elle nous a quittés l'année dernière, à quatre-vingt-seize ans. C'était une femme extraordinaire et très belle. Polonaise d'origine. Cela vous dirait de parler de tout cela autour d'un verre ?

Il fouillait son regard, en quête d'il ne savait quoi. Il lui semblait avoir en face de lui un fantôme du passé.

— Avec grand plaisir, répondit-elle en souriant. Voulez-vous venir chez mes cousins après la vente ? Je vous préviens, la « maison » est pratiquement de la taille de Buckingham Palace, en plus décrépite. Mais c'est un endroit extraordinaire. Ma grand-mère y a vécu pendant la guerre, et ma mère y est née, le lendemain de la mort de son père lors d'une mission de bombardement.

Leurs chemins se croisaient, déjà riches de tant d'anecdotes que l'on aurait cru un film. Ils avaient tous les deux l'impression de faire un bond en arrière dans le temps.

Alex se rendit à Haversham Castle deux heures plus tard. Il prit le thé, puis un scotch. Les cousines de Nicky le trouvaient extrêmement séduisant, avec ses cheveux bruns, ses yeux bleus, son teint hâlé de Californien et les petites rides qui faisaient rire ses yeux. Nicky ne pouvait qu'être de leur avis. Il était à la fois d'une beauté exceptionnelle, et très discret. Elle leur avait raconté l'histoire qui liait leurs deux familles, le rôle qu'y avaient joué deux lipizzans. Ses cousines n'en revenaient pas – et elles furent vite sous le charme de ce vrai cow-boy.

— C'est le destin, ma belle, lui dit Fernanda.

Quand Alex leur apprit au fil de la conversation qu'il était divorcé et n'avait pas d'enfants, elle adressa à Nicky un regard appuyé, doublé d'un haussement de sourcils tout sauf subtil. De son côté, à trente-sept ans, Nicky ne s'était jamais mariée, trop prise qu'elle était par son élevage de chevaux.

Les trois jeunes femmes et Alex passèrent un moment très agréable, puis il dut rentrer à son hôtel retrouver des amis avec qui il avait rendez-vous.

— Bonne chance avec ton lipizzan, dit-il en souriant à Nicky au moment de prendre congé. On se tient au courant.

Il lui tardait de raconter cette rencontre à son père. Il rentrait en Californie le lendemain matin. Quant à Nicky, elle reprenait l'avion deux jours plus tard.

— Si on tapait son nom sur Google, pour voir, suggéra sa cousine dès qu'il fut parti.

Elles cherchèrent son site en gloussant comme des gamines et découvrirent que le ranch de Pégase était immense. Il y avait une bonne photo de lui, et une autre où il était en compagnie de son père, un vieux monsieur avec beaucoup d'allure. C'était une belle famille. Elles trouvèrent aussi un cliché de Nick Bing, le fondateur du ranch, et un autre de Pégase, l'étalon qui lui avait donné son nom.

— Tu devrais l'appeler, un de ces jours, ou passer le voir, lui conseilla son autre cousine après un deuxième scotch.

— Pour lui dire quoi ? objecta Nicky.

Malgré leur histoire commune, elle se sentirait idiote de l'appeler sans vraie raison.

— Je ne sais pas... Demande-lui conseil au sujet du cheval que tu viens d'acheter. Je crois que votre rencontre n'est pas fortuite. C'est le destin. Tu te rends compte ? Ton arrière-grand-père était le meilleur ami de son grand-père et il lui a sauvé la vie. Et voilà que vous vous retrouvez, soixante-seize ans plus tard.

— Ce n'est qu'une coïncidence, assura Nicky. Étrange, je l'admets, mais une coïncidence tout de même.

Ce soir-là, elle téléphona à sa mère en Virginie pour lui raconter. Violette fut touchée. Elle se souvenait d'avoir rencontré le père et le grand-père d'Alex quand elle était passée chez eux avec sa mère, au retour d'un concours à Santa Barbara, en 1965.

— C'était bien avant mon mariage, et bien avant ta naissance, précisa-t-elle. Avant même la naissance de l'homme que tu as rencontré aujourd'hui. Comment est-il ? s'enquit-elle avec curiosité.

— Sympa. Le genre beau cow-boy, répondit Nicky, pensive.

— Il était contrarié que ce soit toi qui aies eu le cheval ?

— Pas du tout. Il a été très beau joueur. Et moi, il n'était pas question que je cède.

Sa mère éclata de rire.

— Ça ne m'étonne pas de toi.

Une fois qu'elle avait pris une décision, Nicky ne renonçait jamais. Elle avait une volonté de fer et était très indépendante. C'était sans doute pour cela qu'elle n'était pas mariée. Elle n'avait pas rencontré d'homme à sa mesure ; elle n'était d'ailleurs même pas certaine d'en avoir envie. Elle tenait trop à sa liberté.

— Eh bien, j'ai hâte de voir ce cheval, dit sa mère avec enthousiasme. Il doit être magnifique.

— Oh, oui, confirma Nicky.

Elle le lui décrivit en détail. Elle était ravie de son acquisition. Deux jours plus tard, elle était de retour en Virginie et put le lui présenter en chair et en os.

Violette le trouva plus beau encore qu'elle ne s'y attendait et particulièrement conforme au standard de sa race.

Nicky commença à le travailler dans l'intention de le débourrer, mais il lui donna d'emblée du fil à retordre. Le cheval était explosif, incroyablement têtu. Il était d'une force physique et de caractère peu commune. Un mois durant, il résista à tous ses efforts. Elle avait pourtant déjà dressé plusieurs lipizzans et connaissait bien la race.

Elle l'avait baptisé Snow, pour sa robe blanche comme neige, mais tout indiquait qu'il n'aimait pas ce nom. Il faisait la grimace ou essayait même de la mordre à chaque fois qu'elle le prononçait. Et il la jetait par terre à toute occasion. Quoique couverte de bleus, Nicky était bien décidée à ne pas renoncer. Elle faillit appeler Alex Bing pour lui demander conseil, réellement, pas comme un prétexte, mais elle ne voulait pas avouer ses difficultés. C'était trop humiliant.

Jamais elle n'avait été incapable de débourrer un cheval avant celui-ci. Il était indomptable. Elle envisagea de le vendre, et pourquoi pas à Alex Bing d'ailleurs, puisqu'il avait été fort intéressé par le lipizzan. D'un autre côté, elle ne voulait pas lui refiler un mauvais cheval. Nicky peu à peu se faisait une raison : Snow ne servirait à rien d'autre qu'à la reproduction. Heureusement, malgré son caractère infernal, il avait des origines exceptionnelles.

Un jour qu'elle se rendait à Santa Barbara pour un concours hippique, elle décida de l'emmener. Peut-être trouverait-elle un éleveur à qui le vendre là-bas.

Après les épreuves, elle laissa ses chevaux d'obstacle à l'écurie du concours et, sur un coup de tête, prit la route de Santa Ynez pour aller voir le ranch d'Alex Bing. Elle attela un van à une place à sa voiture et embarqua Snow. C'était l'occasion de demander conseil à Alex. Elle n'appela même pas avant de venir. Elle ne comptait pas rester longtemps. S'il était absent ou occupé, tant pis, elle repartirait.

À son arrivée au ranch, elle fut impressionnée. Tout était impeccablement tenu. Les écuries étaient immenses ; il y avait manifestement beaucoup de chevaux. Elle aperçut Alex qui sortait d'un bâtiment et se gara. Lorsqu'il la vit, il lui sourit comme s'il l'attendait. Il portait le même chapeau de cow-boy qu'en Angleterre, ou un autre identique.

— Quel bon vent t'amène ? demanda-t-il comme elle descendait de voiture.

— Je suis venue avec un ami, répondit-elle en montrant le van.

— Je le connais ?

— Oui, tu le connais.

Elle ouvrit le van et fit descendre Snow. Il était vraiment d'une beauté exceptionnelle, et ils restèrent quelques minutes à l'admirer sans parler.

— Comment va-t-il ? s'enquit-il avec intérêt.

Pendant ce temps, Lucas était sorti sur le seuil d'une autre écurie et les observait en souriant. Quelque chose lui disait qu'il savait qui était cette jeune femme. Alex lui avait raconté leur rencontre en Angleterre, et il avait trouvé cette coïncidence frappante. Ce devait être elle.

En réponse à la question d'Alex, elle commença par rire, puis avoua franchement :

— Il est odieux. Il me vire à chaque fois que je le monte. Et il me mord si je prononce son nom. Je pense qu'il ne sera jamais bon à rien d'autre qu'à la reproduction. Il est impossible.

Il la regarda d'un air interrogatif.

— Tu es en train de me proposer de me le vendre ? demanda-t-il sérieusement en palpant les membres et les flancs du cheval d'une main experte.

Snow se laissa faire sans broncher. Il semblait considérer Alex comme un vieil ami. Nicky, d'abord stupéfaite, comprit soudain pourquoi elle était venue. Tout s'éclairait dans son esprit.

— Non, dit-elle d'un ton posé, je te le donne. J'ai l'étrange impression qu'il veut être ici. Et puis, tu sais bien que c'est une tradition familiale : tous les soixante-seize ans, ma famille offre un ou des lipizzans à la tienne.

Alex rit, mais secoua la tête. Il savait combien elle avait acheté ce cheval. Une petite fortune.

— Je ne peux pas accepter un pareil cadeau, protesta-t-il.

— Je parie que c'est ce que ton grand-père a dit à mon arrière-grand-père en 1938.

— Peut-être, concéda Alex en les regardant tour à tour, le cheval et elle. Comment l'as-tu appelé, au fait ?

— Snow.

L'étalon lui jeta un regard mauvais ; s'abstint toutefois de la mordre.

— Pourquoi pas Pégase ? suggéra Alex.

Le cheval s'apaisa aussitôt. Il avait presque l'air de sourire.

— Tu vois ? Il ne supporte même pas le nom que je lui ai donné. Je t'assure, il me déteste. Je crois que, depuis le début, il voulait repartir avec toi.

Comme pour appuyer ses propos, Snow-Pégase frotta affectueusement le bout du nez contre Alex. Ce dernier sauta sur lui, sans selle, et fit quelques pas dans la cour. Le lipizzan paraissait soudain doux comme un agneau. Alex regarda Nicky en souriant.

— Tu veux aller faire un tour ? Va chercher un deuxième cheval dans l'écurie. Celui que tu veux.

Elle accepta, d'autant qu'elle était déjà en jean et en bottes. Elle n'en revenait pas de voir Alex monter l'étalon à cru, sans la moindre difficulté. Il avait un vrai don avec les chevaux. Le lipizzan paraissait apaisé, confiant, lui qui n'avait cessé de traiter Nicky comme son ennemie depuis le début.

Lucas, qui avait entendu la dernière partie de la conversation, alla chercher un cheval sellé pour Nicky. Tous deux se présentèrent.

— Très beau cheval, commenta-t-il en regardant Pégase.

— Il semble avoir trouvé sa place ici, dit-elle simplement.

Quelques instants plus tard, ils partaient au galop. Ils firent un très long tour sans jamais sortir des limites du ranch.

— Je ne sais pas pourquoi, mais je me doutais que tu viendrais. Et lui aussi, j'étais sûr de le revoir, remarqua tranquillement Alex.

— Tu dois être médium.

— Non, répondit-il en riant. Seulement, notre première rencontre était tellement extraordinaire… comme si c'était écrit, pour une raison inconnue.

C'est alors qu'il remarqua où il l'avait emmenée, sans même y penser. Ils étaient en train de passer près de la tombe si paisible de son grand-père et Christianna, sur le promontoire, non loin de celle du premier Pégase. Il regarda Nicky et retrouva dans ses yeux cette lueur familière. Il lui semblait la connaître depuis toujours. C'était comme s'ils étaient liés depuis la nuit des temps et que leurs chemins étaient voués à se croiser le jour de la vente aux enchères. Comme si des forces qui les dépassaient étaient à l'œuvre.

— Je suis heureux que tu sois venue, lui dit-il doucement. J'ai beaucoup pensé à toi, après notre rencontre. J'ai failli t'appeler, plusieurs fois, mais je ne savais pas quoi dire.

— Moi aussi, avoua-t-elle. Là, comme je venais à un concours à Santa Barbara, l'idée de t'amener Snow m'est venue. Et puis, quand je t'ai vu avec lui, j'ai compris que c'était ton cheval. Il n'est pas à moi. Il n'a jamais été à moi.

— Pégase, dit Alex d'une voix grave, bienvenue chez toi.

Le cheval remua doucement la tête en entendant son nom. Alex lui caressa l'encolure puis se tourna vers Nicky qui lui sourit.

Ils partirent au galop en donnant des rênes à leurs chevaux pour les laisser avancer librement. Ils avaient traversé les générations pour se trouver, et l'étalon blanc qui avait lié pour toujours leurs ancêtres en sauvant trois vies les avait accompagnés.

Oui, Pégase leur était revenu.

Arrivés en vue des écuries, ils ralentirent et repassèrent au pas. Alors, Alex étendit la main pour caresser très doucement la joue de Nicky. À son contact, elle se sentit aussi docile et apaisée que l'étalon, ce qui ne lui ressemblait pas. Cet homme était un magicien.

— Bienvenue chez toi, dit-il.

Cette fois, c'était à elle qu'il s'adressait. Quand leurs regards se mêlèrent, elle fut emplie d'un grand calme. Lucas, qui les observait de loin, sourit à son tour avant de rentrer dans l'écurie. Tout allait bien pour eux. Pégase était de retour.

Cet ouvrage a été imprimé au Canada
par Maquis Imprimeur inc.
en avril 2016

Dépôt légal : mai 2016